钱多多嫁人记

人海中 作品

图书在版编目（CIP）数据

钱多多嫁人记 / 人海中著 . — 南昌：百花洲文艺出版
社，2015.10
ISBN 978-7-5500-1533-3

Ⅰ.①钱… Ⅱ.①人… Ⅲ.①长篇小说—中国—当代
Ⅳ.① I247.5

中国版本图书馆 CIP 数据核字（2015）第 228231 号

钱多多嫁人记

人海中 著

出 版 人	姚雪雪	出 品 人	柯利明　林苑中
特约监制	丁元元	责任编辑	游灵通　郭笑笑
特约策划	丁元元　马晓婧	特约编辑	马晓婧
营销统筹	蕊　蕊	营销推广	陈　晨　李　鲜
装帧设计	弘果文化传媒	责任印制	张军伟

出 版 者　百花洲文艺出版社
社　　址　南昌市红谷滩世贸路 898 号博能中心 20 楼　　　邮编：330038
电　　话　0791-86895108（发行热线）　　　0791-86894790（编辑热线）
网　　址　http:www.bhzwy.com
经　　销　全国新华书店
印　　刷　北京彩虹伟业印刷有限公司
开　　本　1/16　　710mm×980mm
印　　张　18.5　　　　　　　　　字　　数　250 千字
版　　次　2016 年 1 月第 1 版　　　印　　次　2016 年 1 月第 1 次印刷
定　　价　35.00 元
ISBN 978-7-5500-1533-3

引　子

　　十年前，单纯到蠢，走了一个男人，来不及伤心，下一个已经捧着花等在门口。

　　五年前，还是个小职员，走了一个男人，稍微有些惆怅，不过转头又觉得高兴，幸好没有被他耽误一辈子，爱情算什么，事业最重要。

　　三年前，也算事业小有成就，走了一个男人，感觉是晴天霹雳，开始怀疑是不是自己有问题，怎么每次都会留不住，回家把欲望都市看到熟透，开始把独身主义挂在嘴边上。

　　现在——过年带着二老走亲访友，被二老嫌弃。不是因为车不够好，不是因为礼物不够体面，只是因为女儿老嫁不出去，丢脸。

　　身边摇旗呐喊了那么多年的亲友团都开始绝望，唯一的劝告就是，你就将就一个吧，可是到了这个时候了，真的要将就吗？

　　唉，剩女的烦恼，比山高，比海深呐——

| 01 |

请把坏事想成好事

钱多多启示录 No.1

如果坏事发生了怎么办?

那就把它想成好事,就想着如果没有这事一切会变得更糟,结果更加无法收拾,想着想着心情自然就好了。

1

钱多多的这个新年，过得是相当地郁闷。

一年来工作辛苦，公司没有亏待她，她也没有亏待自己，顺便还想尽尽孝心，带着爸爸妈妈一起出国旅行，没想到老妈一口拒绝，接着就开始疲劳轰炸，就差没有把她拖出去当街示众。

其实她觉得如果当街示众不是那么丢脸的话，她妈妈也是会那么做的。比生了一个快三十都嫁不出去的女儿更丢脸的事情，就是让天下人都知道自己生了一个快三十都嫁不出去的女儿了。这样自取其辱的事情，钱妈妈是不会做的。

为了彻底表示不满，整个新年期间，钱妈妈对她采取视若无睹的惩罚措施，连带钱爸爸都被殃及池鱼，好好一个农历新年过得每天战战兢兢。

拜托，快三十了还小姑独处，她的压力也很大好不好？

钱多多觉得很委屈，这种委屈就像是被剧烈摇晃以后的啤酒泡沫，一开瓶便刹不住直冲出来。

她从小好好学习天天向上是为了什么？

黑色七月挣扎到一流大学是为了什么？

好不容易一路拼杀进了现在的公司，肉搏战似的腥风血雨做到现在这个职位是为了什么？

居然这一切都比不上人家女儿大学毕业就嫁得风风光光来得让众人满意，亲戚家不去就不去，说实话那些场合，请她她还不想去呢。

年初一的时候，她和舅妈的女儿坐在沙发上聊天，面前是八色干点，蕉黄橘红，过年嘛，每一家都是喜气洋洋的。

舅妈自己会做汤团，黑洋酥的芯子，裹着水磨糯米，端上来的时候清汤里雪白溜圆一色诱人，钱多多从小就是很爱这一口的，端过来就吃。

旁边坐着表妹圆圆，绰号是糯米圆子，可想而知对这道食品的热爱程度，没想到这次坐在旁边一眼都不看，忙着打电话，一边说一边叽咕叽咕笑，声音娇得钱多多一阵一阵起鸡皮疙瘩。

好不容易等她挂了电话，糯米圆子总算想起身边还有一个一年才见一次的表姐："表姐，你现在还在 UVL 工作啊。"

"啊啊。"忙着吃，钱多多音节模糊。

"很辛苦哦。"怜悯地看了她一眼，糯米圆子用勺子搅着碗里的丸子故作叹气状，"我也想跟表姐一样做女强人，可惜我们凯文说，他不喜欢事业型的女人哦。"

噎住，钱多多斜视她。

妈妈凑过来："凯文？是不是圆圆在谈的那个对象？"

舅妈也走过来扩大战场，拎起女儿肥肥白白的一只手示众，钻石亮晶晶啊，一下子照花了大家的眼睛："没有啦，两家人家前两天刚刚一起吃过饭，要结婚来，所以我们圆圆最近饭都不肯吃，减肥，小姑娘死要漂亮，就为了穿婚纱好看。"说完还爆发出一阵貌似不好意思的咯咯笑声，一边拍打钱妈妈一边抱歉，"歹势（闽南语：不好意思）啦，我们家圆圆要抢先了，本来还想先吃你们家多多的喜酒的。"

舅妈是闽南人，嫁过来很多年了，偶尔还是会漏出一句两句家乡话，特别是在情绪特别高涨或者特别低落的时候，这次的情况当然是前者。

钱多多当时就觉得背后一阵恶寒，再看老妈的表情果然不对了，嘴角抽着憋出一句："恭喜哦，到时候一定要包个大红包。"

回去的路上，钱多多闷声不响埋头开车，沿路都有人在放鞭炮焰火，姹紫嫣红，一派欢天喜地的样子，可惜车厢里半点都没有感染到那些喜庆的气氛。

到家以后，妈妈把大衣往沙发上一摔，掉头就往房间里面去了，门关得砰一声响，留下钱多多和钱爸爸两个人面面相觑。

后来两个人坐在沙发上聊了一会儿，钱爸爸是个退休教授，一辈子斯文惯了，娶的老婆是以前钢铁厂的宣传科科长，两人之间谁强谁弱可想而知。钱爸爸在坐下以后、说话之前先叹了口气，然后拍拍女儿肩膀说："多多啊，你要知道天地万物，都是有时候的。"

钱多多也想叹气，爸爸什么都好，就是每次想跟她谈些什么人生问题的时候，都喜欢从宇宙洪荒开始讲起，等讲到正题起码要花上半天的时间。说实话，她的内心深处，不是不同情那些学生们的。

"爸爸，你是不是想说，我择偶的时间已经快过去了，如果不抓紧，就可能要变成滞销商品了对吧？"做惯了总结性发言，钱多多快刀斩乱麻，直接就切入正题。

女儿这么直白，钱爸爸倒是有点接不下去，他是教国学的，讲什么都喜欢引经据典，可惜的是家里两个女人都不欣赏他这一点，害得他发挥的余地都没有。

想了想，钱爸爸又拍拍女儿的肩膀："花开堪折直须折，莫待无花空折枝。"

钱多多抓狂："爸爸，我不是不想让人折，是没人折好不好？"

刚才砰地合上的门又被砰地推开，钱妈妈冲出来吼："谁让你不肯相亲的？你待的那个地方没一个正常男人，哪里能找得到人结婚！"

钱妈妈气势惊人，多多和爸爸坐在沙发上不约而同都有抱头的欲望，回神之后想起自己从小到大成绩优异、事业路上一帆风顺的钱多多悲愤了，站起来大声说："不就是结婚吗？我就不信我嫁不出去了，你们等着，我一定要在今年把这个 project 完成！"

2

钱多多现在的职位，是市场部高级经理，公司里跟她同级的大多都已经三十五岁左右，而且她是唯一的女性，在这样一个以资历为重、等级森严的国际公司里面，不可谓不成功。

可惜走出公司之后，这种成功在她的生活里一钱不值，没人为了多多的光速升迁感到骄傲，相比之下，才毕业没两年就开始欢欢喜喜准备嫁人的圆圆才是众家姐妹想要学习的对象。

据说，圆圆的未婚夫凯文对她一见钟情，情有独钟。

据说，圆圆未来的婆家身家丰厚，订婚戒指起码一克拉以上。

据说，圆圆结婚后就可以开始全职太太的生活，再也不用朝九晚五苦熬下去。

据说——还用得着再说吗？圆圆的身上已经笼罩了无数层光环，再说下去多多就要被自己的妈妈扫地出门了。

不过以上这些，对钱多多来说吸引力不大。

工作多年，她觉得自己也是个有钱人，一克拉的钻戒，只要不戴在左手，右手是绝对没有问题的。

至于全职太太，压根就不是她考虑的问题，她的下一步升职计划是市场部总监，现任总监任期将满，早就暗示过她是最好的人选。

唯一麻烦的就是要找一个对象结婚，不过既然有了目标，钱多多一向是个办事有效率的人，很快就开始总结自己过去失败的经验，着手安排具体实施措施。

跟钱多多其他方面的丰硕成果相比，她在感情方面的经历称得上是一败涂地。

高中时候的青梅竹马，两个人手拉手海誓山盟，情人节的时候坐火车去苏州傻乎乎地淋了一天的雨，在家门口一边打喷嚏一边舌吻，钱爸爸走过来都没发现。

又怎么样呢？考进两地大学后便各奔东西，多年后再见，当年的样子都记不得了。

刚进公司的时候，被某公司的小开看中，每天一束鲜花送到桌上，当时她的顶头上司是个年届三十的精英女，对这样的招数嗤之以鼻，某日傍晚与她长谈一次："多多，我看好你的能力，大好前途，要不要在你自己手里。"

之后该小开因为她的频繁加班出差而积怨成怒，恼羞而走。顶头上司却终于开花结果，放弃再次升职嫁了一个洋人，喜滋滋地收拾行装去了法国，留下的位置倒是没有食言直接传给了她。

其实前两次还好，真正伤了钱多多的是第三段关系。那时她已经二十七岁，被派驻新加坡，与新加坡总公司的发展部总监在公司年会上交谈前五分钟就感觉两人之间电流四射，嗞嗞作响，然后月下漫步、烛光晚餐、完美的性爱，一切都满足了她少女时期的所有梦想，满以为携手进入礼堂是水到渠成、瓜熟蒂落的事情。但是两年合约满了，多多要回上海任职市场部高级经理，总监先生这才如梦初醒，握着多多的手问道："多多，为什么要回去？你回去我们怎么办？我不能离开新加坡啊！"

钱多多大喘气，他不能离开新加坡，那她的上海市场部高级经理怎么办？两人不欢而散，后来又争执了几次，总监不愿意放弃自己在新加坡的多年基业，多多也斩钉截铁地要回上海继续她的下一个事业高峰，最后一拍两散，钱多多前脚回到上海，后脚就听到总监先生订婚的喜讯，这头她还来不及舔舐伤口，那边结婚的喜帖已经寄到每个人手中。

那么光速，早知结婚是如此简单的事情，钱多多至于执着于那个 The one 的信念熬到今天吗？

没关系，男人做得到的，她一定也可以。钱多多对着镜子里的自己发誓，不就是找个人结婚吗？看她怎么速战速决。

3

钱家的女人效率都是一等一的高，女儿松口之后，钱妈妈趁着过年的大好机会，一轮招呼打过，转眼相亲的名单就排了一长串。

第一次相亲地点是在花园饭店，男方三十出头，开宝马七系，坐下的时候菜单都不看，先叫上燕窝鱼翅，钱多多立刻想起了她很早以前的那位小开男友，所以第一个问题就是："先生，你对自己未来太太的婚后生活有什么要求？"

多多容貌秀丽，对方看得很满意，这时候一边用雪白的餐巾抹嘴一边微笑回答："当然是在家相夫教子，我父母是老派人，喜欢热闹，最好能够多生几个孩子。"

钱多多反应快："要不要三年抱俩？"

对方还没有意识到问题所在，当下眼睛发亮："那是最好不过。"

还是相亲好，一开始就能够这么彻底地了解对方，的确是最好不过，钱多多微笑着吞下最后一口燕窝，说再见的时候头都没回。

吸取第一次经验教训，第二次安排上场的是一位专业人士，据说是某律师事务所的顶梁柱，自我介绍的时候一板一眼，走出饭店看到钱多多的车仔细研究了好一会儿，然后问了一个很专业的问题：

"钱小姐，你月收入究竟是多少？"

到底是律师，真够犀利的，钱多多望天。

回去之后，介绍人传话过来，对方觉得多多一切都好，就是可能、或许、大概，能力太强了那么一点点，夫妻两个还是互补比较好，要是全都在外搏杀，那这个家到底谁来顾呢？

好吧，互补就互补。多多的第三位相亲对象是位 IT 男，相貌非常老实忠厚，工作就是朝九晚五对着电脑编程序，编完了就等着那个程序发生问题，然后他就可以再次上阵，一门心思地解决问题。

IT 男的优点很明显，对太太的要求不如对电脑的要求高，只要不出现太太砸电脑的情况，一切好商量。

钱妈妈觉得很满意，多多倒也不排斥。反正面对着一个整天抱着电脑的男人不用多交流，况且彼此的要求都不高，相处起来倒也省心。

这么约会了几轮，IT 男终于按照常规程序在某日晚餐后小心翼翼地牵起多多的手。

大冬天的，他的手却是汗津津的，镜片上方的额头也是，一层汗，看得出来没什么经验，紧张得不得了。

多多一开始觉得有点好笑，刚想翘嘴角却突然流眼泪了，吓得 IT 男手足无措，站在大街上对着她目瞪口呆。

道歉以后逃回家，多多在车里哭得跟小的时候被老师无故冤枉考试作弊时一样伤心。

她想到以前在新加坡，彻夜加班以后，两个人一起走到街上找最后一家肉骨茶的排挡。下雨，下车的时候街沿有水塘，打开车门的男人伸出一只手，掌心相合十指紧扣，轻松跳上街沿之后她一抬头，两个人就相视一笑。

到底是开心过的，只是对男人来说，心中有着无数道门，每道门里都可以住着一个女人，互不冲突，更不影响他转身牵着另一个人的手共度一生。

而女人，来去只有一间房，走了一个才能住进另一个，多多心里那间房倒是清空了，但到底是一辈子啊，真的就这样带着一个空房子将就了吗？

4

还以为结婚很简单，没想到三次相亲屡战屡败，有效率的钱多多总结经验教训，得出的结论是问题仍旧出在自己身上。

她的目标是结婚，附加条件是不能影响自己的工作和生活，只有志同道合的婚姻拍档，才是维持以后漫长岁月里和平共处、相互保障的基石，天下没有十全十美的事情，想得到一些就得放弃另一些，纯粹的男女吸引太无稽了，她要找的并不是精神鸦片。

想得很完美，可是既然是拍档就得势均力敌，这样的人她一时半会儿上哪儿里去找？

心情不好，快下班的时候钱多多打电话给自己多年的闺中密友，约她出来聊天解闷。

依依是钱多多最好的朋友，两个人从幼儿园开始就是手帕交，一路亲亲爱爱直到高中毕业还是每天同进同出，同一个学校同一个班级的一对姐妹花。

钱多多一直很佩服这位外表小鸟依人，花一样娇嫩的好朋友，主要是因为依依的铁一样的人生目标和她不达目的誓不罢休，最终心想事成的丰功伟绩。

6岁的时候，钱多多的愿望是做小班长，依依的愿望是长大以后要嫁个有钱人。

12岁的时候，钱多多的愿望是拿年级第一，上台领奖的时候笑看风云，依依的愿望是长大以后要嫁个有钱人。

18岁的时候，钱多多的愿望是考进第一流的大学，进而能够在毕业以后大展宏图，依依的愿望还是嫁个有钱人。

22岁大学毕业，一路上每个心愿都成功达成的多多进了梦寐以求的UVL，依依呢，在跟一位地产大亨交往数年之后，终于也如愿以偿，踏着碎了一地的各色男人心跟他携手走入礼堂。一天都没有工作过，顺利从一个象牙塔转进另一个。

电话打过去时那头背景有点嘈杂，依依明显是在购物，耳边还扫过小姐很有礼貌的恭迎声，钱多多叹气："你又在买东西。"

"换季嘛。"依依笑嘻嘻，"你在哪儿？"

"还在公司，想找你聊天。"

"好啊好啊。"依依反应热烈，"我在老地方等你好不好？"

依依说的老地方就在市中心，梅龙镇旁边，是她们习惯了的活动据点，所以约来约去都是同一个地方。

钱多多不喜欢在闹市区开车，尤其是下班时间，一塞三千里，浪费汽油更浪费时间，所以把车停在离公司最近的地铁站，然后搭乘了最方便快捷的交通工具。

地铁上满腾腾的全是人，单身的客人一个个表情凝重，或者低头研究手机或者一本正经地看报，无所事事的人就麻木地看着列车窗外的广告牌，小情侣就完全不同，人再多也亲亲密密地手牵手，说话时交颈贴耳，好像一对对连体婴。

还有握着手机大声讲话的人，面目模糊，张口就是上千万的数额，那架势仿佛身处独立豪景办公室，身侧所有人都只是虚幻的墙上投影。

钱多多很少坐地铁，平时也没什么机会这么空闲，所以这时坐在座椅的末端看得饶有趣味。

地铁里暖气充足，坐得久了有点乏，她换了一个坐姿，把包搁在膝盖上，继续耐心等待到达自己的目的地。

有人举着折叠整齐的各色报纸一列列车厢走过叫卖，还有十几岁的孩子走到每个人面前分发小广告，很多人摆手拒绝，转眼就到了钱多多近旁。

耳边听到报站声，钱多多坐在最后一节车厢里，赶紧准备起身，那发小广告的孩子已经走到面前，乌黑的一张脸，与她匆匆对视了一眼，那双眼睛倒是黑白分明，就是眼神闪烁，瞬间将她从上到下扫了个遍。

钱多多以为他要给自己塞广告，弯腰伸出手摆了摆，车门已经打开，她急着要走，电光火石的一瞬，自己的包被突然一扯，脱手而出，转眼便被那个男孩抓着飞奔而去。

从来没有遇到过的事情，钱多多被抢了个措手不及，她大学时是女子排球队的，反应当然不慢，手一空就奋力去抓那个男孩，但是对方明显是专业中的专业，钱多多的指尖只堪堪擦过他的衣角，人家已经呼地跃出车厢外，速度快得如同一阵风。

顾不上叫，钱多多拔腿就追，可惜一身套装在这个时候成为最大的累赘，她还没跑出车厢就差点被自己的纤细鞋跟绊死在门边。

腰旁有另一股力道有力地一带，她眼前的世界便像后现代的电影镜头，忽地转了个圈，站稳才看到身边有道影子往那个男孩逃离的方向飞扑过去，地铁车厢的门在身后合上，轻轻地砰一声，然后是启动的声音。

列车带起一阵风，吹起她特意散开的头发，身侧人人驻足望着前方，肤色乌黑的男孩抓着包狂奔，惊险地抬腿飞越过栅栏，而追逐他的男人身手矫健，跑起来好像一头四肢伸展的原始猫科动物，一片呼喝声中已经与那男孩贴身，伸手就去揪他的手里的包。

钱多多双手去拢散乱的头发，一口气不上不下地吊在喉咙里，眼睁睁地看着自己的包被那个男孩向后一掷，然后继续狂奔。

地铁里的保安匆匆赶过来的时候一切已经结束，身边有欢呼声和掌声，那个男人停下步子抄起地上的包回头看过来，咧嘴一笑。

钱多多感觉自己是在万众瞩目中接过那个失而复得的手提包的，心脏还在怦怦直跳，近距离看清英雄人物的脸之后跳动的频率更是有逐渐失控的趋势。

没办法，漂亮的东西人人爱，更何况面前这位刚刚还以实际行动证明了自己是既好用又耐看的典范。

这么冷的天，原始猫科动物敞开的外套里面只穿着一件薄薄的运动套衫，帽子松松垮垮地翻在外面，宽宽的运动休闲裤垂下来，下面当然是一双最适合奔跑的鞋子，蓝黑色的。

虽然穿得很街头，但配上他那张一笑就阳光灿烂的脸出奇的合适。自己精致正规的手提包在他手里很不搭，钱多多赶紧接过来道谢："谢谢谢谢，真是多谢你了。"

那个笑容突然僵硬了一下，不过很快就恢复了原状："没事，下次小心。"

还有下次？钱多多发誓以后再坐地铁的时候，对待自己的包包一定要像黄继光一样死也不放手。

时间快到了，她又谢了一声后开始往前走，没想到猫科动物脚尖一转，跟着她一起迈步子。

"去哪里？赶时间吗？"

咦？钱多多心里有小声音，这句话听上去怎么那么像搭讪？不过侧头看了一眼身边的男人她立刻打消了那种自作多情的念头。

年轻就是好啊，她眼光扫过的时候都有一瞬间的妒忌，两个人怎么看都不搭，可能正好是一个方向，没事随便讲两句吧。

"约了朋友吃饭。"

"男朋友？"

啥？钱多多眼睛开始发直，这也问得太隐私了吧，再仔细看了一眼身边的男人，他正低头笑，怎么说呢？钱多多有点不厚道的在这个时刻想起了以前看过的某部神话片《春光灿烂猪八戒》。

这么好的笑容，换了其他小女生一定被电得晕头转向，好吧，她也有点晕，但是弟弟，真的浪费了，钱多多是有原则的人。

"能告诉我你的电话号码吗？"猫科动物继续笑，然后摸裤袋，"要不给你我的？"

这么主动直接，钱多多这回想让自己不要自作多情都不行了："先生，不好意思，我真的赶时间。"

两个人已经上了电动扶梯，他还是笑，不过渐渐有点收敛了："别玩了好不好？难道你不觉得我很眼熟？"

接下来他是不是要说，难道你不觉得五百年前我们就认识？钱多多眼前一阵黑，心里开始打鼓，莫不是变态？难道刚才那一幕是预谋？不会啊，她钱多多何德何能让这样上品的变态看中？

幸好出口已经近在眼前，多多一个箭步跨离电梯："我约了人先走一步啊，今天真是太谢谢了，再见再见。"

这次他倒没有追上来，钱多多加快步子往前走，感觉背后一直有人注目，但怎么都不敢回头。一口气走出很远才小心翼翼回首看了一眼。

她眼睛不太好，但是那个男人就算在人群里也非常耀眼，所以她还是一眼便捕捉到了他的影像。

他还留在原地，两手插在裤袋里站在电梯边看着她，看到她回头依稀挑起眉毛笑了一下，还耸了耸肩。

有原则的钱多多受惊了，左脚右脚凌乱两拍，还好这里道路平坦，她很快稳住身子，不再回头看，坚定目标，继续往前走。

5

钱多多走进咖啡馆，第一眼就看到依依，她坐在靠窗的沙发里翻杂志，刚做好的头发波浪起伏，搁在铜版纸页边上的指甲是低调闪亮的肉粉色，所有的男人都有意无意地往那个角落行注目礼。

钱多多走过去的时候步子大，方跟鞋蹬蹬地踩碎了想上前搭讪的男人们的幻想，公文包先丢在沙发上，然后整个人陷了进去。

依依皱眉头："又是套装，就不能穿得女人味一点？"

"上班嘛，谁像你，天天都是休息日，吃饭去？"

"不急，我订的位子还有半小时，聊一会儿再过去。"

"好。"也好，刚才太惊悚了，钱多多需要坐下压压惊。

这个地方是她们的老据点，多多连菜单都不用看，直接叫了大杯的杏仁摩卡。

"怎么有空跟我吃饭，不是在跟人约会吗？"依依对多多的近况很感兴趣，丢开杂志开始八卦。

"别提了。"说到相亲钱多多就烦，"跟我想要的相差太远。"

"你想要什么样的？要不再换一个试试看，我跟史蒂夫谈一谈，看看他有没有什么好的介绍给你。"

史蒂夫就是依依的那位地产大亨先生，中文名字有点土，叫做牛振声，依依觉得叫出来不好听，所以坚持叫他的洋名。

"不用了，我觉得相亲的男人都有问题，还是得自己找。"

"你不是要结婚？出来相亲的男人才是一门心思奔着结婚去的，其他的——"依依挥挥手，修饰完美的指甲闪过一溜光，"再说了，到现在你还这么拼命加班，哪里会有男人受得了啊。"

杏仁摩卡端上来了，钱多多捧着热腾腾的杯子大口叹气："何以解忧，唯有工作，好歹工作不会背叛我。结婚嘛，好坏参半吧，仁者见仁，智者见智。"

原来兴致勃勃的依依听完这句话沉默一秒钟，不过也就是一秒钟，接着就继续自己之前的话题："那你见仁见智的结果是什么？到底结婚不结婚？"

"结婚啊，"钱多多把咖啡杯放下说话，"我都答应我妈了，反正我都想好了，就是找个合作伙伴吧。"

"合作伙伴？"这词新鲜，依依睁大眼睛追问，"什么意思啊？要不要签合同？"

"就是找个还可以接受的男人，大家都是冲结婚去的，该充场面的时候别丢人，该尽义务的时候出个手就行，至于平时，想干吗干吗，如果他想签合同，我也不介意啊。"

"不要爱情了？"

"爱情？"钱多多叹口气，"上次听到这词好像还在白垩纪吧。"

依依捂着嘴巴笑："你想好了？跟之前那几个相亲对象谈过这个问题吗？哦，我知道了，他们是被你这样吓跑的。"

"什么呀，根本还没提过这些好不好？"叹息了，钱多多垂头说了句丧气话，"没相亲的时候，我觉得我哪里都挺好的，一到那个氛围，完了，我就是挑剩下的小白菜，头都不敢抬。"

钱多多的三次相亲依依都有所耳闻，想了想再问："是你挑剔好不好，前两个肯定不行，不过那个IT男不是挺合适？你们都约会好几次了吧。"

钱多多撑住额头做无力状："再怎么着也得我的身体能接受啊，光是牵个手我就受不了，以后到底是要肉体接触的。"

依依当场笑倒，半个身子扑在沙发扶手上一边擦眼泪一边讲话："明白了，你对合作伙伴的肉体要求还挺高。交给我吧，我知道你需要什么样的男人，保证这次靠谱。"

"你怎么知道我需要什么样的男人？除了之前那些要求，我还是有原则的哦。"钱多多挑眉毛。

"我知道。"多多从小就是有原则的女孩子，依依怎么会不清楚，"不找比自己小的男人，不找外国人嘛，了解了解，看我的。"依依跟小时候一样对她眨眼睛。

"好，那我把自己交给你了。吃饭去吧，我饿死了。"对相亲这档事已经麻木了，钱多多说完也没怎么放在心上，放下杯子就拉她。

6

第二天有原则的钱多多照常上班，她手下负责的某个两年期的新产品项目已经快接近尾声，投入市场前最后一轮调查，各地汇总过来的报告厚厚的一大摞，整个工作小组都忙得人仰马翻。

从早到晚的埋头苦干，钱多多就恨自己没有三头六臂可以把眼前堆积如山的工作同时做完，不过也有好处，一忙就把男人的事情全忘了，果然是何以解忧，唯有工作。

快到下班的时候还没有做完，钱多多把新来的助理叫进办公室。

"简妮，等下日本那边会有一个电话会议，通知整个小组准备一下。"

"经理，今天我不能加班。"简妮说得斩钉截铁。

"为什么？"钱多多露出奇怪的表情。

"今天我男友生日，我们要一起吃晚餐，为他庆生。"

"哦，结束以后再去，顺便帮我说声生日快乐。"简妮的男友多多是记得的，明明是街头卖艺款的脸偏要次次西装革履风度翩翩地出现在大楼下等待女友，偶尔还看到他手捧鲜花作痴情小生状，每一次都让她无语地掩面而过。

"不行，餐厅早就定好了，如果我加班，他一定会不高兴。"

那就让他去不高兴好了，真想就这么一句话送给她，但是钱多多开口之前看到面前这位小姐脸上的坚毅表情，想了想还是忍了。

婚姻幸福与恋爱甜蜜的女人自然有种底气，这种底气无法形容，就是从里到外地透出来，无论她们的性格如何，谦恭忍让或者彪悍强硬，总给人一种"我有人撑腰，我什么都不怕，全世界不把我当回事我照样是某人的宝"的那种感觉。

搁在过去，钱多多一定会跟自己之前的那位顶头上司那样对这种感觉嗤之以鼻，然后摆事实讲道理地跟小助理好好谈谈女人应该以什么为重的人生哲理，但是一路跌跌撞撞直到今天，尤其是经历过三次惨痛的相亲经历之后，多多决定三缄其口。

每个人的路都不一样，就像她跟依依，大家求仁得仁，多说无益。

幸好其他同事都跟多多一样，一色的工作永动机，能够进入 UVL 不容易，每个人都很珍惜机会。

电话会议开得很顺利，最后结束工作的时候已经接近七点，拒绝了同事们找她一起火锅的提议，多多在办公室整理材料。

走出电梯的时候正遇见市场部总监，一身套装，看到她满脸笑："多多啊，这么晚才走？"

的确是晚了，不过也只有像她们这样的单身女主管才会这么卖命，有家有室的谁不是到点就飞奔而走，消失得无影无踪？

两个人惺惺相惜，一起去了街角的酒吧。市场部总监是个澳大利亚人，今年已经三十八岁，再怎么掩饰眼角都有了皱纹，这时端着酒杯支着头问多多："怎么搞的？一晃就到了今天。"

多多跟总监私交甚好，知道她任期将满，感慨万千，温言安慰她："下一步到欧洲？巴黎还是伦敦，都是好地方。"

"到哪里不都是一样？公司早有安排。"总监叹口气，"刚进 UVL 的时候才二十出头，转眼已经十多年，世界各地都跑过了，以前那种跺跺脚就能出发的劲头全都散光了，只想休息。"

"真的累就趁这次放松一段时间，旅行好了。"

"旅行？"总监看着多多笑，酒吧墙角有个仿古的地球仪，她指着它转了转手指，"北极圈都到过了，到哪里都是一个人去的，还有什么乐趣可言？"

说的也是，世上最好地方，不过是和自己爱的人一起去的地方，多多想起记忆里淋着雨的苏州，心下恻然，不过脸上半点都没有流露出来："不是很快又要升职了吗？还没有恭喜你。"

还有一周就要离开上海，不知道为什么，总监今晚特别伤感："多多，我离开澳大利亚到上海来的时候跟你一样大，前男友在机场质问我，你真的要走吗？事业比我们在一起更重要吗？"

都是一样的，多多低头看杯里的酒。

"我就回答了一句'再见'，事实上从此之后我们再没有再见。"

太后悔了，钱多多觉得今天晚上绝对不是一个喝一杯的好日子。

"总会遇到合适的人的，公司里的主管们谁不是这样过来的啊？"虚弱地讲了一句，多多的声音低得好像是讲给自己听的。

她没有乱说，UVL 对有潜力的员工自有一套行之有效的养成计划，通常是在本土工作三到五年之后派驻亚非欧美中的某个国家，如果被看好，三五年后接着又是另一个国家，三两个国家之后就能升到独当一面的位置。

"可其他主管都是男人啊。"总监苦笑，"能够升到这个位置，起码三十五了，正是男人的好时候，我们呢？"

她说的是我们，钱多多如遭雷击，虽然后来总监亡羊补牢，又一次暗示了多多继任她的位置的可能性，但是多多回家的路上半点愉快的心情都没有，突然想起昨晚依依的保证，到家就拨电话给她。

"你说的靠谱的男人呢？"

依依正在敷面膜，害怕动作太大嘴角长细纹，接电话的时候呜呜半天才把话说清楚："已经搞定了，你排个时间吧，保证没问题。"

7

钱多多查日程表，然后把见面时间安排在周四的晚上。跟这位靠谱的对象见面前一天她做了噩梦，梦里的自己已经满脸褶纹，还一身中规中矩的套装，手里拿着公文包，坐在空无一人的会议室里面等其他人出现。

等来等去都没有一个人，跑到会议室外面去找，大楼里每一个办公室都是空的，世界安静得像死一样，只有她鞋跟急促敲打地面的声音。

醒来的时候多多一身冷汗，跑到浴室打开大灯盯着镜子里的自己看了半天，反复确定还是那张颇具可看性的脸之后才稍稍平静下来。

当天她破天荒地用午休的时间去了公司旁边大厦里的 SPA 做脸，依依赶来跟她会和，两个人脸上敷满了绿色的火山泥，躺在粉色长榻上的时候依依从放在一边的精致坤包里摸索出一张照片放到钱多多的手里："喏，先看看样子。"

钱多多伸出刚被涂满了精油的手，用指尖拈着照片的一角举到眼前仔细看，照片明显是抓拍的，一个男人的侧影，虽然模糊也看得出很是斯文儒雅，背景里有很多人，有的抬头望他，有的埋头刷刷写字。

"老师？"脸上面膜很厚，钱多多吐字艰难。

"嗯，人家已经是副教授了，史蒂夫的老师。"

史蒂夫的老师——钱多多眼角抽了抽，又仔细看了一眼照片："你家史蒂夫已经快 40 了吧？这个人看上去最多也就这个年纪，他是周伯通吗？"

"叶明申也就四十不到好不好！"要不是顾忌着脸上的火山泥，依依差点没大叫，"他在复旦经济学院工作，史蒂夫经济管理课程的老师。"

钱多多恍然大悟："我知道，你说的是那个老总联交会对吧。"

"对，就是假借培训的名头认识同类的地方。"依依伸手过来戳照片，"怎么样？单身，满腹经纶，对太太的要求是钱多多。"

"啊？"钱多多再次被吓到，"想吃软饭也不用说得那么直白吧？"

"我说你呐！"依依翻白眼，"他眼前坐着一溜上市公司的女老板呢，想吃软饭哪里轮得到你？我说你的条件正好符合他的要求。"

"真的吗？"钱多多本着一贯认真的态度追根问底，"你怎么知道得那么清楚？"

"他跟史蒂夫聊天的时候谈到的嘛，独立，有自己的生活，不要整天粘着男人，事业心强一点没关系，只要逢年过节能够夫妻双双一起出现在该出现的场合就行，另，千万不要太年轻。"

哗——这不就是钱多多？

多多听得心花怒放，手里照片上那个稍有点模糊的影像顿时变得光芒万丈起来，但是一转念又追问了一句："为什么不要年轻的？男人不都喜欢年轻女孩子？"

依依已经解释得有点无力，这时候闭上眼睛出长气："谁知道？或者人家老是待在学校里，对年轻女孩子审美疲劳了呢？"

钱多多在回公司的路上一直在琢磨叶明申教授的择偶条件，其实她对男人的要求总结归纳起来也就是这几句话，独立，有自己的生活，不要整天粘着太太，事业心强一点完全没关系，只要逢年过节能够一起出现，让自己不至于被妈妈的怨毒眼光杀死就好，另，当然不能太年轻，她是有原则的人。

这样说来，如果依依的情报无误，那她和叶先生真是天生一对，想着想着钱多多就欢喜起来，进而对第二天的会面充满了期待。

8

下午市场部主管会议，进会议室的时候钱多多就走在总监身后，上海地区的洋老大亲自主持会议，大大赞扬了一番总监这几年来的工作业绩，然后恭喜她再次荣升。总监已经接到正式的调令，今天一身宝蓝色套装，在掌声中满面笑容，那天晚上的失落仿佛海市蜃楼，从她的脸上看不出一丝痕迹。

多多也为她高兴，下一个职位是总监长久以来梦寐以求的目标，一条路走到今天，能够证明自己没有选错方向，总是值得欢喜的事情。

要想到还有很多人付出同样的代价，却没有得到相应的回报，不是所有努力都会有结果的。

老总预告送别会定在周五晚上，同时宣布新任市场部总监的名字，钱多多坐在会议桌的右手边，对面的市场部另一位高级经理任志强和她同级，两人在掌声中对视了一眼，然后同时分开。

火花四射，除了男女惊情一瞥之外，还有很多其他可能发生的场合，钱多多侧过头了然一笑。

为了第二天能够准时下班，这天钱多多工作到很晚，到家一开门就吓了一跳，客厅里灯火通明，电视里在放法制节目，妈妈一个人在沙发上正襟危坐，看到她目光如炬。

"妈妈，这么晚了你怎么还不睡？"钱多多低头看表。

钱爸爸听到响动就从旁边书房里走了出来，老花眼镜还架在鼻梁上，手里拿着翻开一半的《东周列国志》。

钱多多满脸迷惑，自己老爸老妈的退休生活非常规律，通常这个点他们两个早已经梦会周公去了，怎么今天精神这么好，一起等她到现在。

"多多，你过来给我坐下。"钱妈妈关掉电视，很有威严地指了指身边的沙发。

电视一关，所有背景声突然就没了，屋子里变得好安静，钱多多感觉不妙，用求援的眼神看爸爸，钱爸爸已经走过来坐在老伴旁边，这时扶了扶眼镜安慰："多多啊，先坐下再说，对了，今天怎么加班到这么晚？累不累？"

"还好——"钱多多挨着沙发坐下来，又觉得口渴，重新站起来想去倒杯水。

"你给我坐下！"钱妈妈一声断喝，多多差点没跌回沙发里。

无视女儿惊恐的大眼睛，钱妈妈声音铿锵有力："今天你王阿姨打电话给我。"

王阿姨是妈妈以前厂里宣传科的副科长，也是忠厚老实 IT 男的介绍人，钱多多听完这句话就知道妈妈接下来要说什么，立刻举手投降："我跟他说过对不起了，说过了。"

看着女儿的样子就气不打一处来，钱妈妈呼地站起来："人家对你满意的不得了，一个劲问到底怎么了？我说你到底是不是认真想找个人安定下来结婚啊？讲老实话！今天不说清楚别想睡觉。"

不给睡？这也太残忍了吧，钱多多满脸痛苦。

钱爸爸挺身而出劝老伴："女儿这么晚回来，你让她先休息吧，有什么事明天再说。"

钱妈妈瞪过去："你也给我说说她，别老是坐在旁边。"

钱多多趁着他们两个你一言我一语的时候赶紧站起来到厨房去拿杯子倒水，先喝一大口再说。

走回客厅的时候，钱妈妈还在瞪她，多多撒娇："爸爸妈妈，我说了今年解决就一定不食言啦，你们放心好了。"

钱爸爸又开始打圆场，看看时间也实在是晚了，到底是自己女儿，总有点心疼，钱妈妈最终恨铁不成钢地伸手点多多的脑袋："就知道工作，工作陪你一辈子？工作管你老了有个伴？工作——"

"工作在你生病的时候能煮粥？好了好了，我都会背了，快去睡吧爸爸妈妈。"钱多多撒娇成功，一鼓作气把老爸老妈推进卧室里去。

快手快脚洗完澡进自己的房间，她躺在床上握着那张照片最后看了一眼，叶明申对吧，默默念了一遍那个名字，钱多多放下照片合上眼睛。

依依，看你的了，这一次，不成功，便成仁。

9

第二天钱多多难得在众人惊讶的眼神中准点往外走，经过总经理办公室的时候正遇到任志强的助手伊丽莎白从里面走出来，看到她眼神一闪，也不打招呼，径直与她擦肩而过。

伊丽莎白进公司后就跟着任志强，后者作为本土员工在公司多年，一路做到市场部高级经理，她一路鞍前马后直到今天，功劳苦劳都占全了，这种敏感时刻两边壁垒分明，看到她自然没什么可多说的。

钱多多眼睛不好，但走廊狭小，两个人离得近了就瞥见伊丽莎白的耳郭隐约泛着可疑的红色，驻足一秒钟，又看了一眼合上的总经理办公室大门，耳边好像有总监的声音，北极圈都到过了，到哪里都是一个人去的，还有什么乐趣可言？

管他呢，钱多多不再停留，继续大步往前走。

昨晚她睡得不错，今天起了一个大早，一整天情绪都很高昂，好像变回了很久以前的自己，老师把她叫进办公室说恭喜她有一个直升大学的名额，她却笑着拒绝，老师，这不是我的目标。

那一次，她如愿考上了自己的第一志愿，这一次，她也对自己有信心。

上车时，钱多多把车内后视镜翻下来，看着镜中的自己握拳头，谁说鱼与熊掌不能兼得？就是今年，就是这一周，她钱多多，要把鱼和熊掌一起吃下去。

见面地点定在市中心，钱多多老习惯了，把车停在离公司最近的地铁站，然后搭乘了最方便快捷的交通工具。

为了表示对这次相亲的重视，她不但在时间上掐分扣秒，选择了最有保证的交通工具，就连衣着都花了一番心思。中规中矩的黑色长大衣下面是暖色的羊绒两件套和及膝裙，鞋跟纤细，女人味十足。

知名的粤式餐馆，钱多多一报名字小姐就笑："叶先生已经到了，请跟我来。"

走在小姐身后的时候多多看表，时间正好，守时是美德，但如果男人能够比女伴提早十分钟到，那更值得加分。

包厢在走廊尽头右手边，很清静的一个角落，旁边一丛翠竹，风雅得很，小姐推门，叶明申独自坐在里面，正在低头看菜单，闻声抬起头来一笑："你来了？"

他语气自然平常，也没有站起来殷勤一下的举动，笑容儒雅，与那张照片一无二致。

钱多多回报微笑，坐下简单认识之后两个人开始边吃边聊，依依的介绍果然靠谱，叶明申言语斯文幽默，见识广博，且全不提相亲两字，天南地北都讲得精彩，钱多多听得津津有味。

全部菜色撤下，小姐最后端上香片，喝茶的时候钱多多才发现不知不觉两个小时过去了，叶明申为她倒茶，开口前先微笑："多多，你是否知道我的择偶条件？"

钱多多是知道的，但是第一次见面就讲到择偶这两个字，相亲路上现在也算见多识广的钱多多也有点适应不良："大概知道一点。"

"很好，你的条件呢？"

他问得那么直白，钱多多倒有点不好意思："依依没有提起过吗？"

"有，说你想找一个合作伙伴，挺有意思的，我印象很深。"

钱多多大窘，这个依依，怎么上来就把她的底牌全部泄光，回头看我怎么修理她。

窘完了又觉得松口气，再讲话就少了点顾虑："你觉得呢？"

"我觉得很好啊。"他说话的时候弯着眼角，心情愉快的样子，"既然大家目标一致，如果可以的话，希望我们俩能够按部就班把任务完成，然后在互相尊重理解彼此的基础上继续自己想要的生活，你看如何？"

虽然目标的确一致，但他说得那么顺畅自然，好像一切都已经十拿九稳，往后五十年都已经计划完毕，就那么笃定她会答应？他这决定也下得太早了吧？

钱多多当场有点下不来面子，质疑一句："听上去你也不是那么需要婚姻，真的要过自己想要的生活，何必结婚呢？"

叶明申继续微笑："多多，你不是也一样？"

钱多多无语，其实他们两个的想法的确是一样的，完美对象乍然出现眼前，志同道合，心意相通，但她心里却一丝愉快的感觉都没有，隐约觉得哪里出了问题，但是一时之间又说不出反驳的理由，钱多多沉默。

他也不催促她回答，两个人静静喝完茶走出餐馆已近九点，外面照样是车流滚滚。

叶明申是开车来的，多多不想他送了，说坐地铁很方便，但他坚持开车把她送到了她的车边。

钱多多的车停在露天的停车场里，叶明申把车靠在街沿陪她走进去，停车场很简陋，路面高低不平，多多鞋跟细巧，走起来小心翼翼踮着脚，叶明申就走在她的并肩，也没有伸手扶，维持一个很有礼貌的微笑，什么话都不说。

上车后叶明申很绅士地替她合上车门，然后退开一步站在一边看着她发动。多多把车窗按下来挥手说再见，他笑笑点头。

踩油门的时候钱多多忍不住从后视镜里看那个男人，他身材修长，笑容斯文儒雅，月光下的确赏心悦目。

只是叶明申的身影一消失在视线里她就伤心了，其实她也搞不懂自己为什么会伤心，那个男人跟她明明很合适，不但合适，根本就是她达成今年年度目标的最佳人选，但她就是伤心。

然后开始怀疑叶明申的性取向，难道他是GAY？急于找一个女人解决世俗眼光的问题，然后才可以自由自在与自己的同性爱人天长地久？

　　一路胡思乱想到家以后钱多多停好车往自家楼里走，走了几步包里电话铃响，是短信，这么晚了是谁？多多打开看了一眼，上面寥寥数语："多多，下次别开车了，我送你到家。"

　　是叶明申，多多不想回，握着电话继续走，虽是清冷冬夜，但月光很好，她看着自己的鞋尖一步步踏在光影了，突然很想笑一下，但笑容还没有展开就收敛了，最终只是轻轻叹了口气。

| 02 |

钱多多启示录 No.2

不只是你才会地动山摇

这世上有很多很多的男女，很多很多的相遇，很多很多的巧合，总以为我们之间的这一次才是地动山摇，谁知道每一秒钟都有相同的事情在这世界上任何一个角落里发生着。

1

　　周五晚上钱多多是和总监同车去的酒店，UVL 对主管级别的员工考虑很周到，一般做到总监级就有了公司专配的车和司机,钱多多在停车场遇到她,总监心情很好地招呼：“多多，别开车了，今天跟我一起去吧。”

　　钱多多看看左右，并不是下班时间，车库里倒是没什么人，只是这么敏感的时候，总要避点儿嫌吧，连忙推辞：“不用了，我自己开车过去。”

　　总监笑：“等下很多人祝酒，你喝得过来？就算喝得过来，还能开车回家？还不如停在这儿算了。”

　　这话说得实在是明显了，钱多多也不好意思再拒绝，这么长时间共事，总监对自己赏识良多，趁着最后机会讲两句话也好。

　　那是一辆宽敞的德国车，司机素来专业，一路埋头开车，头也不回，总监今天自然是容光焕发兼感慨万千，看着窗外的街景叹息：“转眼就要离开这个国家了，以后不知道还有没有机会再过来。”

　　“现在全球飞一圈也不过一天的时间，工作也好旅行也好，想回来看看随时都可以啊。”

　　“也是，有时间你也来巴黎。”

　　“巴黎哦，上回去开会，手背差点被亲脱一层皮，你在那里常驻也要小心。”钱多多吸口气，故作正色地讲话。

　　传统是人走茶凉，不过钱多多正相反，没了上下级关系，说起话来反而更轻松愉快。

　　总监哈哈大笑，仅存的一点离情感慨也一扫而光。

　　快要到达酒店的时候多多坚持提早下车，然后一个人走过去。

　　酒会定在三楼宴会厅，她进场的时候其他人差不多已经到齐了，放着自己名牌的这一桌独留了一个她的空位。

　　走过去的时候钱多多觉得自己背后被不知多少道炯炯目光有意无意地交叉扫过，如果目光有形，她想自己早就不知道被切成多少块了。

　　不过一切只是感觉，钱多多的眼睛近视加散光，一到晚上更是对眼前的一切视若无睹，但她除了开车的时候戴上眼镜之外，其他时间从不尝试用任何手段改善视力，而且习惯性只注意身前三尺以内的范围，对身边形形色色人景物一概不关心。

　　真的需要她注意的人和事都会自行进入这三尺以内，其他的，纯属浪费精力，擦肩而过的路人穿戴的是什么奢华新款，或者路上匆匆远离的新款 SUV 属于哪个顶级品牌跟她有什么关系？如果样样都要看得清楚分明，那是典型的世上本无事，庸人自扰之。

　　由于有这样的生活习惯，所以钱多多坐下以后才发现自己左右都是新面孔，一男一女，他们礼貌地对她点头，然后自我介绍。

　　隔开一个座位才是她所熟悉的市场部其他人，自己的助手小榄已经跟邻座新同事聊得兴奋得满脸通红，这时伸头过来急着补充："老大，他们从日本刚过来，新同事哦。"

　　新来的同事都是日本人，不过英文很好，刚到上海才两天，下周开始正式进公司工作，钱多多跟他们随便聊了几句，心里还在奇怪，为什么突然来了新人，她这个市场部高级经理却一点事前通知都没有接到。

　　"日本公司这次过来的只有你们两个吗？"

　　"不是，"被问到的女生非常礼貌地点头后才回答，"我们是许先生的助手，跟他一起过来的。"

　　许先生？怎么又冒出来一个人，钱多多满脸问号，但是厅里灯光暗下来，洋老大和总监一起走上台，掌声四起，她不好再追问下去，也跟着一起开始鼓掌。

　　告别酒会按照惯例先是一番褒奖，上海是公司在中国的总部所在地，总监级别的新旧替换属于大事件，所以各个部门都出席了这次酒会，台下坐得满腾腾的，男男女女着装正式，各个国家的脸孔都有。

　　传说 UVL 这次的市场部总监人选终于要打破中国人难以升任核心管理层的玻璃天花板，传说这一次的新任总监是从公司内部选出的，传说——

传说很多，所以当总监还在台上热泪盈眶地讲述自己这些年在上海的得与失的时候，台下各个部门的大小人物都已经开始用眼睛反复搜索新任总监的可能人选，市场部桌子原本就在正中位置，这时更是成为众人目光的焦点。

而钱多多更是焦点中的焦点，但她没时间理睬那些目光，除了新来的两位日本同事给她带来的意外之外，钱多多又发现这样重要的场合，坐在任志强身边的伊丽莎白居然一反常态，频频对她展露微笑。

有点奇怪，但是任志强的表现倒是很正常，客气地与她互相问候一句，然后再不交流。

任志强比她早数年进公司，一直在国内工作，是市场部颇有资历的老臣子，除了欠缺一点海外经历之外无可挑剔，自从她回国与他同级之后就开始就与她暗里较量了许久。

幸好大家带不同团队，做不同项目，要比也不过比谁的项目做得漂亮，小动作很难搞，因此表面上都是客客气气，风平浪静的。

两个小组分别坐在圆桌两边，距离稍远了一点，钱多多眼睛不好，灯光又暗，所以实在看不清伊丽莎白的眼神，最后终告放弃。

算了，时至今日，她已经走到最后一格台阶，从底层挣扎上来，数千个没日没夜工作付出的日子都已经熬过来了，别人是怎么想的，钱多多现在全不关心。

2

冗长的总监发言时间终于过去，洋老总再次上台，灯光亮晃晃地追逐到那一点上，老总手里拿着一个信封，背景音乐腾腾腾地节奏分明，头发花白长得有点像圣诞老人的老总有点调皮地眨眨眼睛。

"奥斯卡时间到了。"

四下有笑声，但是市场部的桌面上很安静，每个人都看钱多多，钱多多独自看台上。

她是激动的，大学毕业以后她就进了 UVL，虽然一开始是在中国分公司，但是在这个永远是外国人占主导地位的地方，一步步走到今天，许多辛酸午夜梦回的时候都不忍心讲出来给自己听。

后来去新加坡工作三年，她是唯一一个得到如此机会的国内大学毕业背景的本土员工，回到上海以后又是没日没夜的两三年，只是为了证明自己是可以的，只是为了一切努力都能得到肯定，为了这个目标，她放弃了很多人生中最美好的东西。

老总在拆信封，场内安静下来，钱多多却在这个时候控制不住地想起离开新加坡前的那个夜晚，床上海浪一样零乱，男人灼热的手掌，那么用力地捉住她，多多，多多。

已经争执过了，已经吵到无话可说了，最后没有哀求，就是叫她的名字，多多，多多。

台上的圣诞老人终于展开那张纸，推了推眼镜，继续开口的时候架势十足："让我们欢迎大中华区新任市场部总监——"

老总的手往台下一伸，多多还在出神，桌上其他人却已经开始准备鼓掌，但是那只胖胖的手挥了一个半圆又回到侧边，灯光随即跟了过去，老总的声音很高昂："刚刚成功结束在日本的工作，为公司做出巨大贡献的Kerry许。"

Kerry许？从来没听到过的名字，在场很多人都表情错愕，包括主桌上的总监和其他几个核心高层。钱多多更是觉得眼前有一把大锤忽地砸了过来，原本就有些模糊的人景物更是错乱。

自己桌上的几个亲密同僚都已经把手举起来准备对着她鼓掌，这个时候一个个表情尴尬，唯有左右的两位日本新同事镇定如常，还有坐在正对面的伊丽莎白，仿佛就在等这一秒，笑得开心，而任志强却好整以暇地举起酒杯，冲着钱多多举了举。

眼角已经扫到他们的举动，钱多多在桌下抓着膝上手包的手指深深陷进了柔软小羊皮里，但是另一只手却很迅速地摸到酒杯，回应着伊丽莎白的举杯，浅浅喝了一口，然后回首看台上，表情完全地镇定了下来。

其他人的目光早就全部专注到灯光扫向的地方去了，钱多多知道自己受瞩目的这一秒已经过去，可是脸上半点都没有松懈。

嘴里的酒还没有完全咽下去，混着一点血腥味，她不是小孩子了，到了今时今日，至少知道出来做事输什么都不能输了脸面，除非以后都不想出来再做了，否则天大的事情打碎了牙都要吞下去，再怎么样的内外重伤都等回去再说。

音乐又响起来，台上万众瞩目的地方终于有人走到灯光下，让众人大跌眼镜的许先生穿着非常正式的三件式的西服，走路的时候手脚舒展，说话前先对着台下一笑，瞬时阳光灿烂。

这样的场合年轻员工不多，但隐约还是听到一些惊讶的吸气声，尤其是小榄这个年龄段的，眼睛里都冒星星了。

钱多多也吸气，台上的男人太耀眼了，她再怎么视线模糊都看得一清二楚，这位从天而降的许先生，传说中的新任市场总监，竟然就是那天在地铁被她当做变态处理的那只原始猫科动物！

钱多多在台下看他，许飞当然也在台上看着她。

他眼睛好，她所坐的桌子又靠近台前，自然是第一眼就将她的表情尽收眼底。

那晚在地铁的情景又回到眼前，若不是碍着这场合，他真想走到她面前举举杯子，问一声："钱经理，这回你觉得我眼熟了吗？"

他没那么无聊，在地铁随便搭讪不认识的女人，即便那时他刚刚帮了她一个大忙。

当时他那样问是有原因的，那并不是他和钱多多的第一次见面，五年前他们就有过交集，他还印象极其深刻。

五年前校园招聘会，钱多多代表 UVL 出现在自己母校里，那时的他还只是一个学生，大三而已，刚刚接任学生会主席。

刚刚卸任的前任主席老张暗恋钱多多数年，那几天说得他也好奇心大起，所以跑到礼堂一睹本尊真颜。

走进礼堂的时候场面已经几近白热化，钱多多在台上穿着一身白色的套装，说话前微微倾身，眼睛很明亮，明明看地是台下黑暗中的一点，却让人觉得全场都在被她注目。

偶尔也露齿一笑，她嘴唇生得好，天生嘴角上翘，喜气洋洋的样子，笑起来唇红齿白，满室生辉。

发誓，那天他很清楚地听到了身边那些雄性动物们暗地里发出的口水声，以至于很久以后回想起当天的情景，他还觉得自己整个人都被浸泡在泛滥的雄性荷尔蒙里——包括他自己的。

散场之后，张千挤上去鼓足勇气邀请她吃饭，也不知道是近距离面对光源体的刺激太大还是他本人心理素质有问题，说出来的话语无伦次，最后的内容居然是："钱会长，我们今天吃，吃散伙饭，你来吧。"

散伙饭？爱情的力量是这样的吗？他在旁边听得怒其不争哀其不幸。

理所当然，老张被拒得瞬间崩塌，蔫然消失。

钱多多甚至都不记得老张这个人，全世界的美女都有资格时不时失忆，钱多多更是其中翘楚，估计她对跟自己无关紧要的人事物从来不占用大脑空间。

钱多多离开的时候他是一个人追过去的，没想太多，仿佛是一种本能。

她穿得正式，套装下当然是一双高跟鞋，纤细鞋跟是男人的恩物，更让她的背影婷婷袅袅，速度也快不起来，所以追她的时候他也并没有跑，只是步子略大而已，转眼就到了她身边。

她回身看他的时候表情有点惊讶，听完他的话就是笑，已经是暑热的夏天，阳光透过浓密绿叶落下来，蝉声里阴凉一片的感觉，她的笑容比阳光耀眼得多，说出来的话却让他一阵恶寒："弟弟，你跟我说话？"

弟弟——至今还清楚记得当时听到那两个字之后自己浑身一抖的感觉，一个二十出头热血沸腾的男人被自己刚刚看中的女性称之为弟弟，那样的当头一棒是很难适应的。

"我叫许飞。"

"哦，"钱多多随口应了一声，"我知道你，现任会长对吗？你大几了？"

这种口气简直是对他的侮辱，许飞耸肩："大三，怎么了？"

钱多多笑："大三啊，好好念书吧，有机会的话明年进 UVL。"

这时候她还不忘记宣传自己公司，许飞接到了当头的第二棒。

"我刚才说的跟这个无关吧？"

"刚才？你说要请我吃饭？"她当笑话讲，但是笑着笑着终于发现他眼神认真，笑容收敛了，然后断然吐出两个字："不行。"

"为什么？吃个饭而已，难道你害怕？"

"我为什么要跟你吃饭？我们又不熟。"

他脱口而出："想追你啊。"

噗嗤——完了，钱多多笑场："追我？学弟，我从来不接受比我小的男生的追求，更别提你连大学都没毕业，我是有原则的人。"

没想到许飞并没有恼羞成怒，他直接反问："为什么你排斥比你小的男人？年龄小一点并不代表能力比你差，想法比你幼稚，你的思维太狭隘了。"

"狭隘？"她翘起嘴角一笑，口气全不当回事，"那好吧，等你什么时候能够让我心服口服说一声，弟弟，你真的比我强的时候，再来说追求这两个字好了。"

3

等你真的比我强的时候，再来说追求这两个字好了——

那天的钱多多穿白色套装，脸上有阳光，说这句话的时候还在笑，没心没肺的样子丶，明明知道她起码比自己多活了好几年，但在他感觉里却总是觉得她幼稚又可爱。

这是赤裸裸的挑衅吧？他当时是怎么反应的？好像只是耸肩一笑，再也没有多说什么。

后来他觉得自己已经把这段小插曲忘记了，他做人一向随性而为，在意的事情不多，对钱多多也不过一时兴起，大学最后一年每天都忙忙碌碌，哪有时间再想起她。

毕业之后 UVL 主动到学校来挑中了他作为重点培植的国内第一名培训管理生，当时他的选择很多，不过 UVL——的确值得一去吧。

至于后来的快速升职，能力使然而已，只是对他的一次次肯定。

这一次放弃欧洲区来到中国，更是因为这里才是现在全世界最有挑战性最有机会的市场所在地，完全跟钱多多没关系。

他一个大男人，怎么会把当年某个没眼光的女人的某句戏言放在心上那么久？

这一次的他的转调决定下得仓促，之后他花了一周的时间查看这里市场部的一切运作细节，当然也知道自己会见到什么人，会面对什么事，但就在那时他仍旧对钱多多这三个字反应不大，仅仅花了几秒钟想象了一下她看到自己会有的表情，翻页的时候只是莞尔一笑。

　　出发前一天晚上他在东京的好友们举行派对为他送行，最后回到寓所的时候已经微醺。

　　其实心里明白，到中国并不是简单的升职而已，局势未明，前路叵测，可是他毕竟年轻，又生性热衷挑战，感觉全是踌躇满志跃跃欲试，渴望着在更广阔的天地中一展身手。

　　不想睡，后来他独自坐在窗前就着东京的繁华夜景继续喝酒，渐渐眼前模糊，但是心中突然畅快无比，竟然不自觉地对着夜空举杯，还笑着自言自语了一句："钱多多，你看到了吗？"

　　说完那句话之后他自己都吓了一跳，莫不是醉了？但只有一杯而已，醉了也不至于突然提到了她啊。

　　数年不见，地铁巧遇，他当场发现这个女人的没心没肺一点都没变，看他像看路人甲，彻底将自己忘了个精光。

　　台下她目光中惊诧之色仍在，微笑了，许飞移开目光的时候心里仍在讲话。

　　好吧，钱多多，忘就忘了，从现在开始，你有无数的机会可以把我牢牢记住。

　　旁边总经理的介绍刚结束，拍了拍他的肩膀示意他可以开始致词，回神对台下展露一笑，暂时抛开那些对钱多多的回忆，许飞接过话筒开始讲话。

　　许飞的致词简短又精彩，台下掌声如雷，钱多多却一个字没有听清，耳边嗡嗡地响，失望是当然的，还有很多非常陌生的情绪横冲直撞，逼得她非得咬紧牙才不至于失态。

　　喉咙口难受得很，让她想尖叫，不得已，钱多多只好举起杯子一口一口把酒水咽下去，耳边两位日本同事成了桌上暂时的新焦点，忙着回答大家的问题，模糊觉得那个反复被提到的名字有点耳熟，好像唤起了很遥远的记忆，但是她这个时候实在没精神细想，她坚持着熬到一杯喝完就很克制地站起来往盥洗室走。

　　沿途走过数张桌子都有人跟她打招呼，钱多多撑着自己的表情微笑回应，直到走出大厅她还是努力控制脚步，绝不让自己不自觉地跑起来。

　　好不容易到达目的地，酒店女用盥洗室装饰豪华，她走进隔间关上门，终于长长吐了一口气，坐下的时候浑身僵硬，几乎能够听到自己骨节咯巴咯巴的响声。

　　脑子里很混乱，钱多多坐在马桶上调整了半天都调不回来，太失败了，过去的所有的荣光这一刻都化成冷冷笑声，漫天地反扑过来。

这些年她早就习惯打落牙齿和血吞了，但这一次被打落的根本就是整张牙床，怎么吞？

鼻子酸酸的，钱多多反复深呼吸，然后双手撑在膝盖上再努力了一次，站起来推门。

总不能在厕所待一辈子，先离开这里再说。

推开门正面对上一个熟悉的背影，是伊丽莎白，靠在洗手台前微微前倾着身子，正在补妆。

钱多多走过去洗手，伊丽莎白放下口红看她，然后叹口气："钱经理，感觉如何？"

等着看好戏吗？钱多多心里冷笑，嘴上还要平常回应："怎么了？"

"新任市场部总监可是总部在大陆区直接选拔的第一个管理培训生，四年之内通过最严苛考察的天才人物，破格空降，27 岁，历史上最年轻的大区市场部总监。"伊丽莎白开口就停不下来，口红还抓在手里，牢牢盯着钱多多的脸，热切等待她的反应。

钱多多继续洗手，由她说个不停，然后在烘干机的轰响声中总结了一句："伊丽莎白，你怎么不去做周刊记者？在市场部真是大材小用了。"

"钱多多！"被这样冷言冷语地嘲讽，又看到钱多多干脆地往外走，伊丽莎白终于破功，直接冷哼出来，"别以为你是天才，人家才是，别以为只有你破格提升，跟人家相比，你不过是小儿科。现在感觉怎么样？现在你还得意得起来吗？"

已经快要走到门口了，听完这句话钱多多突然停步回头，半空中与伊丽莎白的视线碰了个正着。

"如果这些就是你用尽办法从总经理办公室得到的事先预告，那么我恭喜你，最起码今天你可以在你的顶头上司面前得意一句，终于有一次我伊丽莎白快过了钱多多，而我甘拜下风，输得心服口服，如何？爽快吗？开心吗？"

答不上话，伊丽莎白立在镜前脸色青红变幻，懒得再多说，钱多多拉开门就走。

原本还想回会场告辞，转念一想，何必呢，已经让人看尽了笑话，何必还要回去自取其辱，钱多多脚尖一转即刻往酒店外走。

任何事情都放到明天再说吧，今天她受够了，反正也没有开车，她在街上随手召了一辆计程车，坐上去之后随便指了个方向，随他开到哪里去。

周五的晚上，再如何严寒的冬季这城市仍旧繁华热烈，处处都是衣着光鲜的时尚男女衣袂挟风晃眼而过，霓虹里似真似幻。

钱多多不想回家，出租车开过城中夜里最热闹的路段，她让司机停车，然后快步走进了最靠近自己的酒吧。

酒吧由旧式法式洋房改成，里面人很多，台上有黑人女歌手唱jazz，听到精彩处各种肤色的客人鼓掌应合，完全像是另一个世界。

迫切地需要喝一杯，钱多多坐下就叫酒。酒保先生对这样的单身女客见得很多，端上第三杯酒低声提醒："小姐，小心别喝过头。"

钱多多摇手，女歌手的jazz正唱到高潮处，台下其他人如痴如醉，但她耳中却是另一种声音——多多，多多。

太遥远了，她还以为自己忘记了，可是今天却反复地想起来。难道她真的错了？一切都有代价，为什么她付出了却得不到回报？

想到自己就在前两天还在主管会议上看着总监默念着不是所有努力都会有结果，没想到一语成谶，报应到自己身上了。

又能怎么样？钱多多双手撑在桌面上无力到极点，输就是输了，这场内战最后全成了笑话，原来公司另有安排，输局早定，她和任志强两败俱伤，而她还是最后知道结果的那一个。

又想起之前市场部的某位女助理，工作三年，得知升职不成的时候一声冷哼，第二天就递了辞呈。

问她为什么，回答很干脆，我老公说了，这么没前途，还不如回家，他养我。

那么轻描淡写，对很多女人来说，事业上的挫折算得了什么？大不了退回家里去，家里有靠山，家里就是避风港，如果愿意的话，可以安心躲一辈子，一辈子都不用出来见风雨。

可是钱多多不行，钱多多没有男人，钱多多没有老公养，钱多多要靠自己。再说她又能退到哪里去？

三十岁没有结婚已经天怒人怨，要是连事业也因为一时意气放弃，那她岂不是白活了这些年？

不能放弃，那就只能继续，可是心里终究是不舒服，潮湿毛巾拧来拧去都拧不干的颓然无力，为了让那种感觉消失，钱多多继续喝。

酒精带来幻觉，她眼前飘过许多过去，幽暗楼道前青涩的舌吻，潮湿的手心，灼热的嘴唇，亲的时候尽了全身的力，舌尖恨不能钻进彼此的心里去，耳道里都有啧啧的粘腻唇舌纠缠声；大捧大捧盛放在桌上的鲜花，那么香，颜色艳丽，谢了丢到桌下，转眼又有新的补上来，永远都开不败的样子；还有新加坡热带的夜晚，空气里是四季不散的潮湿花香，午后总会有突然的一阵雨，然后再一次云开日现，晴朗无垠的天空，阳光明晃晃地洒在还有些雨迹的街面上，走在身前的男人张开左手等着落在后面的她，牵手的时候相视一笑。

又怎么样呢？全都过去了，钱多多趴在桌上苦笑，脸埋在手肘里，手机响，她不抬头，一只手探到包里摸索到手机，然后打开看消息，又是叶明申，很客气的问候，又好像是例行公事的口吻："多多，今晚的酒会可愉快？如方便，明天一起晚餐？"

钱多多想起这个男人昨天所说的话，希望我们俩能够按部就班把任务完成，然后在互相尊重理解彼此的基础上继续自己想要的生活——咬咬牙，钱多多突然有把手机扔出去的冲动，但是手腕一动就收住了，隔了一会儿她再打开手机，缓缓打了几个字："好，明天见。"

发送以后屏幕亮了又暗下去，多多随手把手机电源关掉，塞回包里继续喝。

身边有人坐下来，外国人面孔，但嘴里却讲很流利的普通话："小姐，一个人吗？一起喝一杯？"

搭讪？钱多多撑着脑袋扫了他一眼，一言不发。

她穿得得体，这也不是什么三流酒吧，虽然是单身女客独坐饮酒，但是刚才一直都没有人过来多讲一句。

还是看得出来不一样的，她喝酒的时候从不左顾右盼，独自出神而已，跟怀着目标走进来的其他客人大不一样。

那个男客遭到如此明显的拒绝，积聚多时的勇气也散了，回头往自己的座位走，迎面就是朋友们揶揄的笑。

"怎么样？输了吧？"

他摇头耸肩："或者那个女生走错地方。"

身后有哄笑，钱多多知道自己不该再在这个地方待下去，她不是不能喝的人，只是今天心情不好，酒精就特别容易上头，想站起来，但眼前都是朦朦胧胧的，努力了一次还不行。

伸手叫买单，酒保先生很热心："要不要我替你叫车？"

"谢谢。"她口齿还很清楚，拿了包就往外走。

4

许飞这天是自己开车离开酒店的，他刚到上海，前任总监还在，他也就没有麻烦公司临时再找一个司机，随便开了一辆公务车。

虽然是庆祝酒会，但是他第一次和国内公司的同僚见面，大家不算熟悉，也没什么人上来灌酒。

乐得轻松，他一整个晚上也就喝了两杯香槟，意思到了就好。

即便如此散场时也过了11点，街上仍旧热闹，车上有定位系统，他跟着指示慢慢开过一条条熟悉又陌生的街道，心里忍不住有点唏嘘。

他并不是土生土长的上海人，只是大学四年在这个城市度过，离开五年后再回来，对这个城市只觉得陌生。

红灯，他把车缓缓跟着前车停稳，无意识地看着前方车子晶亮的尾灯出神。

数字灯开始跳动，但是前车毫无动静，闪了闪灯，仍旧没有反应，倒是那车的右侧有人伸手出来，对着路边一角指指点点。

顺着那指点扫了一眼，路边有个女人扶着行道树在呕吐——

这也值得一看？无聊地回过头想按喇叭，但是头刚一转又回到原位，他眼睛不错，这时目光炯炯，按下车窗，笔直盯着那一点一动不动。

走出酒吧之后迎面就是一阵冷风，钱多多原本步子就有些飘，风一吹开始泛恶心，来不及伸手叫车，扶住身边的行道树就开始呕吐。

身边有人指指点点，知道自己失态，但这时实在顾不上了，吐完刚直起身子，身边就有人递过纸巾。

视线仍旧模糊，抬头又看到一个外国人，钱多多摇头拒绝，伸手到自己包里去拿自己的，喝了酒行动迟缓很多，她第一下连自己包都没能打开。

耳边叽里咕噜的洋文，烦躁起来，这到底还是不是中国人的地方？怎么到处都是洋人，刚想继续往前迈步，胳膊一紧，居然被拽住了。

钱多多大怒，伸手去抽，抽了一下居然还没抽出来。

有人跑过来替她解围，就是刚才那个好心的酒保，可能跑得急，稍微还有点气喘："小姐，需要我帮忙吗？"

钱多多一边点头一边还在往回抽自己的胳膊，那老外看到有人过来立刻收回手，她一时不防备，整个人都往后跌下去，头晕目眩，钱多多闭上眼睛等着自己凄惨倒地。

腰后被扶了一把，有力的一带，带着莫名的熟悉感，世界又旋转起来，不能睁眼，她又想吐啊——

酒保在旁边发愣，他是看着这位小姐出门的，步子有点不稳，追出来想替她叫辆出租车，没想到一转眼的工夫她已经遇到麻烦。

遇到麻烦也就算了，没想到她的魅力这么大，上前骚扰的男人还一个连一个，刚才那个外国人一看情况不妙已经玩瞬间消失，现在扶着她的这个男人穿着正式，耀眼夺目得很，完全不像是街头搭讪的混混之流。

而且目标明确，大步走过来就扶，无论是动作还是表情都不带一点迟疑的。

这架势有点像出来抓逃妻的啊，吃不准了，酒保先生转而问另一方："小姐，你认识这位先生吗？"

酒精让她反应迟钝，钱多多抬头辨认的速度都比平时慢了许多，连带着一阵头晕。

等到看到立在面前男人的脸之后钱多多确定自己是醉了，老天对她真是过分，都什么时候了，还把那个噩梦一样的猫科动物放到她面前，让她心里又是一阵堵。

眨眼再眨眼，那个幻象居然还驱之不去，怒气直冲头顶，就是这个男人，让她数年的辛苦功亏一篑，仗着酒意，钱多多站起来伸手指戳过去："走开，别来烦我。"

手指被一把抓住，钱多多皱眉挣扎，旁边酒保先生看到走过来说话："这位先生你——"

钱多多看到的当然不是幻象，出现在她身后的正是今天在酒会中大出风头的许飞本人。但是他这个时候的脸色跟之前台上相比差了许多，板着脸，两只手抓紧她之后才开口，全不管她在怀里的挣扎："她认识我。"

钱多多还在挣扎中，只是动作越大头越晕，连带着四肢无力，那挣扎就变得仿佛小动物撒娇，又是陷在男人臂弯里进行的，脚一软就被他挟得更紧，暧昧得可以。

"我不认识他，放开我。"

醉成这样了还嘴硬，许飞是行动派，伸手抓过她的包找名片，又拿出自己的一起拍在酒保手里："我是她上司，还有什么问题吗？"

"——"两张名片都是雪白簇新的，漂亮的公司 logo 叠在一起，酒保先生只扫了一眼就无语了。

钱多多原本想把包抢回来，但是未遂，后来又眼睁睁看着他扔出名片，还没结疤的伤口正正被撒了一把盐，心里好像有座火山轰的一下就爆发了，她尖叫："姓许的，你到底想干吗？"

原来还有一点点不确定的酒保先生终于可以肯定这两个人绝对是认识的，退开一步任许飞挟着几乎完全失去行动自由的钱多多大步离开。

钱多多自然是一路挣扎，但是两个人的力量天壤之别，她又喝多了，完全是徒劳无功。

虽然已经是深夜，但看热闹的人已经不少，这时一同目送，看得津津有味，没走出几步钱多多又一把抓住路边的围栏不放，对她的不合作终于怒了，许飞双手一抄就把她抱了起来，钱多多尖叫，他充耳不闻。

到了车边许飞双手一松放她下地，但是钱多多根本站不稳，顺着他的手臂就往下溜。

站不稳还要骂："谁要你管我？走开，我不要看到你。"

此时此刻的钱多多自以为是的质问在别人眼里完全是赌气撒娇，双手搂着她防止她滑到地上，许飞好气又好笑。

心里庆幸，刚才那种情况如果不是被他凑巧看到，天知道后来会发生些什么事。

其实之前在台上发言的时候也有注意她，但是下台后走到市场部桌前她已经离开，问大家钱经理呢？正遇到从盥洗室回来的伊丽莎白铁青着脸坐下来，看到他问倒是挤出笑容来回答："钱经理走了，刚出门。"

他简单跟桌上的人讲了几句之后还追出去了，追到门口的时候正好看到她坐进出租车，来不及阻止那车已经发动开走，自己的助理跟出来叫他，不得已才转身回去。

没想到钱多多跑到这儿来了，还喝得稀里糊涂，差点就被人当街拉走。想到刚才的那一幕他还心有余悸。

在车里看到她跟人当街拉扯的样子他当时脑子里就嗡了一声，也不知道自己为什么那么生气，双手抓住她才慢慢冷静下来。

无论如何平安就好，不生气了，许飞两手扶稳她帮她穿好大衣，一边还要哄："刚才要不是我你就惨了，一个人跑到酒吧喝成这样，你都几岁了啊，这点常识都没有。"

几岁？提到年龄就是她的终极打击，钱多多憋了一整晚的情绪终告崩溃，她想在大街上尖叫，多年的循规蹈矩生活又实在让她叫不出来，最后悲愤全都化作陌生的液体，从双眼里肆意横流出来，双手去掩都来不及，瞬间布满了整张脸。

"谁让你来找我的？关你什么事？走开，你给我走开。"

用手去拍身边的男人，但是那双温暖有力的大手抓得紧，哪里拍得开。疲惫和酒意随着泪水一起弥漫开来，意识渐渐模糊软弱，钱多多开始号啕大哭。

被她哭了个措手不及，没什么应付酒醉哭泣女人的经验，许飞立在大街上不知是哄是劝。

想先带她上车再说，可是脚步一动胸前原来推拒的力量突然变成了反方向，西服的前襟被死死揪住，他一时不察，第一步居然没迈出去。

泪水把最后残存的一丝清醒带走，钱多多醉了，醉得身边的车声和人声都变得遥远，醉得忘记了自己在哪里，醉得好像回到了很久很久以前的那个晚上。

那个没有了争吵，没有了哀求的晚上，只有灼热的手掌那么用力地捏住她，在她的耳边反复唤她的名字，多多，多多。

而她就这样走掉了，天明即起，带着简单的行李头也不回地上了飞机。如果那个时候他不放开手，如果那个时候她知道之后的凄凉冷落，她还会那样坚决地走掉吗？

后悔了，钱多多徒劳地哭泣，但是恍惚中自己又回到了那双手掌当中，灼热有力的手掌，那么坚定地握住自己的腰，好像可以就这个样子天长地久了。

脑子里仅剩下唯一的念头，这一次她绝不能再放开了，绝对不能再松开手，用尽全身力气反手去抓，钱多多一边呜咽一边哀求："不许走，跟我在一起，不许走。"

知道她说醉话，许飞把她抱起来就往车里去。

把她在车里安顿好之后他才发现前挡风上已经被贴了一张鲜黄的罚单，完全不以为意，许飞反手去撕。

身子刚抬起来又被她揪住，事实上他的前襟到现在还在她手里没有被松开过，原本笔挺的布料早就皱成一团。

"别走。"钱多多眼睛都闭上了，手里却还是执着得可以，死死抓着他不放。

她叫他别走——心里明白她说的一定不是自己，但是车厢里光线黝暗，她的泪水爬满了整张脸，擦都擦不尽的样子，喝醉酒的人他见过很多，但自己却唯独对她生出不舍，恋恋而软弱感觉。

唉，他是男人啊，为什么会这样？五年前面对她的时候就一时迷惑，现在还是，太不可思议了。

5

不知道要载着她去哪里，随意沿着路走，不知不觉已经开到死路里，四下寂静无声，他踩着刹车缓缓停住，过去的回忆暂告段落。

夏夜闷热难当，车里虽然空调清凉，但是他仍旧觉得呼吸不畅，

等你真的比我强的时候，再来说追求这两个字好了——

这句话言犹在耳，原以为只是年少时一个玩笑，早已成了无足轻重的一个小片断，没想到她比他更狠，他只是觉得自己并没有当一回事，而她却完全彻底地把他给忘记了。

那晚在地铁偶然的相逢，他坐在她对面很久，钱多多仍旧是那么耀眼夺目的，他自然是一眼就认出了她，可是她那么近距离地与他交谈，却表现得无知无识，好像这辈子第一眼看到他，眼光完全是在看一个陌生人。

他是谁？他是许飞啊，居然有人完全忘记了他？

所以今天在酒会上，他真应该走到她面前举杯大笑三声，钱多多，你也有今天！

但是他错了，钱多多惨败，他立在台上看得清楚，她坐在自己的座位上，坐在他从日本带来的左右手的当中，坚持维持着最后一点笑容，小口喝完杯里的酒，然后起身静静离开。

这和他预料之中的反应完全不同，过去的钱多多不是这样的，过去的钱多多目光坚定，一丝迷茫都没有，就算震惊也能立刻笑着回应，那时他觉得她幼稚又可爱，但今时今日，同一个人的笑容，竟然让他觉得楚楚可怜。

再看了一眼身边已经无声无息的钱多多，她真的醉了，但淑女之风犹在，并没有大吵大闹，只是扒着他的一个胳膊不放而已，死也不放。一边脸露在外面，泪痕宛然。

猛然间心就软了，又化了，低头去帮她擦，脸颊挨得近了，鼻尖扫过她的嘴边，那里还有些酒味，清淡的VODKA混着一点点橙汁的甜腻，完了，一瞬间天摇地动，下腹一阵灼热轰地冲到头顶，他仿佛又回到了当年那个男性荷尔蒙泛滥的礼堂里，不，比那次更夸张，自己咬牙苦苦克制的声音都在车厢里清晰可闻。

"钱多多，你醒醒，告诉我你家在哪里？"把头仰到离她最远的地方，许飞这句话讲得异常辛苦。

钱多多在做梦，梦里安全而舒适，她终于抓住了原本失去的东西，但是手掌间一动，原本恒定温暖的依靠居然有抽离的迹象，恨起来，她反手回扯："不许走，你给我留下，留下。"

他吸气了："钱多多，你知道自己在说什么吗？"

她稍微睁开了一点眼睛看他，歪着头，很仔细的样子。

她看到的是一团模糊的影子，遥远记忆里的影像层层叠叠，黑暗里年青男孩子满是汗水的脸和身体，跑车里的男人，大捧大捧的花鲜艳开放在后座，还有水塘边轻轻的一跳，仰起头看到的那个笑脸。

这些男人，都是她曾经想留住的，曾经可以留住的，如果老天能够再给她一次机会，至少这一次她不再放手。

僻静街道，车内外温差太大，前窗转眼蒙起了一层雾，她的眼里也是，潮湿迷离的一层光，看了很久笑起来，还是改不了的习惯，一笑就露出白色的牙："知道啊,我让你别走。"

暗淡光线下她的牙齿细密整齐,雪白的一小颗一小颗连成一串,润润地闪着光,放弃提问,放弃收回手,自己的喉管好像被那两排小巧可爱的牙齿细细磨过,呼吸渐渐滚烫灼热,连带着整个人都好像陷进了岩浆里。

太痛苦了,他是男人,一个正常的男人,箭在弦上的时候,不禽兽一下简直对不起他男人的这个称号。

但她是钱多多,她喝醉了,她把他当成另一个男人,她只是酒醉寻欢——

残存的那丝理智还在,明明身体已经涨得发痛,但他仍旧咬着牙齿苦忍,手已经在门把手上了,就差一点没有扭开跳下去。

没想到钱多多竟欺身而上,一把抓住他的衣领,吻上来的力道太大,他猝不及防地哼了一声,唇上一痛,不自觉就张开了,她灵巧的舌尖转眼与他的纠缠在一起,巨大快感让他大脑中残存的最后一丝理智都飞到九霄云外,她的津液里还有酒香,瞬间连他也醺然若醉,整个世界突然间眩光一片。

双手控制不住地拥住她,她身体滚烫柔软,自己的手指不听指挥,怎样都没法从她身上移开。

咬牙闭着眼睛问她最后一句话:"钱多多,你知道我是谁吗?"

被这样锲而不舍的提问烦扰,她终于慢慢睁开原本迷离的眼睛,眼前就是一张放大的男人的脸,呼吸灼热,年青的皮肤在微光中好像是上好的瓷器,绵密的细汗浮在一层薄薄红晕上。

是谁?这个吻带来的快感太强烈了,以至于她睁开眼后第一个念头是捧住他的脸让两个人能够贴得更紧,吻得更深一点。

可是唇上已经红肿,一旦停下吸吮的动作疼痛就变得清晰,这痛感让她理智复苏,看清了,她吸着气从牙缝里憋出两个字:"是你——"

怎么是他?不,不可能!

无限惊恐之下她努力往后仰头,两个人交错的呼吸分开来,隔开一点距离,终于看清现在的状况。

一声尖叫,钱多多猛地抽回手后退,她动作太大,许飞一把没拉住,砰的一声,就听见她的后脑结结实实敲在副驾驶座的车门上,剧痛立时让钱多多双目赤红,抱头狼狈到极点。

"你怎么样？"

"你别碰我！"抱着头等待那阵剧痛过去，钱多多头一低居然看到自己的衬衫领口大敞，内衣蕾丝都清晰可见，再也顾不上头，她手忙脚乱掩住领口，再看他眼神就狂怒了，"姓许的，我要告你强暴！"

这句话——应该他来说吧？欲望退却，许飞想解释，但她看他的眼神就像在看一个强奸犯，火气也上来了，他眼神一冷："钱多多，你喝醉了。"

"所以你就把我带到你车上，对我，对我——"说不下去了，钱多多羞愤难当，眼角扫过他仪表台上显示的时间，11点59，不是吧？这漫长的一天居然还没有过完？她真是受够了！

伸手就去推车门，如果可以的话，给她一把女巫扫帚，她想玩瞬间消失。

"我是想送你回家，问你地址你又不回答，钱多多，你干什么！"抓住已经半个身子探在外面的她，许飞也忍不住声音大起来。

"我自己回家，用不着你送。"冷风一吹又开始晕了，但是钱多多铁了心要离开这个让她无地自容的男人，拉扯间动作很猛。

她的大衣原本只是披在身上的，扯动间突然离她而去，没办法保持好平衡，伴着一声惊叫，钱多多最后以一个凄惨的倒地姿势结束了她人生中最失败的一天。

耳边有车门合上的声音，然后是脚步声，停在她身前，地上的影子慢慢缩短，四下太安静了，他蹲在她身前，呼吸的声音都清晰可辨。

"走开。"她不抬头，声音很低。

夜深人静，她看起来恨他入骨，他没有对付一个半醉女人的经验，或许走开比较好。

脑子里这么想着，可是静夜里有声音，是他自己的，低得可以，但是很柔软，甚至带了点哄劝："我送你回家。"

"走开！"她又重复了一遍自己的句子，隐约有哽咽声，但就是不抬头。

"你家住哪里？"他锲而不舍。

他上次展露这么好耐心还只有十岁，邻家妹妹在他家门前迷路哭泣，三岁的小孩，离家五百米外就是天涯海角，他牵她的手送她回家，一路走一路哄，手心里被擦得都是眼泪鼻涕。

"我让你走开。"她也锲而不舍，为什么这个男人还不消失？她讨厌他，不，她恨他。

眼眶刺痛，老天，她真的不想在这该死的男人面前流眼泪，咬着舌尖让自己的眼泪缩回去，她与自己无比糟糕的情绪对抗得异常辛苦。

"好吧，我打电话给人事部经理。"他摸手机。

什么？今天她出丑出得还不够吗？难道他要弄得整个公司尽人皆知？震惊了，钱多多猛抬头，一把抓住他的手臂。

这条小路上的路灯间隔距离很大，灯光也很黯淡，她的眼睛在这样的光线下竟然晶亮一片，仔细看却全是泪水，汪汪地凝结在眼眶边。

她醉了，心里提醒自己，有些人醉了以后会做出很多不可思议的事情，比如钱多多。

刚才她在街上号啕，哭着拉住他的衣领，在车厢里强吻他，然后又大发雷霆。

她醉了，所以无论是哭是笑，一切都不能当真。

但是心好软，想抱她安慰她，还想继续刚才那个吻——

完了，他根本没喝多少，却被一个醉鬼感染……

"不许打，我自己回家。"她终于开口，努力站起来，虽然腿软，但是就算要死也不能死在这个男人面前。

旁边住宅区有车转出来，亮着顶灯，速度很慢，钱多多伸手就招，动作太大了，差点扑到路当中去。

眼明手快地拉住她，但是她反手回拨，拉开出租车门的时候头也不回。

司机满脸狐疑地在后视镜中不断打量她，钱多多报完地址之后掩面呻吟，别看了，她钱多多今天颜面扫地，再也没脸见人了。

| 03 |

相亲市场的过季菜

钱多多启示录 No.3

没有相亲的时候，觉得自己哪里都挺好的，一旦被放到这个市场上，突然发现自己已经是过季的时鲜菜，哪里都骄傲不起来。

问题是，既然哪里都挺好的，干吗还要去做一棵菜呢？

1

周六，依依每天的生活习惯都是醒来已经接近十点，起床到楼下吃早午餐，张阿姨在家里很多年了，但是看到她称呼仍旧是太太前太太后，弄得依依有时候觉得自己在演怀旧粤语长片，还是翻来覆去重播个不停的那一种。

"太太，你起来啦？先生昨天晚上回来过了，你在睡觉，他说今天早上南京有个会，就不吵你了，半夜走的。"

"哦。"对这种情况习惯得不能再习惯了，依依随口应了一声，睡袍蛮长的，她走下最后一个台阶的时候小心地提了一下。

牛振声的生意遍布全国，当年热恋的时候他还兴致颇高地带着她跑来跑去，但到了一个地方多半是她独自闲逛，或者索性在酒店埋头大睡，等他忙完都到半夜了，携手看到太阳的时间都很少，结婚之后就更好了，往往十天半月都看不到人。

一开始还有点小抱怨的，后来也习惯了，两个人就算真的在一起又能聊什么呢？

或者可以各说各的，他奉献的内容多半是最近市场震荡，原材料暴涨，波及下游行业，所以做什么都要谨慎之类——

而她也可以汇报张太太新购限量版钻表一只，李小姐不满意自己的敞篷保时捷，很容易被人从公车上丢垃圾之类的圈内小新闻——

算了吧，说出来也只是互相呆望而已，所以他们上一次饶有兴趣的共同话题还是由钱多多帮助完成的——关于钱多多的合适相亲对象。

餐桌上有豆浆油条，还有牛奶面包，每天都是一样的，看了就没胃口，依依趴着用勺子搅来搅去，脑子里一想到钱多多就伸手摸电话。

第一个拨给钱多多，她关机，有点奇怪，钱多多号称职场小超人，手机如同生命线，二十四小时都是开着的。有时候她半夜无聊一个电话拨过去，那头还有滴滴答答的键盘敲击声，不服不行。

再想拨到她家里，没想到手机自己响了，就是钱多多："依依，有没有时间？出来陪陪我。"

当然有时间，她这些年别的不多，就是时间多，所以跟钱多多互补得天衣无缝，友谊历久弥新。

兴致勃勃跑上楼换衣服，张阿姨跟上来讲话："太太，你一点都不吃就出去啊？当心低血糖。"

"我不饿。"她埋头在硕大无边的衣帽间里一顿挑，最后抓了一件窄腰的大衣出来："穿这个。"

张阿姨在这个家里七八年了，大部分时间这大屋子里就是这个爱撒娇的太太跟自己，刚来的时候依依才二十出头，她嘴里虽然叫她太太，心里总觉得这位太太跟个小女孩子没两样，又跟自己女儿差不多年纪，看她撒娇的时候心都软了，所以待她很是真心，两个人感情一直很不错。

她今年五十出头，天性有一点点爱唠叨，这时一边上去帮依依穿大衣一边小声念她："要么不吃，要么吃一点点，这个腰饿得就剩真真一点点。"

"腰细才好呀，水桶腰还有谁喜欢？好看吗？"衣帽间滑门就是一整面的大镜子，依依在镜子前顾盼，笑着问了一声。

张阿姨替她系好大衣腰带抬头打量，依依皮肤白，这件大衣领口上还镶着一圈黑色的貂毛，茸茸地浮在她的两颊边，更显得肤光如雪

"漂亮得来，"张阿姨实话实说，然后顺口讲下去，"不过太太啊，太瘦不好养小孩，以后生的时候辛苦来。"

一句话说出口就后悔了，又收不回来，刚才还笑问笑答的两个人同时沉默，然后各自撇过头去，全当什么都没听到。

张阿姨自知失言，小孩子，依依刚结婚的时候怀过一次，三个月的时候做B超，还是个男孩。公婆欢天喜地，先生也是喜上眉梢，只是那个时候她自己还是个小女孩，做什么都不小心，有天晚上先生回来，下楼迎接的时候跑得急，一跤跌没了。

后来就一直没有，医院里检查了又检查，都说没问题，但就是没有。

话都说出口了，补救也没用，张阿姨有点尴尬，依依倒是隔了几秒钟又没人事地笑起来，跟她摆手："走了走了，不要等我回来吃饭，我跟多多在外面吃了。"

2

依依到得早了，钱多多还没来，她叫了喝的一个人坐在熟悉角落里等，服务生都是认识的，端咖啡过来的时候笑着打招呼，但看她神色茫然，很有些恹恹的样子，倒是不敢多说什么了。

周六，café里面人很多，坐得八成满，年轻情侣紧挨着彼此喃喃低语；还有稍稍年长一些的，却相对无语，女的捧着杂志，男的表情麻木；歇脚的家庭档，小孩子涨红着脸挣扎哭闹，旁边人人侧目，小妈妈手忙脚乱，老人抢着帮忙，爸爸在旁边面无表情，好像自己身在异世界；倒是真的年长的又有共同话题，老夫老妻一边喝咖啡一边笑语不断，对身边发生的一切饶有兴致地指指点点。

她跟钱多多读书的时候就喜欢在这里出没，还记得那时候两个人经常面对面在这里坐一整个下午，钱多多可以完成起码两份学科报告，她呢，看完所有的当期杂志，还有空整理心得体会。

Café装修过几轮，老板也换了好几个，但是人来人往，看出去的所有背景都好像没有变过，不不，还是有变化的——转眼她们两个都要三十了。

无意识地捧着杯子看窗外，突然间扫到一个熟悉的人影，她表情丕变，眼睛睁得大，第一个反应是想贴到玻璃上尽所有可能更近一些看清楚，可是真正做出来的却是整个人往后缩起，仿佛想变成一粒草籽，将自己藏起来。

窗外人流如织，那条人影一晃而过，幻觉吧，她表情震惊，不可能的事情，至少在这个城市，不可能的事情。

门被推开，钱多多出现了，张望都没有直接往这个方向走，看到她招呼都不打，直接瘫倒在沙发里，筋疲力尽的样子。

等了半天都没有一声问候，钱多多最后还是奇怪地自己支起身子，然后看着她的脸吃惊了："依依，你怎么了？脸那么白，这么冷的天还出汗。"

"哦，没事，我刚才喝了杯冰水，灌太急。"她咬着嘴唇回神，把刚才的幻觉抛到脑后去，正视钱多多之后也奇怪，"你怎么了？这么颓？"

钱多多一向精神抖擞，这样颓废的样子真是难得一见。

"我跟人结仇。"钱多多撑起身子脱大衣的时候咬牙切齿。

已经恢复正常了，依依看着她眼前一亮，然后笑着前倾身。

"多多，今天穿得好漂亮。"

钱多多大衣下面是难得一见的连身丝绒及膝裙，抓肩设计，匀长的手臂和小腿暴露在空气里，瞬间她们这一桌成为眼球聚集的焦点。

"晚上有约会。"钱多多讲这句话的时候轻描淡写，一笔带过，好像在说日程表上某个无足轻重的小会议。

"约会？叶明申吗？"依依真正笑开颜，"史蒂夫跟我说了，他对你很满意，你呢？是不是一见钟情？今天第几次约会？"

她问得热烈，钱多多却还是无精打采："还好，很靠谱。"

这算什么形容词？依依再问："对了，刚才你说跟谁结仇？"

说到那个话题钱多多的精神立刻回来了，皱眉吐出三个字："Kerry许。"

"谁啊？"

"新来的市场部总监许飞。"这回的回答是钱多多从牙缝里狠狠憋出来的，任谁都看得出苦大仇深。

啊？依依呆住，钱多多平时跟她聊天当然谈得最多的还是工作，但在她印象中多多在公司里一向顺风顺水，怎么那么突然？转眼冒出一个让她恨到极点的新总监？

还有许飞——这个名字怎么听上去这么耳熟啊，依依仰天苦思冥想。

自己的咖啡来了，钱多多伸手去接，捧着先喝一口让自己喘口气。

她是从家里逃出来的，昨晚一场混乱，她到家的时候已是凌晨，没跟老爸老妈打过招呼，他们都快急疯了，就差没报警。后来才发现自己手机都是关着的，累得跟狗一样，没力气多说什么，她游魂一样冲了个澡就倒在床上。

到了早上一边吃早饭一边解释了几句，说自己在公司宴会上多喝了几杯，还被老妈一顿臭骂："还以为你去约会，弄到后来还是工作，气死我了。"

这话说得——钱多多终于发现让自己老妈抓狂的并不是她深夜未归，而是她至今都无能和一个男人待在一起深夜未归。

其实事实根本不是这样的！愤怒了，钱多多想说实话，话到嘴边想起来这样的实话说出来说不定她老妈周一就会冲到公司去让那个强吻了她的男人直接负责，清醒过来还是闭嘴，悻悻吐出一句话："我要出门，晚上不回来吃饭。"

钱妈妈气不打一处来："你还要去加班？"

"我去约会！这下满意了吧？"钱多多拍门进屋的时候忍不住声音拔高一个八度。

"我想起来了！"依依突然双掌一合，啪的一声脆响，"你说的那个许飞，是不是跟你一个大学的？"

钱多多正在喝咖啡，被她这么激动的一句话吓得差点喷出来，赶紧拿过一张纸巾抹嘴："你说什么？"

"是不是？"依依兴奋，"那时候我们都快毕业了，传说你们学校一年级有个小飞人，我们那个花痴校花还特地组织花痴团去看他的跑步比赛，场面很大哦，还有拉拉队，拉横幅，满场都叫，许飞，许飞！我印象特别深刻。"

钱多多一脸迷茫："有吗？"

她读书的时候除了对奖学金感兴趣之外，其他的一切全当空白，尤其是大四那一年，忙着奔波在好几个公司实习累积经验，哪里有空管所谓的小飞人？

"有啊，不过会不会同名同姓？照理说他比我们起码小了两三岁，应该不至于这么快做到你的上司吧？"

"是很年轻。"说到年龄钱多多又咬牙齿。

"到底是不是啊？那个许飞很帅哦，我后来都有听学妹们提起过他，据说还做了学生会会长。"依依被回忆感染，双手合十开始梦幻。

依依的大学生涯跟钱多多完全是两个极端，她进的是女子学院，课程轻松，闲暇时间太多，约会间隙得空就是跟着姐妹们四处看帅哥，所以对当年的空前盛况记忆犹新。

学生会会长——没心没肺的钱多多终于朦胧想起些什么，捧着咖啡杯的手指尖开始颤抖，连带着雪白杯中褐色的咖啡都晃来晃去。

"多多？"看她神色不对，依依终于从兴奋中平息下来，小心翼翼叫她的名字。

"原来是他！"原本就有些迷雾缭绕的回忆突然间被闪电照亮，钱多多啪的一声将咖啡杯放到桌上，全不顾溅出来的点点褐色液体，当场站了起来。

前因后果一联系，擅长总结的钱多多终于把整件事情给串了起来。得出的结果让她震惊不已，不是吧？当年一句玩笑话而已，那个男人就这么小心眼？居然用那么卑劣的手段来报复她？

但想了想又觉得不可能，伊丽莎白说得很清楚，他是以管理培训生的身份进的UVL，那就是说是由某位核心高层直接挑选的心腹，他这些年又不在国内，回来直接跳升总监，犯得着跟她计较一句话吗？

不一定！再次否定自己的想法，他是个男人，谁知道男人心里在想些什么啊？有些外表特别成功光鲜的人物，后来爆出来的龌龊事都让人不敢相信，谁知道他会不会也有什么变态想法。

脑子里混乱了，颠来倒去想个没完，钱多多痛苦万分。

多多自从说完那四个字以后就时而皱眉时而抿嘴，脸上表情精彩非常，依依好奇心大起，热情追问："快说到底怎么回事？你们两个以前不会有过一段吧？"

"笑话，我怎么可能跟他有什么瓜葛，他比我小了多少岁！"开什么玩笑，钱多多坚决否认。

"哦——"依依拖长声音失望，也是，钱多多是有原则的人，许飞年纪比她小，又差了那么多级，根本没可能跟她发生过什么特殊关系。

唉，没有八卦可听，没有秘闻可挖，真是无趣。

正说着钱多多的电话响，是叶明申，声音笑笑的，让人如沐春风的感觉。"多多，你在哪里？我刚从学校出来，现在去接你如何？"

惨痛教训还在眼前，钱多多这时下定决心，无论如何再也不能在单身道路上继续走下去了，现在她身边情况复杂，不怕一万只怕万一，到时候好歹有个男人可以拉出来做挡箭牌。

就算是她想太多了，那至少下回喝醉了也有个名正言顺的男人可以接自己回家，至少不至于再出现那种叫她无地自容的情况吧？

这么一想，她报上地址就非常痛快，依依在对面嘻嘻笑："是不是叶明申？"

钱多多点头："等会我要早退的啊。"

"没问题没问题，希望这次一举成功，我等着你的好消息。"

暂时把那些乱七八糟的想法抛开，钱多多注意力回来了，听完依依的话忍不住叹口气："我也想一举成功啊，可是说来奇怪，明明无可挑剔，就是觉得索然无味。"

"那什么才是不索然无味？看到这个人就火花四射，恨不能扑上去融成一体？小姐，这是十年前该烦恼的事情好不好？"

火花四射，恨不能扑上去融成一体——脑海里自然浮现另一个男人的脸，闪着光的年青皮肤，绵密的细汗，充满情欲的灼热呼吸——突然间口干舌燥，钱多多瞬间双腮若火。

"咦？干吗脸红，很热吗？"依依奇怪。

"嗯，这地方空调不要钱吗？"钱多多一丝尴尬，立刻扯开话题，"对了，那个叶明申，他好像很急着找个人结婚，是不是有什么问题啊？"

"他都三十五六了，男人也有年龄危机的 ok ？"

"男人有什么年龄危机，我觉得他们最喜欢畅游花海一辈子。"

"你这个口气像怨妇哦。"依依吐舌头，"谁不喜欢漂亮东西，你看到帅哥不擦口水？"

同一张男人的脸在脑海中再次浮现，钱多多烦躁，擦口水？有些人只想让她千刀万剐。

"既然双方都不可能一辈子只看着一个人，那究竟为什么人要结婚？"抛开那张可恶的脸不去想，钱多多继续问。

"各取所需而已，结婚前就认清这一点，自然相安无事一辈子。"依依回答很快，然后抚抚搁在沙发扶手上自己大衣的貂毛领，貂毛油黑，她的手指白腻，太漂亮的东西在一起，看上去总让人觉得不真实。

"我是这么想的，其他人的想法，谁知道啊？"

早就知道了，佩服你的就是这一点。钱多多咬手指："当年你不告诉我，否则我一早找个志同道合的，还犯得着麻烦到今天。"

"哎，到现在你还咬手指。"依依伸手过来拍，钱多多有这个坏习惯，一烦躁就啃指甲，所以从小到大指甲都是剪得一丝不剩，唯恐伸出手狗啃似的招人侧目。

"说我？你还不是一样咬嘴唇，今天早上出过什么事了？看你这里都破了。"十几年的朋友了，谁不了解谁？依依的坏习惯钱多多一样倒背如流。

摸着自己的嘴唇欲盖弥彰，依依吐舌头："我看中的那款珠链被人抢先一步买走了，一想到就捶胸顿足，昨晚都失眠到天亮。"

知道她开玩笑，钱多多大笑，情绪好转，跟着她说下去："干吗不早点出手？"

"因为还有另一款也很喜欢，两边都拿不定主意，等别人买走了才知道原来我最喜欢的还是之前的那串，唉。"两个人从小玩到大，说笑都是默契非凡，为了加重语气，依依还假惺惺地擦了擦眼角。

"都是你，干吗不等我，坚持几年等我富豪了，我娶你就是。一次两串都买了，都不用打电话再汇报。"

依依唱做俱佳地扑上来，抱着钱多多的胳膊撒娇："哈尼，要是嫁给你，我哪还舍得花你的辛苦钱，当然是一串都不要，能省则省。"

"那你花史蒂夫的辛苦钱就不心疼啊？"钱多多嘻嘻笑。

"心疼，所以没有当场全买下，所以现在才感觉那么糟糕。"依依坐正答了一句，说得半真半假，反倒让钱多多皱了皱眉头。

还想多聊一会儿，café门被推开，走进来的男人穿着米色棒针毛衣，里面浅蓝衬衫，架着一副薄框眼镜，更显得书卷气。进了里面也不左右张望，朝着她们的方向就径直走过来。

是叶明申，依依先看到，故意开口夸她："多多，今天穿得这么有女人味，很难得哦。"

"不是说了晚上有约会？就算是一只母猴子也该知道在没有彻底征服猴先生的心之前刷刷毛吧？"钱多多讲话一向直接。

依依正在喝咖啡，闻言差点不顾淑女形象地一口喷出来，眼睛瞪得大："你说为谁刷毛？"

"那是我的荣幸。"钱多多还来不及开口，头顶就有很绅士味道的插话，抬头就对上叶明申的脸，这次轮到钱多多差点把咖啡喷出来。

3

目送钱多多跟叶明申离开之后，依依才懒洋洋地提起包往外走。

立在路口等自家司机把车开过来，已经是三月了，上海街头的风里仍旧凛冽刺骨，她把下巴缩在毛领中，街对面就是这城中最奢侈的购物地之一，她常来常往，自然是熟悉到如同自家庭院，但今天却没有一丝想迈过去的兴致，只想早点回家，独自躲进房中。

刚才那个幻觉所带来的震撼还有残留，她把手从大衣袋里伸出来，小羊皮长手套褪起来有点麻烦，她一个一个手指地从指尖扯脱，最后看着自己的手完整暴露在阴冷空气中。

婚戒很伏贴，钻石细密排列，玫瑰金拥抱着铂金，足足环绕两圈。

这样夺目，当年她第一次看到的时候，喜欢得不得了，整天举起手端详，分开五指，倒映天光灯光，甚至在漆黑夜里，只要有一丝夜光，它就能流光溢彩。

身前有车缓缓顺着街沿停下，她收回手拉开后车门坐进去，刚合上就发现不对。

真是糊涂了，虽然是同一款车，但这车的内饰改装得极致豪华，色系都完全不同，居然当街上错车，她今天果然不适合到处乱走。

"对不起，我认错了。"她道歉，然后再次伸手去拉门。

啪，低沉干脆的自动落锁声，车身已经开始起步，驾驶座上的人没有回头，回答只有两个字，简短又有力："没错。"

她在后视镜里看到那张久违的脸，然后双手捂住嘴，那只抓在手中的手套落到膝盖上，戒指还在发着光。

车速渐快，那人回头看了她一眼，依旧薄唇如刀，浓眉挺拔，原来世上真有奇迹，八年的时间，他没有改变一丝一毫，太可怕了，风霜居然放过他。

叶明申明显是把刚才公猴母猴的对话听得一清二楚，但是人家涵养功夫到家到极点，一路走到车旁很绅士地为钱多多开门，当中硬是只字不提，脸上的表情也是平静自然。

钱多多也提不起精神多说，昨晚如此刺激，其实她这个时候只想找个地方疗伤。

叶明申开一辆三厢大众，中规中矩的银色，车后还挂着一件黑色呢外套，一看便知是大学老师的做派。

他开车也是四平八稳，说话前先对她微笑一下，春风和煦。

"多多，想吃什么？"

钱多多刹那间产生错觉，他言语举止完全是熟极而流，明明他们两个才约会第二次，但她却仿佛觉得自己已经跟这个男人一起生活了二十年。

又或者这意味着如果她选择这个男人，这样的相处方式可以保证二十年如一日？

这是她要找的吗？

迷茫，可是眼前出现老总笑得像圣诞老人的脸——奥斯卡时间到了。

人生都是一场戏，已经孤独演到了这个时候，新的一幕总要开始的吧，既然已经接受他作为自己未来合作伙伴的最佳人选，做什么都要做足全套，否则怎么按部就班到达彼岸？

想通这一点，钱多多含笑装淑女："你做主就好了。"

这句话温柔婉约，配上钱多多笑颜如花，真是难得的风情，叶明申原本是专注前路的，这时一边开车一边侧脸看了她一眼，理所当然地回报一笑。

一时间车厢里被他们这样你来我往地笑得气氛暖热，只是钱多多心里晓得整个还是凉飕飕的，又没本事跑到别人心里测温度，所以笑完就低头，继续在传统淑女的伪装大道上大踏步走下去。

传统淑女有什么不好，传统淑女比较容易嫁出去。

4

叶明申在市区小路中熟练地转弯，最后把车停在安静的小弄堂里，转角是一间独栋小楼，门口不见任何招牌，钱多多下车的时候满脸疑惑。

"不是我家，就算是 monkey planet，我们也还没到这个时候，是不是？"他伸手推门，还回头笑笑看了她一眼。

原来他记得清清楚楚，钱多多脸皮再厚都窘了一秒钟，撇过头去装没听到。

小楼里原来是一家韩国餐厅，老板是韩国人，跑进跑出正在上菜。空气里都是烤肉的香味，有限的几张小桌坐满了人，烤肉、喝酒，用韩国话大声笑谈，气氛非常热烈。

也没有菜单，叶明申对老板伸出两根手指，老板穿蓝色围裙，老远点头笑，一溜烟进了厨房。

钱多多在他拉开的椅子里坐下："这里你很熟？"

"也不是，就是和朋友来过一次。"

学着他伸出两个手指，钱多多好奇："这样他就明白了？"

"我只是告诉他来了几位客人。"

"吃什么？"

"老板每天早晨会决定。"

这个回答倒是很绝，钱多多开始在满室肉香中期待地看着那个挂着布帘的小厨房。

端上来的是两盘码好的各色肉类，配翠绿生菜叶，酱汁量很大，不同颜色的两碟。

叶明申在烤盘上刷油，烤肉夹用得很熟练，肉片鲜红欲滴，切得厚薄均匀，放上去的时候兹拉作响，转眼就颜色泛白。

钱多多这一整天就在 café 和依依一起共享了一块小蛋糕，这时候只觉得嘴巴里口水泛滥，淑女都装不下去了。

想拿过烤肉夹自己努力，但是叶明申提供全套绅士服务，肉片刷上两层酱汁，卷进生菜叶之后才递过来，他手指很长，指甲却很方正，衬在翠绿生菜上更显得可口。

不不，钱多多沮丧替自己纠正，可口的当然是色味浓郁的韩国牛肉，她怎么饿得神志不清了。

老板的私人推荐果然不同凡响，一口咬下去烤肉的微微焦香，生菜爽脆，再加上色味浓郁的酱汁，钱多多抿起嘴唇眯眼睛，赞美地"嗯——"了一声。

"好吃？"

"人间美味，感觉到了天堂。"

叶明申笑："那么容易满足？"

美食让人放松，钱多多这一天下来也折腾够了，这时撑着头笑笑："哪有那么容易，但是难得享受片刻，其他事情也就暂时忘记了。"

"有很多烦心事？"

"谁没有。"

"比如说？"

"工作，年龄，父母的期望。"

"年龄也算烦心事？"

"对男人来说当然不同。"钱多多也拿起烤肉夹，学着他的样子亦步亦随。

"还是有压力的，不过稍迟一点。"叶明申笑笑。

"稍迟？那是多久？"

"四十五岁的未婚男性，你会考虑吗？"

"嗯——"气氛轻松，钱多多望了望天花板，然后咧嘴一笑，"如果不是处男的话，还有前提之一是，我也已经被剩到四十以后。"

叶明申难得地大笑："前提之一？之二呢？"

烤肉在盘上滋拉作响，空气中肉香四溢，话题渐渐玩笑，钱多多完全放松，眼睛一转就补充了一句："或者我们一见钟情，四目相交火花四射，我当然无条件接受他。"

他笑容稍稍收敛了一下，然后若无其事地低头替她另包了一片肉，递给她之后再用纸巾擦手，动作慢而且斯文："火花这种东西，很难长久，你觉得呢？"

钱多多大悔，今晚滴酒未沾，居然也把装淑女的初衷忘记了，真是没用。

5

到家的时候已经很晚，钱多多仰头看到自家客厅的灯还亮着，眼角忍不住抽了抽。

叶明申已经绕到身侧开门，冬天，小区里四下安静，灯光暗淡，钱多多下车时他还伸手扶了一把："小心地面。"

心里惦记着自己老妈是不是还在上面等着训她，钱多多微笑道别的时候声音都有点急："今天很开心，谢谢，我先上去了啊。"

走进楼的时候也没有听到身后汽车发动的声音，钱多多边走边回头看了一眼，叶明申还在原地，见她回头微微一笑，这才低头拉开了驾驶座的门。

下次记得问问这个男人，是不是在英国受过正统的绅士教育——如果还有下次的话。

上楼梯的时候钱多多还在低头掏钥匙，门在眼前被霍地拉开，钱妈妈的笑脸露出来："多多，你回来啦。"

很久没有看到过妈妈这么暖风和煦的笑容了，钱多多受宠若惊："妈，这么晚了你还没睡啊？"

钱妈妈看着女儿挂包脱大衣："约会怎么样？"

"约会？"这才想起来中午出门前自己扔下的话，"你看见了？"

废话，她都在窗口观察了半天了。

"没看清。"

钱多多无奈，好吧，钱家的女人，个个直接。

"依依介绍的，刚见第二次。"

"做什么的？"

"是个大学老师。"

"是吗？跟你爸爸一样啊。"钱妈妈合掌，"太好了。"

"人家教经济的，哪里一样，还有，好什么？"

"老师就是好，你懂什么，工作稳定，不会乱来，还顾家，看看你爸爸就知道了。"

"妈妈，我们才约会第二次。"怎么说得好像她明天就要过门了？

"第二次好啊，说明你们第一次见面以后有感觉，继续，继续。"钱妈妈拍拍女儿的肩膀，心满意足地进房去了。

钱多多望着妈妈的背影叹气，走进浴室之后觉得筋疲力尽，就连洗澡的力气都没有了。

工作，还是要做下去的，那是她的所爱，没有升职而已，努力做好自己该做的才是眼前该面对的事情，三十岁的钱多多仍旧相信天道酬勤。

但是结婚——想起叶明申最后的那个微笑，标准得跟标尺量过一般，大学老师，工作稳定，恋爱目的是找个合作伙伴结婚，跟她的想法不谋而合，她还有什么不满意的呢？

还有那个从天而降的许飞。清楚地看到镜子里面自己的表情突然变得有点狰狞，然后是惨淡。

怎么办？新任总监是当年那个不知死活想请她吃饭的可笑学弟，而她是如今这个酒后失态跟顶头上司莫名其妙吻在一起的傻瓜学姐。

好吧，那些都不是最可怕最可耻的，最可怕最可耻的是，第二天早晨，她居然还在清醒的状态下，控制不住自己大脑的本能反应，一而再再而三地想到那个吻，有原则的钱多多，亲手彻底把自己给毁了。

钱多多看着镜子里的自己苦笑，最后轻轻往后退了一步，坐到马桶盖上之后很久都没有动，手肘曲在膝盖上，最后用双手捧住了脸。

怎么办？总要见面的，周一早晨就是例会，就算她现在申请外调，就算她现在抱着前任总监的大腿要求跟着她一起离开中国，也来不及了。

脸还埋在手掌里，呻吟了一声，有原则的钱多多，没脸见人了。

一个人想不到任何出路，睡觉前钱多多给依依拨电话，那头响了很久才被接起来，依依的声音有点奇怪，好像心神不宁，又要极力镇定，所以说话吐字很短促。

钱多多迷惑："依依，你在做什么？"

"我，我在忙，回头再给你打电话行吗？"

越听越不对，眼角瞟过床头柜上的小钟，钱多多突然恍然大悟，脸都红了，然后怪不好意思地开口："史蒂夫回来了？对不起对不起，打扰你们了，我挂电话了哦。"

知道钱多多误会了，依依瞪着电话沉默一秒钟。然后电话被人从手中抽走，男人的手指修长有力，她一下没抓住，转眼手中就空了。

"喝杯水。"他递过来一个杯子。

豪华办公室，是顶层，空间宽阔，她坐在沙发里，明明是单人位，可左右都空开很大一段距离，更显得她娇小。

他坐在她的对面，好像在微笑，看她看得很仔细。

而她看着眼前的男人，幻觉丛生。

这么多年了，她偶尔也会梦见他，追着他叫，追到了却不敢拉他，怕他和当年一样，看着她双目充血，然后头也不回地走开。

那时候她已经和牛振声在一起，而他还在读研究生，计算机系的，整天设计程序。

谁都知道她有个有钱的男友，但是他仍旧锲而不舍，他们的第一次是因为牛振声说要了要为她庆生，然后却突然出差。盛大的派对在酒店照常举行，所有她认识的人都被邀请，她穿着礼服一个人切蛋糕，拆开牛振声派专人送来的礼物的时候很多人惊呼。

回到家之后他一个人过来敲她家的门，很晚了，她那时候正在屋里看韩剧，哭得稀里哗啦的，他站在门口看着她不说话，然后很用力地吻了她。

他身上有一种很好闻的味道，仿佛是一种黏稠的蜂蜜，让她想起小时候最喜欢的那个瓶子，胖胖的腰身，上面贴着棕色的商标，小蜜蜂，也是胖胖的，还有一朵简单的花。

她想这个男人估计是可怜她，觉得她哭泣是因为被冷落，其实她根本没觉得伤心，她妈说找男人就是要找怎么都不会让自己觉得伤心的那种，还有，要有钱。

但是他眼神狂热，亲吻的时候她感觉自己浑身都陷进了那种甜腻的蜂蜜里，意识模糊得很，皮肤上毛孔绽放，快感很疯狂。

她从床上坐起来以后对他说只有这一次，这是意外，以后不要再这样。

他说身体知道你是不是会爱上一个人，骗谁都骗不了自己。

他说得很对，跟他在一起感觉很好，好到她曾经想过自己的人生目标是不是有点偏差，跟有钱人在一起也没那么快乐，快乐是时时刻刻想跟这个人在一起，看到他就想亲，就想摸，就想像蛇一样缠上去。

但最后她还是没有选择他，对他宣布婚期的时候他双目充血，问她理由。

她的回答很简单，我要嫁给有钱人，牛振声是，你不是。

其实她也想解释，她妈妈出身富贵，当年为了嫁给一个工人的儿子放弃跟父母离开中国，最后却被人抛弃，沦落到只能在棚户区里跟她相依为命。

她没有表面上那么光鲜，出入有人接送，衣着奢华，好像锦衣玉食里长大的小姐。

她从小看着自己的母亲出卖劳力养活自己和她，从一个十指不沾阳春水的小姐变成一个凉薄现实的女人。

凉薄现实又怎么样？只要她仍然是爱她的，起早摸黑赚钱供她读书，高温加班，发了一块冰激凌不舍得吃，用毛巾包得很小心，带回来看着她一口一口吃下去。

她妈妈长得美，但是为了她一直都没有再嫁，再大的委屈半夜一个人哭，她摸过去问的时候又假装笑脸，说她听错了。

她也爱自己的妈妈，她是她的女儿，她想让她能够回到过去，享受她应得的生活。

世上有钱没钱的男人，不爱之后都薄幸，那她为什么还要选择穷光蛋？要嫁也要嫁给有钱人，就算分手，还有一半的财产可以拿。

她高中的时候就认识了牛振声，他供她读大学，给她和她的妈妈买房子，等她成年，娶她。

她跟妈妈搬离了那个对门屋檐相连，窄处只能侧身而过的地方之后，再也没有想过要回头看过一眼，她是注定要嫁给这个男人的，无关爱情，恩义。

而眼前这个男人听完她的话之后就头也不回地离去，她觉得自己这辈子都不可能再见到他了，后来又辗转听说他辍学去了国外，不是什么举足轻重的大人物，所以没人关心，关于他的消息少得可怜。

"我想回家了。"这么多年了，他身上那种蜜糖的味道还在，她这个下午都在小心自己的呼吸，这样贪婪，还要掩饰，辛苦得够了，总要回去休息一下。

"好，我送你回去。"他倒也不挽留，很绅士地站起来送她。

他把她送回原点，一路上没人说话，仿佛下午那一切都是一场梦，他沉默地开车带她绕过每一个过去两个人曾经流连过的地方，最后邀请她到自己位于豪华大楼的顶层办公室，让她知道他现在的富贵逼人。

她一开始的震惊和惶恐已经消散，到后来觉得有点好笑。

他要证明什么？不过是一句话而已，当年的一切已经雨打风吹去，他真以为她是那种闻到钱的味道就会匍匐下去，就会倒入他怀中的女人？

她现在又不穷！

下车的时候他绕过来替她开门，然后扶了一下她的手肘。

隔着大衣她都感觉烫，皮肤一阵灼痛，耳边是他的声音："离开他，现在我也是有钱人。"

还以为他不会说，没想到最后一秒，他竟然这样直接而且赤裸裸。

她连回答都不给，直接转头离开，这不是诱惑，是屠杀。

多年后的相见，都是用来屠杀过去残留的美好，太残忍了，竟然连她的一点回忆都不放过。

6

浑浑噩噩到了周日晚上，躺到床上以后钱多多蒙起被子做乌龟，决定把一切事情放到明天去想。

第二天倒是个难得的冬日晴天，钱多多早起之后坐在床上神经质地啃指甲，钱妈妈敲了几次门她都没应。

吃早饭的时候她还是魂不守舍，一杯牛奶放在嘴边半天了还没喝下第一口，钱妈妈是个急性子，最受不了面前有人黏黏糊糊，最后终于拍案而起："多多，你到底上不上班？"

钱多多被吓到，憋不住说了老实话："妈妈，我刚刚升职失败。"

坐在她对面的爸爸妈妈相对看了一眼，然后钱妈妈笑起来："怪不得这两天都掉着个脸，我还以为你怎么了，有什么好升的，越升越忙，越升越嫁不出去，家里又不缺你这点钱。"

这是什么话？钱多多当场表情崩溃。

看到女儿的表情不对，爸爸出来打圆场："多多啊，是不是心情不好？我听说现在的公司里面斗得比战国争雄还厉害，有什么不舒服的照直说，憋在心里怎么行？要是真的不想去了，索性换个地方。"

牛奶杯还抓在手里抖啊抖，钱多多最后深吸一口气啪地将它放下，站起来握住拳："对！一定要当面讲清楚，大不了换个地方，豁出去了！"

说完再也不看爸爸妈妈面面相觑的震惊模样，抓包披上大衣，斗志昂扬上班去了。

开车到公司车库的时候正看到另一个入口也有车进来，车身宽大熟悉，正是总监专用的那辆配车。

钱多多第一个反应是踩刹车，然后隔着几排车的距离眼睁睁地看着司机下车准备为新任总监开门，但是后车门被从里推开，一个身材修长的男人轻轻松松地迈下来，跟司机点头说话，回过头居然还往她这个方向眺望了一眼。

挑衅，这完全是赤裸裸的挑衅！

钱多多本能地直起身子进入备战状态，但是许飞只是眼光扫过这边，接着便转身大步而去。

一口气全泄了，想想也是，这么远的距离，他又不知道这是她的车，怎么会在意那么多。

这么一耽搁，再等钱多多停好自己的车上楼进公司，就足足过了十多分钟，幸好她出门早，还不至于迟到。

进市场部的时候其他人都已经到了，大家都很识相，新总监上任的第一天，谁不是早早乖乖就位，钱多多掐分扣秒地走进来，只显得突兀。

两位新同事是最忙碌的，丸美正在整理办公桌，正江则刚从总监办公室走出来，看到她进来一起点头，丸美还把双手合在膝盖上做了一个非常正式的鞠躬致意。

"早上好，钱经理。"

UVL是跨国公司，工作气氛一向轻松，同事之间相处也很随便，突然面对面接受到这么一个大礼，钱多多一点心理准备都没有。幸好她反应一向快，匆忙回神还不忘咧嘴一笑："早上好。"

正江背后的总监办公室的门开了，有人从里面走出来，明明步子不大，但是因为存在感强烈，所以办公室里所有人都不约而同地注目过去。

走出来的正是许飞，手里拿着一份文件，转头看到钱多多点头微笑："早上好。"

努力保持着平常神色开口回答："早上好，许总监。"

看了一眼挂钟，他随口一句："钱经理来得很准时啊。"

讽刺她？钱多多立刻回应："怎么能跟总监比？"

哪有你生龙活虎，一大早起来就跟吃过大力丸一样，精神那么好，怎么不趁早去街头卖艺，赶个早场，照你这么爱现的样子，赚头肯定很好。想起那晚的情景，钱多多心头再次火起，火燎平原。

"这是夸奖？"他想笑，看出来她对自己还很戒备，算了，那天晚上她喝醉，有机会再解释，点点头说了声谢谢，许飞把脸转向正江。

没想到钱多多在身后发话："总监，我有话想跟你说。"

"现在？"有点诧异，他回头看她。

"对。"不管四面八方射来的各种目光，钱多多点头。

旁边所有同僚看得惊心动魄，钱多多的反应被自动解读为升职未果后的不甘服输，而新任总监又会怎么应付？精彩精彩，大家满怀期待中。

没想到许飞不再多说，将手里的文件交到正江手里，环视了一下然后微笑："大家准备一下早上的例会吧，钱经理，请进来。"

总监办公室的门在面前被推开，许飞脸上的微笑还在，钱多多举步就跟他一起迈了进去，毫不迟疑。

门轴润滑，一瞬便再次合上，把身后所有人的眼光都被阻隔在外。

失望了，大家无声叹息。

许飞腿长，几步就走到办公桌后，也不坐下，站着招呼她："有什么事要跟我说？对了，你那晚回家顺利吗？"

他还敢问！一鼓作气走到他对面："许总监，周五晚上的事情，请保证没有第三个人知道。"

等了很久都没有答案，他看着她不说话。

钱多多向前倾身表示自己的坚决，小腹贴着坚硬的办公桌边缘，两人站得距离近了，还没说话钱多多就开始有幻觉，眼前又出现四唇相贴的凌乱片断，还有耳边响起的急促呼吸声，怎么办？她不能跟这个男人靠得太近，身体有反应，心脏怦怦跳。

可耻啊——她用左手指甲在桌沿下掐了自己的右手手背，疼痛袭来，她语气加重："许总监？"

原本有很多话，原本就想找个合适的时间与她单独谈谈，想解释那天的情况，想问她酒醒以后感觉如何，还想说虽然她喝醉了以后有点失态，但他能够理解。

但是她语气冷硬，好像潜台词是如果他不答应，她立刻就要告他性骚扰。

眼睛扫过她的脸，又扫过她绷得稍微有点紧的腮边，钱多多表情严肃，眼神里都是戒备。

戒备什么？他也正有冤没处诉好不好？禁不住有点火了，许飞一步跨出办公桌走到她面前。

压迫感突然袭来，钱多多没用地后退一大步，然后双颊潮热。

眼里却突然浮现她在车厢中里羞愤脸红的样子，原本要说的话都忘记了，办公室偌大的空间突然变得窄小闷热，他竟然一秒之内突然间浑身发烫。

按捺住掉头消失的强烈欲望，钱多多极力稳住身子，豁出去了："总监，你也不希望我就这样提出辞职吧？"

他不回答，也没有再走近，立在原地沉默一会儿，在她快要绝望的时候终于一笑，声音很平："钱经理在说什么？周五晚上发生过什么事吗？我怎么没印象。"

瞪着他从牙缝里挤句子："谢谢，总监，我出去了。"

他点头转身往自己的办公桌走，留给她一个背影，回答的时候很总监："好，例会见。"

7

周五晚上发生过什么事吗？我怎么没印象？

那是什么态度！她才是受害方好不好！一口气咽不下去，钱多多走向自己的办公桌的时候感觉双腿发软，心里恨恨的。

市场部人员并不是很多，办公室格局相当正规，中间是传统的隔间办公桌，经理办公区相对大一些，但也只是在角落简单地隔断了一下，独立的总监办公室当然不同，钱多多常进常出，闭着眼睛都知道那是什么样子。

也不过就是比别人多了四面墙壁一排大窗，多了几个橱和柜，二十多平方米而已，尤其是现在里面坐了那个男人，她都懒得多看一眼。

路过小榄桌前的时候她悄悄对她做了个加油的姿势，钱多多振作精神笑笑，然后加快步子回自己的隔间。

好吧，不虚伪了，初进公司的时候她跟小榄一样只有千篇一律隔板间的一张狭窄小桌，每每见到自己的顶头上司从这里走出来不是一样羡慕得心中暗暗握拳。

后来自己做到了这个位置就知道，三五平方的狭窄空间，相比之下，总监办公室的风景自是不同，所以谁不是削尖头想往上升，升上去就不用被人踩，留在底下永远充满了无力感。

多想无益，钱多多振作精神开电脑收邮件，邮箱里有市场部的例行邮件，是许飞写的群发公函，新任市场部总监热情不失幽默的公开问候信，下面还公布了他的联系电话。

那股气还在，伸手就想直接点关闭，但是抓住鼠标之后渐渐冷静下来。

钱多多，你在想什么？

不过是一次醉酒，难道真的要放弃一切到别处从头开始？

也不是不可以，但是各行各业，做到一定程度以后就这么大，哪里不都是一样的？再说这个时候离开，任谁都会以为她是不能接受空降的新上司，所以愤而辞职，这样的名声传出去，以后她还混不混？

接受现实了，钱多多收回手指，想了想又从包里拿出手机把那个号码一个一个用力按在自己的手机上。

工作就是工作，就算上司是一头猪，她也不会放弃的，钱多多能够坚持到今天，靠的从来都不是什么运气。

"老大，开会了哦。"助理小榄的声音。

"好。"钱多多抬头应了一声，按下存储键站起来就往外走。

所有人陆续走进会议室落座，钱多多自从刚才进市场部之后就忙着对付许飞，根本没注意到其他女同事的穿着，现在近距离一看，猛然吃了一惊。

虽然是冬天，但是会议室里所有的未婚女同事今天都穿得春暖花开，青春逼人，坐在她旁边的某个新人最夸张，白色大翻领的小西装里面到底穿了没有啊？从她这个角度几乎能够一目了然。

眼光扫过仍旧空着的首位，受惊的钱多多恍然大悟，然后迅速地假借低头揉眼睛掩饰自己的无力。

姐妹们，不要白费力气了，那个男人是禽兽中的翘楚，绝对不是良偶佳婿的正常人选，你们可要擦亮眼睛。

许飞说话简练，开场白非常美式幽默，短短几分钟会议室里就笑声四起了数次。

UVL是系统严密的国际公司，各项工作并不因为前任总监的离开而停顿，许飞之后便简单询问了一下几个项目经理手中工作的进度。

周一例会，所有分管的项目经理都齐聚一堂，许飞脸上带笑，但是每个提问都切中要害，问出来的数据非常精准，到后来所有经理都开始暗中擦汗，唯恐自己说错了什么毁了第一印象。

总结的时候他的话也不多，屏幕上是他对目前各个项目的要求和时限，还有一些是他听完刚才报告后即时添加的意见。

最后他站起身对会议室里的所有人环视微笑："公司非常肯定前任总监的工作，她所在时完成的项目市场反馈都很漂亮。现在两位高级经理手中的项目都已经接近尾声，下一个项目的提案将在这些成功先例的基础上由国内市场部向总公司提出，这也将是亚洲区近期最大的动作之一，希望大家能够通力合作，打一场漂亮仗。"

"亚洲区近期最大的动作？总监指的是什么项目？"任志强先开口问了一句。

许飞笑而不答，总监玩猜谜，大家低头苦思，钱多多坐在一边保持沉默很久，这时突然心中模糊闪过一道光，忍不住抬头瞪他。

许飞也正转头过来，四目相交，两个人都难以察觉地凝固一瞬，但他接着就笑："大家不用多猜了，过去几年在亚洲区战绩彪炳，在公司的全球战略图上所占的比重越来越大，大家有目共睹，任何大动作都有可能随时发生。各大跨国公司都有计划在这里开发下一个全球热点，中国将是风云际会，验证实力的最佳战场，今天大家的拼搏努力，都是以后成为传奇的最好机会，时势造英雄，最好的时势就在此时，此地，恭逢盛世，希望每一个人都能够抓住这个证明自己的最好机会。"

他笑着说话，明明是面对着钱多多，但会议室里所有人都觉得被他的目光扫过，同样是场面话，但听他说出来就是让人不由自主地热血沸腾。

钱多多暗暗撇嘴，这男人煽动性好强，靠嘴皮子有什么用，哼，她不屑。

"如果没什么问题了，今天就到此为止，散会吧。"许飞说话干脆，讲完就结束会议，让习惯了冗长例会的众人再次目瞪口呆。

走出会议室后虽然没人说话，但是感觉就连空气中都能够清楚地听到口水吞咽的声音，对其他女同事的反应很无语，钱多多转身就大步往自己的位置走。

受不了女生们对新总监众口一词的花痴兼溢美，中午的时候钱多多随便找了个借口拒绝从众到餐厅吃饭，独自跑到休息区暴饮暴食垃圾食品发泄郁闷。

UVL公共休息区很大，各式茶水咖啡机一列排开，冰激凌无限量供应，中西式零食放满了靠墙的整排木架。

宽阔的大厅中舒适的大沙发四散放置，角落里还有各种休闲游戏，有时候加班讨论累了，钱多多也会跟着同事们跑来玩一局桌上足球。

午餐时间，休息区空无一人，暖气开得充足，落地窗外就是视野一流的宽大露台，为了表示中国化，那上面还有一个小小的中式人工园景，翠松修竹，曲径通幽，青花瓷的圆桌圆凳点缀其中，可惜现在是冬天，北风呼呼，自然是一个人都没有。

钱多多抱着一大包薯片陷在最角落的沙发里边啃指甲边欣赏窗外园景，准备开始对自己实施战略性催眠。

刚撕开包装，原本空无一人的落地窗外突然出现熟悉面孔，大冬天的，没想到有人从外面走过，披着黑色风衣，背后风景萧瑟，手里夹着一支香烟，步子不大，深思状。

这架势太像港台片了，钱多多满脑子冒出来的都是英雄本色，一点心理准备都没有，她手指还在包装袋口上，差点给硬生生吓死。

她是面对玻璃坐着的，休息区只她一个，她瞪大眼睛盯着那人，那人当然也看到了她，不但看到了，还特意停了下来，对她笑笑，明显是邀请她一谈的意味。

看清了，大冬天独自在露台抽烟摆造型的居然是任志强，人家难得的友善，钱多多也不好意思再搭架子，放下薯片推门走了出去。

门外寒风刺骨，钱多多大衣还在办公室里，一走出去就鸡皮疙瘩浮起，面对的不是什么亲密好友，她也不能勾头缩颈的样子太难看，最后只好选择单手抱肘，另一手尽量贴近身体，好歹挡一点风。

"感觉怎么样？"任志强把手里的烟掐灭，又点起一根。

"什么？"

"下一个项目，你觉得会是什么？"

任志强在她面前总是不冷不热，难得他主动跟自己聊起来，想到新任总监带来的冲击人人都感同身受，钱多多心情稍微好了那么一点点。

"还没有眉目呢，国内前些年都做得保守，最近动作大，说不好，引进哪个品牌都有可能。"形势不明，打太极比较好，她虽然在婚姻市场上已经荣登高龄剩女的宝座，但是对于现在的职位来说，十年不到的就能升到这儿，当然有自己独到的职场秘诀。

任志强倒是笑了，叫她的英文名："Dora，公司在国内一向是保守派占上风，过去哪个动作不是审批就要报个一年半载，现在这架势，总监新官上任三把火，可是好坏都得我们最下头的先扛起来，做得好没功，做不好当炮灰，前任总监也真是口紧，走之前一点消息都不留，单留着我们在这里瞎摸。"

他这番话是笑着说的，半真不假，听出来他想打听什么，前任总监的确没有留下任何提示，就算有，她又何必趟这个浑水来跟他交代前因后果。

几秒钟就理顺了思路，钱多多理所当然地笑回去："没办法，就是马前卒的命，还能怎么办？做好手头的事情再说，现在也只好走一步看一步。"

这样的对话当然不可能有任何结果，最后任志强离开前很绅士地替她推开门，并用手抵住，一直等她迈步进去才松开。

难得享受到他这样的礼遇，钱多多低声道谢。

"应该的，外面很冷，里面暖和多了，不是吗？"他讲话的时候声调起伏不大。

"还行，"钱多多走回沙发抓那包薯片，然后回头一笑，"冷是冷了点，不过至少能够自由抽烟，不是吗？"

这女人一向厉害，说话你来我往，滴水不漏，不再多说，任志强也笑了一下，率先离开。

跟这个男人的对话很伤精神，任志强走后钱多多长出了一口气，陷回沙发中继续作自我催眠。

她不是傻瓜，也不是什么刚进公司一年两年的初级员工，不乐意了甩手就走，换个地方继续笑傲江湖。

新任总监的突然降临已经打破了这里多年来的平衡掣肘局面，任志强的担心有道理，激进派和保守派一向水火不容，再这样下去，他们这些马前卒迟早变炮灰。

又能怎么样？

今天她已经做到了这个位置，再选择的范围就变得非常窄小，更何况这圈子就这么大，到哪里都是对手，谁家不是一个萝卜一个坑？她钱多多又不是什么天降奇才，就算她真的是奇才，国际化公司讲究的是系统严密，只有人去适应位置，从没有什么为了某个奇才去创造一个新位置的笑话。

叹气了，钱多多最后开始总结，她为了让老妈满意，已经够烦恼了，这时候公司突然进入多事之秋，真是雪上加霜。雪上加霜也就算了，现在还多添了一项酒后乱性，酒后乱性也不算什么不能承受之痛，但好死不死跟新任总监的纠缠在一起酒后乱性，那简直是雪上加霜再加冷库保温，寒冬腊月冰封千里，她钱多多这回是挣扎之力都欠奉了。

再叹了口气，不过看许飞今天早上的表现，应该是首肯了她的提议，打算把这件乌龙事当做彻底没有发生过，让它随风而去的样子。

也是，人要脸树要皮，他一个空降总监上来就爆出与手下高级经理的火辣秘闻，怎么都算是丑闻一桩吧？说不定他现在比她还要害怕泄露秘密，说不定他还害怕她会以此威胁他呢。

只能这么安慰自己了，钱多多稍稍振作一点，将包装纸再撕开得大一些，打算用薯片继续自我麻醉一番。

唉，万恶淫为首，百善孝为先，两句话就把她的烦恼说尽了，老祖宗们还真是言简意赅，一针见血。

第一块薯片刚刚拿出来耳边就传来交谈声，由远及近，声音半是熟悉半是陌生。

"听说了没有？市场部新来的许总监超级帅，小关上午去送文件的时候看到一眼，回来都晕了。"

分辨出来了，是人事部的两位同事。

姐妹们，听说过金玉其外，败絮其中这句话吗？单看外表是不可靠的，钱多多边听边撇嘴。

注水的声音伴着咖啡香飘散开来："市场部总监？我还以为这次会轮到钱多多，她不是一向风头很劲。"

"嘘，别讲那么大声，当心给人听到。"

已经听到了，钱多多陷在沙发里翻白眼。

"放心，这时候大家都在吃饭，你看这里一个人都没有。"

我是鬼吗？钱多多没好气，薯片在手里都快捏碎了。

"哎，你说那个新任的总监是从哪里冒出来的？"

"哦哦，我问了老大，那个是五年前在中国选拔的唯一一个管理培训生哦，据说进公司以后已经待过好几个国家，前两年都在日本，现在到中国区就直接市场部总监了。"

"真的哦。"惊叹声，"传说中的管理培训生啊，那应该是某个核心高层直接带出来的吧，还有一个中国人只用五年就能升到总监，光速了！"

"所以呀，新总监靠山多牛啊，钱多多算什么。"

吃吃笑声："谁不知道钱多多和之前的那个澳洲总监关系好，你说她都快三十了还没结婚，男朋友都没见过一个，前总监也是个独身女人，她们是不是那个什么的蕾丝边啊？"

这两个女人太过分了！钱多多怒火狂飙，手中的薯片终于承受不住大力，"咔嚓"一声，凄惨干脆地四分五裂，壮烈牺牲。

听到声音那两个兴致勃勃八卦中的女生立刻安静了，再也不敢多说什么，脚步声先后远去。

心情坏透，钱多多扔掉手中的薯片大步走回办公室，助理小榄吃完午餐回来正看到她拿着包往外走，诧异地问了一声："老大，你去哪里？"

"我去工厂看样品，替我跟许总监说一声。"

她往外走的时候气势汹汹，小榄不由自主退了一步自动让道，然后望着钱多多的背影发呆。

虽然高级经理外务很自由，但是今天是总监第一天坐镇市场部哎，老大，你也太有性格了吧——

8

钱多多工作一向认真，看过样品又和质检主管讨论了一些细节问题，再离开工厂已经将近五点。

冬日天色暗得早，她在开车回去的路上接到总监的电话，前任总监的电话。

搁下电话之后她把车头一转往市中心开，还是上次那个酒吧，钱多多走进去的时候一眼就看到那个古董地球仪，忍不住一阵唏嘘。

总监独自坐在吧台前等她，共事两年，虽然也曾经有过争执，但是钱多多自知从她身上获益良多，尤其是到了后期，她们在工作上磨合完美，默契和谐，共同打了很多漂亮的硬仗。

走到近前钱多多笑："不是明天早上的飞机吗？要不要我去送行？"

"不用，公司会安排。"总监也笑，已经不是上下级的关系了，她也不再掩饰对自己得力爱将的欣赏和喜爱，两个人聊了一些过去几年中发生的趣事，碰杯谈笑，气氛轻松。

喝完一杯之后总监突然开口讲了一句不相干的话："多多，不好意思。"

完全明白她在说些什么，钱多多立刻回答："千万别这么说，是我的资历还不够。"

"不，你很优秀，其实我也很吃惊。对了，昨天我和上司通电话，他提到Kerry许，他之前一直是作为凯洛斯的特别助理在欧洲区受训的，前两年到了日本担任独立项目主管，据说出手不凡，做得很漂亮。"

凯洛斯？这个名字很耳熟，钱多多脑子飞快搜索了一遍："啊，是那个法国人，居然是他在中国挑选管理培训生，真没想到。"

"你也知道？"还没提到管理培训生那一部分，总监稍有些诧异，不过转念想到这也不是什么天大的秘密，转转杯子又继续说了下去。

总监用的都是据说，据说董事会有意更替亚洲区的总裁人选，据说凯洛斯已经说服了大部分的董事，即将成为接任的黑马人选。

七八年前亚洲区还是公司版图上无足轻重的一块角落，除了日本之外其他各个国家多半只设了一个办事处，但是随着近年来亚洲尤其是中国的消费力直线上升，这里已经成了公司利润来源的最大支柱之一，以现在的趋势来看，未来十几年中一定是执掌亚洲者得天下，所以上头那些实力派谁不是对这里的大权虎视眈眈。

大家都是职场多年，就算是有心提醒也不可能说到明处，钱多多听完这三两句就大概明白了，凯洛斯很可能就是下任亚洲区总裁的胜出者，而所谓的管理培训生都是高层培养出来的心腹，现在被送过来打头阵，顺理成章。

又想到许飞在例会上所提到的新项目，张口想证实自己的猜测，但一转念又作罢。

她还能说些什么，一切没有定论之前都不过是据说，成王败寇，亚洲区这块肥肉现任总裁握在手里那么多年了，跨国公司太大，弄到后来就像一个诸侯割据的大国，各区总裁全都是封疆大吏，皇帝的面子也不一定会卖，那个法国佬是有名的激进派，突然空降一个心腹过来，他要是水土不服，整个市场部都跟着遭殃，更何况她刚刚升职不成，开口询问这样的话题很是敏感，就算是对着前任总监，但来去仍是一个公司，说什么都是错，还是保持沉默为好。

她的沉默得到的是赞赏的眼神，总监接下来就岔开话题，说到各地旅行见闻上去了。

钱多多自然不再多问公司的事情，两个人散漫闲聊，尽兴之后已经过了凌晨，告别的时候总监在车前与钱多多轻轻拥抱，声音里明显是动了感情："多多，以后要自己保重，常联系。"

知道她对自己的照顾，临走还不忘提醒她前途艰险，钱多多心中感激，鼻梁都有点酸酸的，拥抱回去："谢谢，你也保重，一定常联系。"

　　有上次喝酒后的惨痛教训作前车之鉴，钱多多这回一杯啤酒喝完以后就换了果汁，冬夜里又是寒冷彻骨，刚从暖热的酒吧里走出来整个人都是一激灵。

　　坐上驾驶座的时候她神志无比清明，接近凌晨，路上冷清，开过两条街发现油已经接近警戒线，想到明天一早上班前也挤不出时间来加油，方向盘一带，钱多多将车驶向自己熟悉的加油站。

　　市中心的加油站 24 小时灯火通明，老远就看到车辆排长龙，钱多多觉得有些奇怪，缓缓把车泊住后按下窗问旁车里的司机："出什么事了吗？"

　　旁边是一辆老款别克，里面坐的中年男人表情烦躁："这不是油又要涨价了吗？听说这回搞大了，起码涨一块多，妈的，买这辆车的时候油才三块不到，开了几年车倒是不值钱了，油眼看着翻了几个跟头。"

　　钱多多无语，再看了一眼前面数量巨大的等候车队，当即掉转车头继续往家开。

　　有些事情只能接受，抱怨有什么用？

　　最终躺到床上之后她在一片黑暗中睁着眼睛看天花板，开始在脑子里翻来覆去地理顺这几天所发生的一片混乱。

　　上层派系繁杂明争暗斗，她们这些最前线做牛做马的永远都不知道下一秒钟会发生什么，现在看来亚洲区这一块很快就要开始局势混乱，最后尘埃落定之前不知要面临多大的动荡。

　　至于那个许飞，如果凯洛斯输了，那他一定被当成第一批炮灰，如果完胜，那这个中国市场部总监的位置他也不会多留恋，说不定人家以后就是最年轻的核心高层呢？

　　床头的液晶钟已经显示过了两点，想到脑袋疼，钱多多决定放弃，翻个身强迫自己睡觉，这种时刻讲得就是明哲保身，她一向埋头做事，派系这回事，还是静观其变的好。

　　但是心烦意乱睡不安稳，还频频做梦，梦里是年轻男人的背影，跑起路来四肢舒展，突然间近在咫尺，眼前就是蒙着细汗的光润皮肤，鼻端厮磨而过的灼热呼吸——

　　惊醒的时候钱多多大汗淋漓，口干舌燥，浑身都是软的，晨练归来的钱妈妈听到惨叫推门冲进来："怎么了怎么了？"

"没事没事。"钱多多摆手，"我做噩梦。"

"做什么噩梦你脸这么红？"钱妈妈满脸疑惑。

钱多多呻吟着把头埋进枕头里装死，妈妈，你就别问了，真相我说不出口，刚才那个，那个不是噩梦是春梦啊——

| 04 |

钱多多启示录 No.4

谁才是真正的独一无二

当谁都以为自己是这世界上独一无二的时候，
那么选择成为大众的那个，就变成了真正的独一
无二。

1

俗话说新官上任三把火，但是许飞从那个简短的例会开始就让众人大跌眼镜，年纪轻轻的市场总监，精力充沛，一样加班到深夜，其他人都面有菜色，他却仍然神采奕奕精神勃勃。

能力一流，又莫名的神通广大，对市场部所有过去和进行中的工作了如指掌，讲话言简意赅，提出问题一针见血，内外的经理们虽然也不是什么省油的灯，但是交手几个回合就知道不服不行。

女性员工更不用说，一见到他就两眼梦幻。

市场部新来了山大王，突然空降，三十不到，个人魅力超强，每天进出面带微笑，再加上一张青春洋溢阳光灿烂的脸，要不是办公室门上市场部总监这几个字无法忽略，全公司上下的女性员工简直以为这是公司最新开发的最高福利。

也是，每天都能够看到这样光芒四射的一个帅哥在面前进进出出，白天欣赏晚上yy，最重要的是人家还是单身，单身！

单是这两个字的魔力就有无限大，因此钱多多每次在有意无意间听到或者看到其他女同事提到许飞时的表情时都会不自觉地想送一杯水上去。

姐妹们，口水泛滥到这个地步，小心脱水啊。

钱多多对自己的态度，表面风平浪静，背地里抗拒排斥，许飞每天看得清楚。

弟弟，我是有原则的人。

好，很好，五年前一次，五年后又是一次，一口气上来了，他男人的自尊啊——

更可恨的是，每天看着她在自己面前假着一张脸进进出出，他居然时不时就会感觉浑身发烫，偶尔坐在自己办公室里，望着玻璃窗外她跟人笑谈的样子，就开始走神。

更别提那些突然烦躁失眠的晚上，他辗转反侧，无法控制地想到她的每一个细微表情。

他少年得志，并不全靠运气，大部分时间都花在忙碌工作上，业余爱好也有，运动而已，所以对女人心事可说是一无所知。

钱多多在公司人缘其实不错，她天生爱笑，笑起来决不虚假造作，嘴咧得开，白牙上粉润牙龈隐隐可见，谁见了都觉得精神一振，喜气洋洋

唯独对他，就是一脸假笑，眼角都不带弯的。

知道她对那件事情还有心理障碍，难道他没有？想想就有气。

有天早上在电梯遇见，他刚站好就看到她匆匆跑过来，旁边有人替她按着开门键，钱多多原本步子很大，走到近前看到他就收住："你们先上吧，我不急。"

一边说还一边对着他打招呼："早，总监。"

就那么刻意要跟他保持距离？那笑容假得，他都不能看。

装，钱多多，你就装吧。

2

与新任总监的磨合期，钱多多适应不良。

每天早上出门前都要给自己打气，开会的时候尽量眼观鼻，鼻观心，最大限度地避免与他目光接触。

但是怕什么来什么，这天她到工厂抽样检查刚下线的第一批成品，然后回公司整理数据做报告，想好要在今晚上传到公司 server 上面，做完之后天都黑了。

同事们都陆续走了，市场部空无一人，四下静悄悄的，下午在工厂吃了一点简单的便餐，到了这个时候胃里空空，还有点隐隐作痛。

胃痛是她的老毛病，隔三岔五就会犯一下，吃点药就好了，但是一摸抽屉，却发现药都吃完了，不想半途而废，坚持着把报告结束上传之后钱多多才站起来忍痛整理桌上的东西打算立刻回家。

走过总监办公室的时候她习惯性地瞪了一眼那扇门，没想到同一时间那门突然大开，她和许飞对了个正脸。

她瞪眼睛的表情像一只鼓起腮帮子的松鼠，看到他之后僵硬在脸上，好笑得很。

许飞控制情绪能力再怎么高超都忍不住笑了："钱经理，这么晚？"

暗暗用手掐住胃部痛处，钱多多吸气，这个男人果然是她的扫把星。

市场部里一个人都没有了，又胃痛加剧，懒得再装，钱多多讲话不客气："总监不也是一样？彼此彼此，我先走了，你继续忙。"

灯光下她的脸色苍白，转身迈步的动作比平时慢了好几拍，仔细看了她一眼，许飞皱眉头："你怎么了？是不是不舒服？"

钱多多急着回家，这时更加没好气："不要你管。"

又是这句话，许飞听了就有火。

坚持走到门口，胃里突然袭来一阵绞痛，钱多多脚软。

"站都站不住了还逞能，我送你去医院。"又是他的声音。

他步子大，两步就到了跟前，两个人的距离转眼拉近，钱多多一回首正看到他伸手过来扶自己。

那么乌龙的一个热吻之后她已经想好绝对不能跟这个男人再有身体接触，居然跟自己毫无感情的男人接吻感觉空前强烈，这绝对是她的奇耻大辱。钱多多至今只要一想起当时的情况就控制不住地唾弃自己，只想撞墙以求失忆。

"你别碰我！"对他可能的触碰反应强烈，钱多多猛地避开，没保持好平衡，转眼就跌在地上。

好气又好笑，许飞蹲下来看着满脸戒备的钱多多叹气："钱经理，我不是禽兽，OK？"

胃痛得厉害，跌得也狼狈，钱多多一时爬不起来，嘴里还要逞强："我只是胃痛，吃点药就好了。"

"那你先起来再说。"他又一次伸手过来扶，这一次动作干脆利落，钱多多还来不及说话就被他提了起来，胃里难受，她咬住嘴唇不让自己呻吟出声。

身体不争气，没办法逞能了，钱多多最后只能缩在总监办公室的沙发上看着许飞倒水给自己。

"你平时吃哪一种药？"他把水杯塞到她手里。

随口报了个名字，她努力想坐起来："我要走了，药家里都有。"

"等着。"他言简意赅，然后转身往外走。

这是什么态度？钱多多大怒，但是人家步子迈得大，转眼人就没了。

想愤然而走，但是痛得爬不起来，偌大的办公室里悄然无声，她闭着眼睛等这一阵剧痛过去，慢慢迷糊起来。

门轻响，她猛睁开眼睛，然后对着面前摊开的各种胃药直了眼。

"哪一种？"许飞低头看着她说话。

指了指自己常吃的胃药，钱多多表情迷茫："你把药店搬回来干吗？"

"以防万一。"他低着头说话，把她所指的那包药拿起来就拆开。

有这样以防万一的吗？钱多多想不通，想自己来，但是痛得神志迷糊，眼睁睁看着他撕开锡纸取出药丸，很长的手指，动作灵活，白色的药片在他的手中显得很轻薄。

唯恐他下一个动作是直接把药塞到她嘴里，钱多多努力伸出手掌去接："给我。"

太晚了，窗外一片漆黑，灯光下她缩在沙发里的样子很可怜，小小的一团，伸出的手原本是掩在胃上的，估计真的很痛，简单一个动作都迟缓得不行，雪白的掌心向上，手指微微弯曲着，那么弱，让他联想起刚出生的小猫，让他觉得心里头皱皱的。

怎么光芒万丈的钱多多在他面前总是这么狼狈？把药片放到她掌心里，看着她小心翼翼地放到嘴边吞下去，喝水的时候眯着眼睛仰脖子，咽得很努力的样子。

"你在想什么？"睁开眼睛就看到他眼都不眨地看着自己，钱多多立时警惕。

清醒了，许飞骂自己脑子糊涂。

"你不会记仇吧？五年前的一句话而已，总监先生，大家都是成年人了。"

他倒是笑了："终于想起来了？我还以为你早就忘得精光。"

"我没那么无聊，就为了一句话念念不忘。"想起来就觉得荒谬，她撇过头不看他。

"钱多多，你的意思是，我很无聊才会念念不忘？如果我真的念念不忘，你觉得我们还能在这儿相安无事吗？"终于被她不屑的口气激怒，许飞眉眼一冷。

这个男人在公开场合一直是笑笑的，这时表情一变就变得压迫感巨大，但是钱多多战斗精神已被挑起，这时还不甘示弱地反唇相讥："那你想干吗？仗着职位比我高给我穿小鞋？"

"放心，我一向公私分明，也不会和女生计较。"

"女生怎么了？"最烦听到这种话，钱多多大怒，身子一挺又捂住胃倒了回去，没办法，身体才是革命的本钱，她今天赤贫。

两个人安静下来，片刻之后许飞丢下她回到办公桌前继续工作，钱多多痛得迷迷糊糊，想硬气一下拍门走人都做不到，只好团在沙发里等药劲上来。

偌大的办公室里没人说话，只有许飞手指在电脑键盘上偶尔的敲打声，钱多多头靠着柔软的沙发扶手偷偷看过去，只看到宽阔的办公桌面上放满了文件夹。

许飞看得很仔细，偶尔停顿下来，又皱着眉头往前翻。

那些文件夹她挺熟悉的，都是关于过去完结项目的总结报告，UVL是世界上排名数一数二的传统饮料公司，这些年在国内稳坐龙头位置，但是仅仅守住固有市场的份额当然不够，所以历任新上任的老大一直试图打入新型饮料市场作为功绩，但可惜的是国内市场和国外相差太远，与政府打交道不容易，跨国公司做一个新项目的流程庞大复杂，费时良久，往往一个提案申请上去到批示结束，其他公司的产品都已经上架了，所以历任都搞，历任都不了了之，也有几个产品最终被推向市场，但都是雷声大雨点小，数月半年之后就因为不能达到预期效果而被撤下，徒留山一样的资料。

他没事看这些东西干吗？现在国内保守派根深蒂固，这样激进冒险的项目再也没人提起，他一个新上任的市场部总监，过去的失败案例跟他也毫无关系，至于看到这么晚吗？

唉，猜不透，人家是最年轻的市场部总监，总是有其道理的，自叹不如了，怒气未消的钱多多闭起眼睛扭头生自己的气。

药力慢慢发生作用，胃里的火烧火燎缓解很多，过了一会儿，钱多多试着站起身，许飞听到响动看过来："怎么了？"

刚才的一时激愤已经过去，钱多多讲话速度慢下来，口气也恢复正常："谢谢你的药，我已经好多了。"

"你现在回家？"他看了看时间，"需要送吗？"

他问得很随意，钱多多也完全没当真："不用，我自己开车回去。"

"没问题？"

"没问题。"成年人解决争执的方式是忘记曾经争执过，钱多多发现他们两个都深谙此道。

"好，开车小心。"

"再见。"钱多多也不耽搁，走出去之后反手替他带上门。

钱多多的脚步声渐渐远去，许飞低头继续看文件，姿势都没有变，但是眼前这一页许久都翻不过去，两分钟后他啪的一声合上文件夹，关电脑，抓起椅背上的衣服就往外走。

这天晚上钱多多失眠，翻来覆去想的都是之前的那场争执，终于睡着之后毫无意外地做梦了，是许飞，站在阳光下笑容灿烂，她讨厌那个笑容，上去抹，最后竟成了纠缠，惊醒时鼻尖仿佛还晃动着另一个人的呼吸。

许飞也没有睡好，一个人打了大半夜的篮球，直到精疲力竭气喘吁吁。钱多多勾起他的欲望，想到她，他的人类本能就占上风，对一个男人来说要跟自己的本能抗争很辛苦啊，钱多多，算你狠!

3

心情不好，周末忙完后许飞找张千吃饭喝酒，顺便托他办事。

张千当年去了北京硕博连读，又在那儿跟一个上海姑娘谈恋爱，后来拒绝了出国工作的机会，跟着未婚妻回上海找了个研究所开发新的生物技术，日子清闲得很，所以一叫就出来了。

他们就在当年常聚的大学边小饭馆碰的头，东北菜馆子，老板娘是个和蔼的中年大妈，侄子掌勺女儿端盘，老公管进货，一家人就守着这个小馆子，整天其乐融融。

店堂很小，才五六张桌子，他们俩走进去的时候里面全都坐满了，每桌都吃得热气腾腾，就剩下角落里的一张小桌子，刚够两个人坐下。

张千一直来，菜单都不用看，坐下就直着嗓子点菜："老板娘，孜然羊肉，地三鲜，小鸡炖蘑菇，对，再来两瓶啤酒。"

老板娘正热火朝天地厨房、帐台两头跑，听见他的声音一脸笑地跑到桌边，一口纯正东北话："哎哟是你啊，今天跟朋友来的? 你家姑娘呢?"

"老板娘，好好看看是谁回来了再说话行不行?"张千也是北方人，这地方来得太熟了，自己站起来到玻璃橱里拿了两个杯子边说边坐下。

不用他说老板娘就已经盯着许飞不放，看完又揉了揉眼睛，语气里都是不敢相信："哎呀，这不是当年那个小飞人吗？多少年没见着了，去哪儿转过一圈了呀？现在变得这么光闪闪的。"

许飞呵呵笑，他跟张千读书的时候交好，学校食堂吃腻了，这地方东北菜地道，张千和几个朋友都特别喜欢，所以老来，跟这位老板娘也是很熟的。但今天下班直接过来的，身上穿得很正式，西装笔挺，这地方人人都着装随意，有点别扭，他索性先脱下西装往椅背上一搁，松了松扣子才说话："出去工作了几年，刚回来，想这儿啦。"

老板娘眉开眼笑："是想咱的小鸡炖蘑菇了吧，这就给你们催去啊，别着急。"

老板娘一转身张千就叹气："还是你小子行，她一眼就认出来了，还记得你叫小飞人，我回来的时候在她眼前启发回忆了半天，她才想起我是谁来。"

旧地重游，身边一桌桌还有很多一看就知道从旁边大学出来聚餐的学弟学妹，许飞禁不住有时光倒流的感觉，伸手先在两个杯子里倒满啤酒，然后跟张千碰了碰杯："小飞人？这称呼我自己都忘了。"

"少来，当年你操场上一起跑，那是多少姑娘在旁边晕的晕、叫的叫啊，哥哥我死也忘不了。"张千嘿嘿笑，许飞擅长运动，尤其是跑步，姿势迎风舒展，的确让人看得热血沸腾兼心旷神怡。

"有吗？别开玩笑了。"啤酒冰凉，他已经很久没有在这样轻松的环境里跟老朋友畅谈聊天了，工作后前两年都是这个国家飞到那个，倒是没辜负小飞人这个玩笑称号。只是这个会议室出来走进另一个，这个酒店睡完再睡下一个，UVL偏爱凯悦，因此定的酒店都是同一个，套房豪华，装修雷同，恍惚觉得全世界都是一模一样的地方。

后来到了日本，公寓就在公司边，东京市中心，彻夜繁华，日本人习惯埋头工作到很晚，然后结伴喝酒至深夜，他工作很忙，但有时也跟同事朋友们到处去，大小餐厅，各国风味，pub酒吧，唯独这样的小馆子，再也没有寻到过。

四年多了，回来上海变了个天翻地覆，没想到这熟悉的小据点还在，就连张千也跟过去差不多，说话的调子都没怎么改，又喝了一口啤酒，觉得爽快，许飞忍不住跟当年一样杯子一放，转身站起来冲着厨房催菜："老板娘，什么时候上菜啊，我们都饿死几回了。"

这张桌子就靠着厨房，他说话的时候正好老板娘的女儿端着盘子出来，看到他低头一笑："是你啊，来啦来啦，我妈刚才还在里面说起你呢。"说着把菜一盘一盘往桌上叠。

放完她转身，张千瞪着桌子奇怪，一把拉住她问："这盘拔丝地瓜上错了吧，我们没叫这个。"

她笑着补了一句："我妈说好久每见你们一起来了，送的。"

不知道多久没吃上这几道菜了，老板娘女儿走后许飞拿起筷子就往拔丝地瓜上去，没想到半空中被张千拦截，抬头看到他眼睛瞪得老大。

"干吗？"

"我怎么觉得不该跟你多出来啊，每次别人一见着你，我就当场透明了，还多送一个菜，我都来了多少回了，从来都没享受过这种待遇。"

"说什么呐，没听到她说是好久没看到我们俩一起出现才送的吗？"许飞不理他，继续夹菜，拔丝地瓜焦黄闪光，夹起来的时候糖丝缕缕，放在旁边盛着水的小碗里蘸一下，瞬间外层结成薄薄的一层脆衣。

"也是，"张千也下筷子，他骨架子瘦，脸架子更是，这些年吃得好养得好肉都撑起来了，笑起来跟粮仓里吃饱喝足的老鼠似的，"老板娘家的女儿看到咱俩脸又红了，跟当年一模一样。"

"人家看上你了，怪不得你不带小尚来，是不是怕她到了这里别的不叫，就让上醋？"

"你小子还真能接着说啊。"张千拍筷子拿酒杯，"老板娘的女儿当年见到你就晕，上菜那量都是双份的，要不我们干吗老拉着你小子来这儿吃饭？"

"原来你们叫上我就为了多出来的那点菜，什么兄弟。"

"承认了吧，"张千拍他肩膀，"别想啦，现在没戏了，老板娘说，她女儿去年结的婚，看看你当年的粉丝，转眼少女成少妇了，你怎么样？什么时候把自己给解决了啊？"

"有什么好解决的。"说到这个话题就觉得没意思，许飞放下筷子，喝酒。

没意识到他的口气不对，张千突然灵光一闪想起什么，啪地拍了下桌子："钱多多！"

正想起钱多多对自己假笑的脸呢，许飞被这三个字唤回神，抬头就两个字：

"干吗？"

"她不是也在UVL吗？据说去了新加坡，你见过她没有？"

张千表情期待，突然想起他当年面对钱多多手足无措的样子，许飞句子变简单："见过，就在市场部。"

"是嘛！那岂不是就在你眼皮底下。"张千很兴奋，"她现在怎么样？"

"你那么兴奋干什么？"

"她可是当年的风云人物，跟你有得一拼。"

许飞眼神狐疑地看了他一眼："老张，你不是还惦记着要请她吃饭吧？"

"嘿嘿。"说到当年的暗恋对象，张千擦着鼻子嘿嘿笑，"不是啦，我现在有小尚了嘛，早没那份心思了。"

"我记得那时候你一上来就要请人家吃散伙饭，有你这么跟女人说话的吗？"许飞也笑了，然后叹气。

"我看到她就晕了嘛，喂，说的是我的丑事，你叹什么气啊。"

小饭馆环境熟悉，气氛轻松，聊天对象又是多年好友，喝到后来许飞不知不觉就说多了："老张，不瞒你说，其实那天我也追上去请她吃饭来着。"

"真的？"张千瞪眼睛，"好你个小子，一声不吭扮猪吃老虎你，结果怎么样？"

许飞继续喝，然后自嘲地笑笑："你真想知道？"

"废话，要不我再灌你两瓶？"张千酒瓶子都举起来了。

"好好，我说。"许飞笑着举手求饶，"她一口拒绝，一点面子都没给。"

张千大笑，一手勾着他的肩膀举酒杯："兄弟，你真是给咱哥们长脸，当年我们两兄弟同一天被同一个女人拒绝，现在呢，风水轮流转，你做了她的上司，她每天都得看你的脸色过日子，痛快啊，就冲这个，来，干一杯。"

的确是，许飞笑，举起杯子跟他干了。

吃得痛快，两个人出门后意犹未尽，又找了路边的大排档继续，喝到后来两个人都有点喝高了，互相拍着肩膀说真心话。

张千回忆过去："那时候我真的挺喜欢钱多多，可惜没机会。"

"你喜欢她什么？"

"我也不知道，就有天进学生会的时候撞上她，我眼镜掉了，稀里糊涂还是她给捡起来的，戴上看到她对我笑笑，牙齿上面粉红的一道弧，从此以后见到她我就结巴。"

原本笑着听得挺好，不知怎么听完张千这段话有点烦躁，许飞酒杯一放："行了，说点别的。"

"有什么不好说的，我认识小尚以后就觉得那些也没啥，以前怎么都说不出来，现在想想，你哥哥我还真是一纯情少男，喜欢人家一年多，一句完整的话都没说上来，不过要有机会真想再看一次，她笑起来明晃晃的，你觉得不？"

明晃晃的？许飞摇头，啤酒喝多了，怎么没有放松的感觉，觉得心里有只毛虫，蠕蠕啃着边沿，讲话的时候都觉得不舒服："别惦记了，她现在笑起来不一样。"

"怎么不一样？"张千奇怪，"她结婚没有？钱多多比我还大一届，快30了吧？"

"说点别的不行吗？老是谈她你腻不腻。"许飞皱眉头。

张千愣了一下，然后突然做恍然大悟状："老弟，我知道了，你还在惦记钱多多。"

"笑话，今天老在说她的是谁？"

"是我，不过我以前暗恋她的时候，看到她就哆嗦，说话都不利落，你见我跟谁谈起过她吗？"

"所以现在更别谈了，喝酒。"说完许飞又开了一瓶啤酒，堵住张千的嘴。

4

再怎么有心理障碍，该干的工作还是要继续的，不但要继续，钱多多还花了更多的心思在自己手中的项目上。

一周工作快结束的时候她独自开车去工厂检查样品情况，最近花痴情绪在公司有蔓延开来的趋势，以市场部为中心，向各个部门辐射，到最后就连地处市郊的工厂里也开始有人感染，年轻的质检助理抓着她问长问短讲八卦。

"听说市场部新总监长得很像金城武，真的吗？钱经理，是不是真得啊？有没有照片？"

金城武？钱多多无力："怎么会啊？差远了好吧。"

助理露出"你骗谁"的表情："大家都这么说啊，钱经理你不是故意的吧，放心啦，我们常年待在这种乡下地方，不会跟你们抢帅哥的啦。"

这话说得，钱多多嘴角抽搐。

全民偶像横空出世，男女通杀，唯有她众人皆醉我独醒，因此被视为异类，实在是冤枉。

在工厂被追问不休，钱多多最后揣着一肚子气回到家里，还没脱大衣电话就响，当着爸爸妈妈的面接起来，边听边解脖子上的丝巾。

准时准点，叶明申的声音，这个人做事四平八稳，就连恋爱也是按部就班。上周末与她单独晚餐之后每天一个简短的问候电话，时间都很固定。

"多多，到家了没有？"

"刚到，你呢？"

"晚上有课，还在路上，想约你明天去青浦，有没有时间？"

"去干吗？"钱多多脱口而出，钱妈妈密切注意她的动静，这时候咳嗽了一声，两眼有神地看着她。

钱多多立时感觉到压力，捂着电话往自己房间走，那边轻声笑："约会啊，一周不见，难道你已经不想见我了？"

想？她当然想。那晚春梦之后钱多多开始怀疑自己是否因为长时间没有固定的恋爱对象而导致潜意识的性饥渴，更肯定了自己需要解决一个丈夫的决心和狠心。因此想到叶明申的时候她就会在心里默念，完美人选，完美人选——

微笑回答他的问题："好啊，大概几点？我在家里等你。"

挂上电话之后回头看到妈妈的笑容："多多，是那个大学老师吗？天天打电话给你哦，明天去约会？"

对妈妈钱多多一向是很无力的："是啦。"

钱妈妈喜笑颜开，转身之前还给了多多一个"我看好你哦"的经典表情，多多当场寒了。

5

晚上又没睡好，第二天钱多多约会的时候老走神。

"多多，在想什么？"对面传来温和的问句，钱多多这才发现自己居然一边品茶一边出神，实在是大失水准，立刻极力挽救形象，抬起头对叶明申一笑。

对面的叶明申伸手过来给她倒茶，钱多多捧着杯子唾弃自己，怎么能够当着他的神游天外？赶紧没话找话说："这里环境真的很好，你经常来？"

"还好，喜欢这里的安静，偶尔会和朋友一起过来。"叶明申的回答惯常的滴水不漏。

叶明申虽然不是什么调情圣手约会达人，但是选择约会地点还是很有一套的，这点钱多多虽然只和他正式会面过两次，但已经佩服得心服口服。

这是一个典型的江南水乡小镇，就在上海市郊，周末人也不多。

青石板小街，古朴民居，精致石桥连着婉转水道的两边，而他们两个现正在一栋靠水的茶楼上凭窗品茶，最出乎钱多多意料之外的是叶明申居然还懂茶道，跟茶楼老板也很熟的样子，上来单子都不看直接叫了人家私藏的人参乌龙，沏茶手势熟练流畅，让她好好开了一次眼界。

冬日暖阳，茶香扑鼻，面前男人斯文微笑，窗外偶有木船闲散摇楫而过，钱多多是一周七天忙惯了的人，突然置身这样的世外桃源，实在好享受。

果然是完美人选，完美约会。

"很喜欢，觉得浑身都放松了，谢谢你带我来这么好的地方。"打死都不能再走神了，钱多多弯起眼角，与他相视一笑。

"喜欢的话以后可以经常来。"

"好，只要不赶项目就行。总是一忙起来就没有时间，有的闲一定要抓紧好好享受。"

"那么忙？岂不是连约会的时间都没有？"

"约会？现在不就是吗？"

叶明申笑："听你这么一说，那真是我的无上荣光。"

坐在阳光里时间久了，钱多多感觉自己跟一只被晒得毛松蓬软的猫一样慢慢散漫放松下来，听完他的玩笑话再一次忘记自己要装淑女的初衷，大白话脱口而出："荣幸什么呀？我才荣幸呢，有人看中我这个老大难。"

"老大难？"叶明申失笑，"多多，你聪明能干，怎么可能是老大难？不过是之前自己不想罢了。"

被夸奖的钱多多半张脸都在阳光里，冬天太阳不刺眼，她也不躲，阳光下咧嘴一笑，眼里尽是自嘲。

想什么呢？世上最难的事情不过是你想要这个人在自己身边的时候他也想，钱多多之前想过但从未做到过，估计之后也再无可能。

晚上钱多多和叶明申两个人回到市中心看电影，周末，到处都是人满为患，钱多多一眼看到远处有人在倒车出位，手指过去："那里有位置。"

叶明申依言打方向，还差一点距离的时候突然有车从另一个角落转过来，在曲折绕弯的车库里仍旧速度不减，眼睁睁看着他顺着刚开走的那辆前车斜斜调尾入位，动作干净利落，钱多多眼前一花最后一个位置就没有了。

"啊，我看到的车位！"气不打一处来，钱多多叫出声。

那辆车停稳后跳下来的是一个年轻男人，穿得随意运动，帽衫球鞋，一派涩谷街头的打扮。

钱多多原本满脸的气愤转为呆滞，然后当机立断地撇过头不看前方，好像那里有什么洪水猛兽。

"怎么了？"叶明申奇怪。

"没什么，我们去下一层吧。"上海那么大，难得出来看个电影居然也能遇到许飞，钱多多无话可说。

叶明申也不多问，继续开车。钱多多对这里很熟，每次停车最怕的就是 B2 全满，不得不再下一层。

B3 都是电动升降位，这里寸土寸金，所有的升降位都窄小到只能堪堪挤下一辆车而已，钱多多最是头疼这种位置，每次倒车都是她的折磨与挑战。

看到空位之后她拔安全带："我下去替你看着吧。"

"不用。"叶明申了解她的行动力，腾出一只手过来按住她的，"多多，别动。"

冬天，他的手很暖和，动作也自然，按在她的手背上感觉干燥有力，钱多多一个失神就看他用另一只手顺畅地倒车入位，一分钟都不到，停得漂亮标准。

吃惊了，钱多多不吝赞美："技术这么好，舒马赫啊。"

叶明申笑："过奖过奖，倒车而已，开久了都这样。"

"我也开了五六年了，怎么每次倒这儿都哆哆嗦嗦？"钱多多和他并肩往电梯走，继续说老实话。

　　"十五六年就行了。"叶明申伸手按电梯。

　　十五六年？钱多多刮目相看，果然是驾龄长久的老前辈。

6

　　影院在十楼，电梯间中又停了几层，空间窄小，到后来就挤得满满腾腾的。钱多多被逼到角落里，叶明申原本站在她身侧，这时很自然地一旋身转为面对她站着。

　　知道他是为了避免自己被挤到，钱多多尽量把身体收拢，但是电梯里空间逼仄，他们两个的身体最后还是避无可避地贴在一起。

　　叶明申今天穿一件乳白色衬衫，料子很好，又顺又滑，钱多多脸颊擦过的时候还闻到暗暗香味，觉得有点熟悉，钱多多开始思索自己在哪里闻过这个香水的味道，究竟是什么牌呢？

　　转眼电梯门大开，人流涌出，钱多多还在出神，手上一暖就被拉了出去。

　　很久没有被人牵过手了，她的第一反应竟然是吃惊，然后本能地往回缩，但一抬头看到叶明申的侧脸，表情非常自然，手指也没有很用力，轻轻松松的一握，让她想起小时候手拉手排队走的天经地义。

　　一时间心中五味杂陈，钱多多偷偷摸心口，心跳很平静，再抚抚脸颊和耳郭，一丝温度上升的迹象都没有。

　　但是她不讨厌这个牵手，并没有反感到想甩手扔开的地步，这样也就够了吧？心里明白这不是恋爱，恋爱是另一种感觉，恋爱的男女有肌肤触碰渴求症，动不动就想纠缠到一起，牵个手都是无上享受。

　　她又不是没有热恋过，热恋中的人在其他人眼里都类似神经失调患者，想到对方就开始傻笑，最好的约会是对坐互看72小时，对方的皮肤好像有磁力，一见面就肾上腺素升高，手指嘴唇不受控制，忍不住地抚摸亲吻。

　　全都是傻瓜，但就是极乐无比。

　　"多多，想看哪个电影？"

　　手指还在人家掌心里，心静如水，钱多多抬头一笑："你选吧，我没意见。"

极乐有什么用？极乐可以让她有婚姻吗？她已经老了，经不起折腾，不想再恋爱，只想有个结果。

叶明申买票的时候钱多多一直站在一边研究海报和立体宣传画，最近新上映的电影很多，她看到懒洋洋的加菲，又看到超人神气十足地伸出一只手指向天空，落伍了，所有的她都一无所知。

工作占据了所有的时间，回家往往就是累得倒头就睡，自己房内的电视机都不知多久没有打开过，电影，真是久违了。

回头去看叶明申，他正低头点选座位，侧影修长，气质一流，仿佛感觉到她的注视，扭头远远看过来，对着她微微一笑，然后迈步走过来。

"明申，真的是你？"

一声惊喜的招呼插进来，眼前一花就有人跑到叶明申面前大力拍他的肩膀："哎呀真的是你，我都不敢认了。"

钱多多刚直起身子，这时看着面前两个男人相见欢的场面又停住动作，貌似叶明申巧遇老友，她还是暂时保持安静比较好。

凭空出现的那位先生很热情，又是个大嗓门，操着明显的北方口音："多久没见了？看到我惊喜吧。"

"从英国回来的？常住还是路过？"叶明申笑着回应，然后对她招手。

"这年头，谁不在往回跑？老婆孩子都带回来了，回来扎根咯。你呢？还在做老本行？"

"对啊。"叶明申又往她这里看，钱多多摇头。

"大材小用啊老兄，招呼谁呐？"大李顺着他眼神的方向看过来，距离挺远的，他眯眯眼睛然后大笑，"哎呀，青青也在，还不快过来。"

钱多多笑笑走过去，到了近前那男人才发现认错人，表情微有些尴尬。

"来认识一下，这位是钱多多小姐，我的女朋友。多多，我的老同事李伟，叫他大李就行。"叶明申倒是表情自然，伸手揽住她的肩膀给他们做介绍。

"你好。"钱多多也很大方，伸出手的时候还咧嘴一笑。

李伟走后他们两个走进放映厅，坐下的时候已经开始放广告，钱多多从包里摸出眼镜戴上，抱着爆米花看得兴致勃勃，末了还指点着说："这个看上去不错，什么时候上映？"

"下个月，如果想看，到时候一起来。"

"好。"她点头，安静了一分钟又讲话，"青青是谁？"

灯光全暗了，音响很好，动作片，开场就是巨大的爆炸声在耳边环绕，他没听清，回答是疑问："嗯？"

说着话前几排又有人走入，已经开始放映，光线不足，那个迟来的观众低头找座位，紧张桥段钱多多视线被阻，不由自主侧了侧身子。

大屏幕上还在不断爆破，光线明灭，钱多多看清主角飞身扑出来的同时眼角扫过终于坐下的那位后来者，整个人突然僵硬一秒钟。

"怎么了？是不是冷？"叶明申体贴地开口询问。

钱多多摇头，暂时搁下刚才的话题，接下来的一百多分钟里再也没有开口讲过一句话。

好莱坞动作大片，情节紧凑，场面精彩，大家时而惊呼时而爆笑，钱多多最喜欢看这种片子，但这次怎么都投入不起来。

一边看还一边时不时偷瞄另一个观众，前排空荡荡，一个年轻男人独自坐在当中，坐姿随意，撑着头时不时展露笑容。

屏幕投下来的光线闪烁不定，照得那张侧脸上的表情也时明时灭，看到后来钱多多就叹气了。

怎么看，都只是一个长得比较耀眼的年轻男人而已，她浑身是刺，他全当没发生过，她刻意回避，他对所有人一视同仁，态度一式的公事公办。

这样的话，她再把那件事太当回事，是不是太神经过敏了？

散场的时候影院里灯光大亮，许飞站起身，一回头就对上正往外走的钱多多，有些意外，眼光又扫过走在她身前的叶明申，抬了抬眉毛没作声。

钱多多眼镜还在鼻梁上没拿下来，所以对他的表情看得一清二楚，隔了数排的距离，难得他看过来的角度微微仰视，睫毛长，眼窝下竟有阴影。

一个男人居然长成这样——钱多多大怒，再说他那个表情是什么意思？她跟人约会看电影很奇怪吗？

两个人对视一眼，谁也没说话，叶明申走出几步后回头看她："多多？"

原本想打个招呼，最普通的同事偶遇那种，现在钱多多改变主义，收回眼光跟上去，假装什么都没看到。

7

许飞消失在视线内之后钱多多就想起另一件需要自己烦恼的事情来了，她习惯了直来直去，之前就想直截了当对叶明申问个清楚，不过被许飞的突然出现打断，现在再想继续问，时间相隔长了，反而不知道怎么起头。

一路上钱多多都没什么话，低头思索很起劲。叶明申也不问她怎么了，送她到家以后照惯例目送她上楼。

钱多多走到楼道里又回头，叶明申正要上车，这时顿住动作看着她挑挑眉毛。

一直走到他面前，钱多多说话前先笑笑："叶明申，你觉得好的合作伙伴基础是什么？"

"志同道合。"

"还有呢？"

"你说？"

觉得两个人像在打太极，钱多多也不退缩："坦诚啊，你觉得呢？"

月光下他低头，仔细看了她一眼，然后嘴角完美弧度再现："是，坦诚也很重要。"

"好，"钱多多点头，"那么青青是谁？"

"青青？"他低声重复。

"坦诚。"钱多多强调一遍。

"好好。"他笑起来，"老李就是大嘴巴，青青是我曾经的女友，怎么样，够坦诚了吧。"

钱多多笑了，咧着嘴，月光下牙齿白又亮，还特意伸手比了比自己的脸："很像？这次是不是轮到我说，我很荣幸？"

叶明申难得迟疑，然后伸手过来抓住她下巴边的那只手。几个小时前刚刚指掌相握过，钱多多对这个触感还很熟悉，但是这次手指有点顽固，往回抽了抽。

他倒是笑了，用了点力气，抓得更紧："听实话吗？装淑女的时候是有点像，其他——就不提了吧。"

这时候了开这种玩笑——钱多多双眼上翻。

这样的讨论自然毫无结果，回家以后钱多多泡澡，放了一缸水躺在里面发呆。

现在事情很清楚，叶明申之前隐瞒了一些重要情况，怪不得第一次见面的时候她到最后隐隐感觉哪里不对，虽然叶明申说的内容跟她想的一样，虽然这男人讲得也是志同道合的合作关系，但她钱多多再怎么有魅力，也不至于让一个条件那么优的男人一眼就定下终身吧？

难道所谓的目标一致，互相尊重，彼此理解之类的口水话都只是冠冕堂皇的表面理由，真实原因是她钱多多不知是缘是孽，居然长得很像他过去的女友？

觉得自己陷入前所未有的低潮期，怀疑自己怀疑一切，过去那个自信满满的钱多多不知道跑到哪里去了，果然是岁月如飞刀，刀刀催人老——

郁闷了，一口气透不过来，她索性把整张脸都埋进水里继续思考。

这样的合作伙伴——还要继续吗？

可要是放弃，以后还到哪里去另找一个志同道合，想法惊人一致，能跟她携手在迈向合作婚姻的大道上大步前进的完美人选？

继续还是放弃，水中的钱多多陷入哈姆雷特式的思考当中。

电影院匆匆一瞥，钱多多看到了许飞，许飞自然也一清二楚地看到了她。

他原本约了张千还有几个老朋友打篮球，没想到那些男人的老婆女朋友扎堆出事，全都重色轻友地跑了个精光，反正也出门了，他路过电影院时看到大幅动作片海报，就可有可无地停车上去看了一场。

没想到遇到钱多多。

她穿得很有女人味，裙装，乍看到他的时候眼神躲闪，明显早就知道他坐在前排。

又看到她身边的男人，手里挽着她的大衣，往前走的时候左手向后摊开，姿态亲密。

自己的声音到了嘴边又回头，她更好，一转头匆匆离去，完全是假装他不存在。

感觉很复杂，一开始觉得有点好笑，两个成年人，加起来都超过半百了，居然跟小孩子一样闹别扭，彼此都假装不认识。

可到开车到半路突然开始发闷，怎么都不舒服，看到前方的车都觉得烦躁，一辆辆超过去，踩油门的时候不知不觉用了力，高架上监控灯刷地一亮，这才发现竟然码表过百。

减速，下匝道，回公寓，他上楼不急着开灯，丢下包脱外套扔在沙发上，然后就着窗外的一点灯光去抓茶几的ipod。

戴上耳机以后他返身又开门出去，在电梯里低头搜索ipod里的曲子，旋钮的声音在耳机里单调反复，最后音乐响起来的时候他长出了一口气。

这天晚上许飞独自在街上跑步，没有目标，这是他最习惯的减压方式，不在意路程，也不管自己是否认识回家的路，一直跑到跑不动为止，迷路了大不了叫车回家。

已经很晚了，从繁华大道到清静小路，一路向西，街道两边渐渐安静，路灯的光隐藏在梧桐树稀疏枝叶中，冬日午夜，街上没什么行人，自己的心跳随着脚步起伏鼓动，音乐反复，影子在脚边连绵舞动，除了这些，整个世界都变得遥远。

过去总能在这样的长时间奔跑中得到平静，但是今晚，他失败了。

钱多多离去时那个躲闪的眼神在眼前反复出现，她在公司虚假的笑容，那天早晨她恶狠狠的眼睛，黑暗车厢中的喃喃低语，细碎牙齿摩斯在唇上的感觉——

还有更遥远的，那个闷热礼堂中的午后，她坐在台上露齿一笑，瞬间阳光抖落，还有那条校园里的林荫道，她对追上前的自己咧嘴拒绝，笑得一脸没心没肺的样子，与现在全然不同。

那个笑容呢？张千记得的，他也记得的，怎么会变了，怎么没有了？

突然停步，他立在路边扶住膝盖气喘吁吁，四下全然陌生，跑得时间太久，他已经不知道自己身在何方。

她也一样吗？努力跑了很久，突然发现自己迷路了，世界都是陌生的，就连过去的自己，都忘记了。

路的尽头有灯光，是出租车，他伸手拦下来，坐上车报地址。

午夜载到一个跑得满身大汗的男客，司机有些奇怪，又不敢多问，不时从后视镜里瞄他几眼。

许飞也不说话，凝神看窗外，车窗上能照出自己的影子，他看到自己一路的皱眉思索，最后却露出一个笑。

好吧，多想无益，是男人，做了再说。

这时候的钱多多刚刚泡澡完毕，浑身发软，正从浴缸里往外爬，突然的一个寒战，她哆嗦了一下赶快收紧浴袍。

回房的时候她用最快的速度跳进被窝，抱着胳膊在心里跟自己讲话。

冬天啊，下次不能这么颓废了，泡得水都凉了，生病还不得自己扛？

|05|

钱多多启示录 No.5

结婚有什么了不起

结婚有什么了不起？盲婚也可以，组织决定也可以，过去的人远远比我们有勇气，而且勇于承担后果。

恋爱不一样，恋爱比较难，想要承担后果，别人还不一定乐意奉陪。

1

一晚上翻来覆去没结果，第二天早晨钱多多索性去运动，借着挥汗如雨忘记心中烦恼事。

冬天，又是周日早晨，健身会所的泳池里没什么人，她一头扎下去来回游了五六圈才停下，抬头听到有人唤。

"就知道你在这里，都不等我。"

是依依，穿着挖腰设计的新款泳衣，走过来的时候雪白的一团光。

"你迟到嘛。"这个地方她们经常来，钱多多一早约的她。

泳池边坐着教练，原本懒洋洋地靠着，看到依依走进来身子就直了，钱多多看得好笑："快下来吧。"

依依用脚尖试了试水温，一哆嗦："真冷，不该听你的，做瑜伽去多好。"

"游两圈不就好了，太后，真是麻烦。"钱多多伸手去拽。

晨泳让人精神抖擞，钱多多水性好，转眼又是五六个来回，依依所谓的运动都是摆摆花架子，下了水就以蛙泳悠游在途中。

一边游一边想跟钱多多说说话来着，抬头发现不对劲，哗一下就看着钱多多从身边经过，掀起一阵水花，来不及招呼就过去了。

正浮在水上奇怪，看着钱多多一口气游到尽头返回，擦身而过的时候依依又想讲话，没想到哗一下她又向另一个方向过去了。

最后一回经过的时候钱多多被依依在泳池当中一把抓住："多多，你是不是受了什么刺激？干吗话都不说卯起来游？"

钱多多踩着水停下来，甩甩脸上的水，拧了拧鼻子才说话："依依，恐怕我这回相亲，也要砸。"

"嗯？不是说挺靠谱？"

"人家以前有女友。"

"废话，叶明申都是三十多岁的男人了，没过女友你不害怕？"

"不是。"钱多多烦躁，"昨天有人错认我是他前女友。"

"错认？"依依不踩水了，拉着她往池边去，哗的一声出水的时候钱多多眼角扫到教练的身子又直了。

唉，明明不该笑的时候，钱多多居然笑了，可见叶明申给她带来的打击，明显还不够大。

出了健身会所她们俩到附近吃冰激凌，这是钱多多的坏习惯，每次大运动量之后就直奔冰激凌店，被依依笑过多少次了，才扑腾了那么几下就往肚子里填高热量的东西，那之前不是白搭？

"你问过他了？"不急着吃，依依坐下来就延续刚才的话题。

"问过了，他亲口承认的。"

"这男人真的假的？这种事也一口承认，他怎么说？"

"装淑女的时候是有点像，其他——就不提了吧。"钱多多学着叶明申的样子开口，惹得依依大笑。

"你们约会几次了？听上去感情不错了啊。"

"啊？"钱多多瞪眼睛，"这叫感情不错？"

"没瞎说啊，一个男人能这么跟你开玩笑，说明把你当自己人好不好？"

"开什么玩笑？我要找的是能够共度一生的男人，不是整天对着我回忆过去峥嵘岁月的痴情男，万一他哪天想不开，半夜醒来抱着我大声呼唤前女友的名字，我还不得毛骨悚然？"

依依哈哈笑："既然他肯承认，说得又轻描淡写，那就证明根本没往心里去，长得像怎么了，凑巧吧。"

"有那么凑巧的吗？再说他老朋友一眼就认错，离老远就对着我叫别人的名字，万一以后遇着他前女友，两个人对面一站跟照镜子一样，那多恐怖。"

"你也想得太远了，哪那么容易遇上前女友，你遇到过自己的前男友没有？"

"没有。"钱多多讲老实话，说来也奇怪，新加坡总监也就算了，大家不是一国的，之前那两位可都是住在同城的，初恋的家甚至就在她现在任职的公司附近，可分手之后硬是一次都没有遇见过，巧遇都没有。

"对了。"钱多多合掌。

"怎么了?"

"我最近倒是老遇到一个人,而且看到他就没好事,你说是不是流年不利?"

怎么话题跑那么远,明显感觉到钱多多放在叶明申身上的烦恼毫无长性,依依从善如流跟着问:"谁啊?"

"许飞啊。"

又听到这个名字,依依立刻来精神了:"你们不是一个公司的吗?天天看得到吧。"

"不是公司里,我说平时呢,昨天我和叶明申去看电影,那么大的地方,居然也能遇着他。"

"真的吗?他跟谁去看电影?"

"一个人。"

"一个人啊——"依依拖长声音,遥想起当年光芒万丈的小帅哥,眼睛水汪汪,"好可怜。"

"那种男人有什么值得可怜的?"钱多多说话的时候声音恶狠狠。

"呃——"难得看到钱多多这么激动,难道升职不成那么伤?印象里多多不是这样的人啊。

不了解内情,依依接不上话了。

眼前声音恶狠狠的钱多多却接着就叹气,然后撑着头一脸疲惫:"依依,最近我一直在想,我是不是该找机会离开UVL。"

"为什么?你都在那儿工作那么久了,三十没到就做到高级经理哎,连史蒂夫都夸你厉害。"

"三十没到的高级经理有什么用,现在我头上还有26岁的市场部总监呢。"再也骄傲不起来了,钱多多一脸沮丧。

"男女有别嘛,辞职是大事,你是认真的?"从来没有工作过,对这样的话题没什么经验,依依说话的时候明显底气不足。

男女有别?说得好,说到点子上去了,钱多多无力地叹口气:"依依,我是真的累了,你看看我现在的样子。"

"样子?你的样子一向很好,那么多年了还要讨我夸,多多你不是吧。"依依笑嘻嘻。

"我是认真的。"钱多多加重语气，"公司里现在是多事之秋，与其坐以待毙，还不如提早自找出路。"

"好吧，无论如何我都支持你，只要你不觉得可惜就行。"

没说几句依依电话响，她接起来"喂"了一声，然后声音软下来："嗯，我在外面。什么？多多呀。"

钱多多在对面做嘴形："史蒂夫？"

依依握着电话点头。

"他回来了？"早上还听依依说他在深圳呢。

依依又点头，表情有点抱歉。

"那你快回去吧。"钱多多立刻作诚恳状，挥手。

那位史蒂夫先生生意做得大，集团在申请上市，分公司遍布各地，员工没个一千也有七八百，所以最不着边的地方就是自己家，回来一次不容易，钱多多可不能做恶人，阻挡人家夫妻的鹊桥仙。

"司机过来还有一会儿，不着急。"依依合上电话。

"还不着急？这回多久没见了？等什么司机啊，你还不飞扑回去打扮得美美的，让你那位眼前一亮，然后饿虎扑食。"

"饿虎扑食？"依依笑死了，"算了吧，老夫老妻了，现在就算我在他面前正面全裸他都能一笑而过。"

"啊？那你没有危机感？"

"喂，维持婚姻的不只是性好不好，还有很多呢。"

"也是，一辈子那么长，整天对着这一个人多腻烦啊，周末夫妻就好了，大家留点生存空间。"

"多多，你对婚姻想法太多了，上回要合作伙伴，这会要周末夫妻，晕不晕？"

"跟合作伙伴事先说清楚相处形式，两者不矛盾。"钱多多下定论的时候口吻专业。

"太前卫了吧，哪个男人受得了？"

"叶明申也这么想，否则我跟他约会一次又一次？"说到叶明申钱多多再次烦恼，撑住头苦思，"不是为了这一点，我至于这么烦吗？"

依依坐在对面看得皱眉头，钱多多感情路上一向没心没肺，她早看习惯了，没想到临到头她对婚姻也一样，典型的公事公办。

"多多，你是不是不喜欢叶明申？"

"喜欢？我们才约会三次，哪里谈得到喜不喜欢，不过我不讨厌他就是了，还能接受。"

"光接受就行？"依依睁大眼。

"古代还有盲婚的呢，婚后培养感情不也一样？我爸爸妈妈的婚事还是组织上决定的，不是一样一辈子。"钱多多道理十足。

电话又响，司机已经在外面等，依依没法多待，匆匆起身离去，走之前搂住钱多多讲最后一句话："多多，还是不一样的，以后你就知道啦。"

2

落下后遗症了，现在依依拉门前，都要仔细确认一下究竟是不是家里的车牌。

司机当然是下车来替她开门的，看到自家太太站在街沿歪着头有些迟疑的样子，多少有点好笑。

路上人多，后头的自行车助动车一大堆，仓促着绕过车身继续往前，堵住车道总是不好，依依摆手让他快上车，自己伸手去拉门。

手指刚碰到把手门就被从里推开了，她吓了一跳，定神才看清是自己的丈夫，一手推在门上，一手按在耳朵边，正在嗯嗯地听电话。

她最近心神不宁，又少看到他回来，所以坐进去之后忍不住靠着他的肩膀撒娇："怎么这么好，突然想到来接我。"

但是身体被扶正，他皱着眉头说话："别闹，我在接一个很重要的电话。"

史蒂夫原名叫做牛振声，比她大了十多岁，第一次见面的时候他就已经三十有五，又因为天生有点老相，所以那时候她还以为这个男人起码四十了。

他原本在内陆一家大厂做管理，后来辞职下海，又赶上海南圈地的风潮，因为性格谨慎，及时收手，居然全身而退，还积累了第一笔原始资金，后来就走得比较顺当，算是白手起家的第一代房产商中很成功的人物。

认识依依的时候她还在读高中，很古老的桥断，大雨天，他赶一个招标会，司机被催得有点急，过水塘的时候污水溅得远，她正骑着自行车，闪避的时候跌在地上，衣服都扯破了。

那时候她还很小，红唇鲜艳，小腿擦破了，却一点都不在意，就撅着嘴看衣角破掉的地方。

那天的招标会他后来临时派了助理去，自己亲自把她送到家，那棚户区密密麻麻，雨水中万户屋檐低垂，水滴如注。

她推着自行车一瘸一拐地往里走，回身还跟他招招手，消失的时候好像是被吞了进去。

他跑过去又把她拉出来，从此再也没有放开过。

但是婚后第一年，她意外流失了那个孩子，这些年来又不见再有。他年岁渐老，自己的父母不知多想要看到第三代出生，渐渐生了怨气，竟连这媳妇都不愿见了。

他夹在当中两头难做，生意也烦，这个行业有周期，他上一次退得有惊无险，最近这两年却渐渐有力不从心的感觉，跟财务部主管们开会的时间比跟她在一起的更多，熟悉项目经理的诉苦更胜于熟悉她的撒娇。

而最近，更是不知道为什么那么容易烦，有时候半夜回家，突然不想上去，转头又让司机开走，难道这就是传说中的七年之痒？

搁下电话看到她坐得很端正，看到他侧脸过来好像吓了一跳，还很努力地笑了一下，嘴角勾勾的，眼神却有点躲闪。

禁不住有点愧疚，他伸出手拍拍她的手背："对不起，最近陪你太少了，要不要买些什么？钱够用吗？"

其实她心里在想别的事，这反应不过是因为突然被他打断思绪，微有些惊吓而已。

十几岁时他看自己的时候眼光痴迷，她喜欢什么，从来不用自己买，流露一点向往就会有人送到鼻尖下。

但她从来没有奢望过那种时光会永远，求仁得仁，她要的已经得到了，凡事都有代价，有得有失而已，要是事事都遂她的心愿，那还不得早死。

不过这么多年了，没有爱情有感情，没有感情有恩情，知道他最近烦心，听到安慰她立刻回神，这次展颜一笑，很是开心："那我们今天一起吃晚饭吧，然后逛逛，你全程买单，还带提包。"

"我还要打几个电话，晚上跟这儿的工地负责人开会——"他皱眉迟疑了一下，然后看看表，"这样吧，我们先去吃饭，然后让王升陪你去逛一下，一小时够不够？"

王升是他的随身助理，这时就坐在副驾驶座上，听到之后回头叫了声太太，一副随时待命的样子。

吃饭的时候她看着对面的男人不断地跟人通话，依依低头拨了拨小盅里的精致汤水，忽然觉得无味得很。

那么好的东西，怎么会觉得无味？是吃太多了吧，下次还不如喝粥。

当天晚上，依依失眠了。

晚餐之后她按照原定计划去逛街，走在她身后的是王升，一路态度谦恭，试衣的时候负责提包，买单的时候负责刷卡。

王升长得不错，一身西服笔挺，她拿起任何一样东西都点头称是，没等她从试衣间出来就已经让小姐开单完毕，效率惊人。

小姐们人人面露羡色，有一个年纪小，实在没憋住说出了口："你老公对你真好噢，长得又帅。"说话的时候眼里亮晶晶，就差没有当着她的面对远处立在收银台前的王升擦一把口水。

她听完哭笑不得，又懒得解释，到后来兴趣索然，索性回家。

王升尽职尽责地将她送到家门口，张阿姨跑过来开门，看到她一脸倦色，接过东西也不敢多问什么。

回房先把购物袋放进衣物间里，卧室里带着一个进入式的衣帽间，多年前第一次走进来的时候她为它的巨大空旷目瞪口呆，精致搁架在面前仿佛铺天盖地，自己的丈夫在身后笑着补充："买吧，堆满它。"

那时的她心花怒放，感觉到了天堂，扑进他怀里的时候好像一只鸟。但是现在，所有的搁架早已被放满，那些让每个女人双眼发亮，梦寐以求的东西，有很多甚至还挂着那个苍白的吊牌，零零落落，半掩在原封未动的包装袋中，像许许多多后台里日日装扮妥当，却从无机会粉墨登场的过气戏子，冷冷嘲笑着她的凄凉。

还唱什么戏？衣锦夜行，深谷昙花，无人欣赏，再华丽的戏服又有什么意思？她也冷笑，手里还提着巨大的金色购物袋，她把它随意丢在地上，转头就离开。

散开头发进浴室冲澡，水花喷淋下来的时候依依仿佛听见房里的电话铃声，响了一阵，又停了。

懒得理，她继续，白腻的泡沫随着浴棉在身体上四散晕开，手机音乐又响了，她仍旧无动于衷，在水柱下闭着眼睛慢慢仰起头，维持着同一个姿势，在水柱下久久没有动弹。

湿淋淋地踏出淋浴房，擦身的时候那铃声又起，正站在镜前涂抹润肤乳，依依这回终于看到镜中自己的脸上露出一点惊讶之色。

她了解自己的丈夫，牛振声个性稳妥，如果料定她在家，两个电话没有拨通，下一个一定会拨给张阿姨，然后确定她究竟在做什么，何至于一个接一个，比热恋的时候还忙碌，但是这么晚了，打电话给她的除了他又还能是谁？出了什么事这么着急。

围着浴巾走到床边，她腾出一只手到手袋里摸电话，音乐连绵不断，被催得也有点急，一摸到手机她便接通放到耳边："怎么了？我刚才在洗澡。"

"依依，是我。"那头声音很低，入耳非常熟悉，岂止是熟悉，简直刻骨铭心，电话变得烫手，她手一抖，竟然没能拿稳，差点脱手而出。

回神镇定了一下，再开口她声音就冷淡很多："怎么是你？什么事？"

"依依，我在老地方等你，你来吗？"是他，他一向不多话，惜字如金，短短几个字，说得缓慢，听在耳里反而觉得艰涩冗长。

"对不起，我听不懂你在说什么。"

那头背景里了无人声，他仿佛身处在一个空旷巨大的地方，隐约有唧唧虫鸣，反而显得电话里更加安静，就连隐约的呼吸声都被放大很多倍。

老地方？算了吧，时移势迁，这世上哪有一个地方是永远不变的？

他不说话，她也没再开口，僵持了几秒钟，她手指一动，断然将通话切断了。

切断之后她抖手将手机扔到床上，想了想又弯腰拿起来，用力按灭电源。

卧室里太安静了，她坐到床上之后打开电视，让人声涌出来。

电视里在演千篇一律的肥皂剧，女主角刚被抛弃，站在大街上放声哭泣。

根本无动于衷，她睁着眼睛出神，过去许多许多的零碎片段纷繁错落，她想自己是安逸日子过得太久了，所以最近才会胡思乱想，又被莫明其妙的事情所困扰。

早就放弃的男人，早已结束的感情，结婚那天不是都想好，这一生尘埃落定，安逸富足，她已经选择了一个男人，而这个男人对她好。

哪个女人求的不是这些？只是有些虚掷漫长青春，在为了追求某些虚幻感觉跌倒无数次后才想明白这个道理。幸运的，想明白之后得偿所愿，不幸的，终生被自己耽误。

她不过是从一开始就坚定目标，又顺利完成了它，丝毫没有浪费时间，所以她是人人羡慕的好命女，谁不在背地里眼红她？

这些话在心里反复重复，床头灯是复古造型的，边缘金色流苏叮当，奶白色的灯光，眼光所及处的一切精致舒适，锦衣玉食，她是从那个狗窝一般的地方挣扎出来的女孩子，还有什么值得不开心的？

想好之后跟自己说笑一笑，但是笑不出来，有点看不起自己，她最后赌气关了一切躺下来，拉上被子，又把手肘搁在眼睛上，强迫自己入睡。

牛振声回来得很晚，晚上和几个建筑公司的老板还有工地负责人碰头，说到后来各方都有点激动，风向变了，资金链越来越紧，拿地的时候谁不是踌躇满志，一年的时间晃眼而过，当时的风光无限，人人竞相投资的项目，现在却变成鸡肋一块，甚至连鸡肋都不如，谁都避之不及。

下车的时候司机也看出他精神很差，开门的时候说了声"牛总你太辛苦了"，他笑笑没回答。

已经是凌晨两点，宅子里声息全无，开门的时候满室寂寥，感觉很奇怪，这屋子是结婚前他亲自挑选买下的，过去只觉得宽阔舒畅，最近却越来越感觉到空荡寂寞，有时候独自归家，明明知道屋里有人睡着，但就是感觉毫无人气。

还是有孩子的好，如果有三两个孩子在这里奔来跑去，那一定是完全不同的一番景象。

这个念头一升起来就异常强烈，他上楼的时候脚步很快，推开卧室门以后一室黑暗，床上无声无息，料到依依早已睡着了，他独自进浴室冲澡，脱衣服的时候在镜子里仔细看了一眼自己的身体。

男人四十，他常年奔波忙碌，不知多久没有好好看过自己了，原来真的老了，腰里松垮垮的，一点线条都没有。

不是想这些的时候，他转脸走进淋浴房，用很快的速度冲了一个战斗澡，然后上床。

自己的妻子睡在床的正当中，好像早已习惯了这地方全是她一个人的，背对着自己，一点声音都没有。

他躺下以后从后面用力抱住她，然后将她翻过来，她在黑暗中轻轻"咦"了一声，好像有点惊讶，但非常顺从，一点都没有抵抗地打开了自己。

进入的时候他突然发现她是紧闭着眼睛的，一点快乐的样子都没有，连装都不想装。

心里一冷，从第一次见到她起，感觉里她永远是那个微微撅嘴扯着零落衣角的小女孩，而她也总是仰望自己，小鸟依人，尽心尽力扮演好自己的角色。

但现在，身下这个紧闭双眼的女人却如此陌生，这就是他的妻子吗？为什么他不认识了。

一口气泄了，他突然没了兴致，翻身又躺了回去。

"怎么了？"她睁开眼睛看他，问的声音非常低。

"没什么，可能是太累了。"她眼睛生得美，虽然卧室里黝暗无光，但他的双眼已经习惯，还是清楚看到那两汪黑白分明，看着他的时候只感觉湛然剔透。

这是他的妻子啊，他小心翼翼等候那么多年，等她长大，又等她心甘情愿地嫁给自己，过去他无论再如何疲惫，只要一看到她就觉得心满意足，这是怎么了？居然会觉得她陌生。

愧疚起来，他伸出手把她勾到自己胸前，低头说了声对不起。

叫她怎么回答？身边躺着自己的丈夫，他刚才想跟她做爱，他们很少有时间在一起，这是这个月的第一次，可能也是最后一次，但是他半途而止，不成功。

伸手摸了摸他的脸，牛振声显老，本来眉心就皱皱的，最近更是深深的两道纹，她悄无声息地叹了口气，并没有什么幽怨的意思，只觉得这世上真是无有一人不堪怜。

3

跟依依告别之后的钱多多，独自坐进车里就开始叹息了，刚才不过是在依依面前强撑笑脸，有没有感觉当然是不一样的，她怎么会不知道？

又不是没谈过恋爱，又不是不知道两者之间的区别。

恋爱不一样，天时地利人和，原来你也在这里——恋爱是难如登天的事情。

但她现在要的不是恋爱，是婚姻。

原以为婚姻有什么难的？盲婚也可以，组织决定也可以，要想结婚，世上多得是痴男怨女，克服自己那一关，只要生理心理能够接受，随时都可以结婚。

没想到那么麻烦，还以为找了个志同道合的，却闹出前女友翻版的乌龙事。

她倒不是怕他旧情难忘，只怕他根本是为了旧情难忘，假装跟她志同道合。

一路开一路想，钱多多想到头疼。

来去都是无解，钱多多想到最后还是放弃。

算了吧，她时间宝贵，经不起这样玩你猜我猜的游戏。

她是一路赴汤蹈火奔着结婚去了，如果一时不察成了别人的替代品，那下半辈子还怎么跟自己的自尊心一起过下去？

再可惜也没办法，决定了，深深吸口气，她拿出电话拨号码，那头接起来很快，背景里人声起伏，还有隐约的打招呼声。

"你在忙？"自己接下来要说的话不怎么动听，想了想钱多多先确定对方所处的环境与气氛。

"今天有一堂在职研究生的课，刚结束，没事，你说吧。"他的声音还是一贯的春风含笑，听得钱多多益发难开口。

怎么开口，说什么？就说我们算了吧，因为我不想做替代品，或者更简单的，我觉得烦了，干脆不婚。

但是眼前一下就跳出妈妈横眉立目的脸，还有爸爸叹气道出的开场白："多多啊，你要知道天地万物，都是有时候的。"

是啊，有时候的，她钱多多的时候到了，不结婚就是异类，她倒是不怕自己被人当做异类，公司里单身女主管多得是，问题是她的爸爸妈妈怕啊。

迟疑了，原本非常直接的一句话在嘴边徘徊了很久，最后吐出来竟然完全变了味："我，我最近很忙，可能接下来几周都不能见你了。"

他回答前稍微停顿了半秒，时间短，几乎察觉不到，再开口声音仍旧和缓，语气温柔："是吗？那你小心身体，别太累了，我们再联系。"

挂断电话之后叶明申独自在原地立了一会儿，校园里人多，两个刚下课的女生正从旁边经过，都是在职的研究生，25、6岁了，看到他驻足了一会儿，又互相笑嘻嘻地推了几下，然后才走上来招呼："叶老师，下班了吧？晚上有什么安排？"

上在职研究生课程的老教授们基本上都长得很有爱，一片和谐背景中年轻斯文的叶明申就更显得鹤立鸡群，对女学生的试探和好感一直是很习惯的，往常他一向反应迅速，跟武林高手那样对这种问题四两拨千斤。

但是今天他在听完之后居然反应迟钝，过了几秒钟才抬头，又仔细看了她们两眼，回答的时候没有惯常的微笑，一听就是应付："晚上？晚上我还有课，不好意思，先走一步。"

目送他离开之后那两个女生还待在原地，其中一个过了半响终于开口，撇着嘴一脸不满："拽什么，长得帅了不起啊。"

钱多多没有千里眼，当然看不到电话那头的情况。

结束与叶明申的通话之后她不自觉地松了口气，至少争取到几周的思考时间，所以后来开车的时候就很顺，一路专注路况，油门踩得很有劲。

到家以后她上楼按铃，没人开门，想起来爸爸妈妈今天喝喜酒去了，伸手到包里掏钥匙，掏了半天都没有，突然一跺脚，钱多多懊恼。

一早就去健身，换了包，钥匙一定是留在另一个包里了。

流年不利啊——自从某人出现在她生活当中之后就没发生过好事，她是不是该去拜拜，去霉气？

看看时间还早，今天这档喜酒是妈妈老同事的女儿结婚，她最不习惯那种场合，坐在父母身边，桌上的老一辈上来就是老三问。

"这就是多多吧？一转眼长这么大了，今年几岁啦？结婚没有？"

搁前几年妈妈还能笑呵呵地跟他们一问一答，最近这两年，听到这样的问题老妈隔空就能对着她用眼睛飞刀子，到后来钱多多就学乖了，这样的场合能不去就不去。

转身下楼，回到车上以后钱多多掏出手机想找个人出来一起吃饭，通讯录密密麻麻排满，一个一个名字翻过去，却找不到一个可以拨出去的号码。

握着手机沉默一分钟，钱多多突然发脾气，用力把手机扔在了副驾驶座上。

铃声伴着碰撞闷响一起响起来，瞪了它一眼又捡回来，钱多多看了一眼屏幕就皱眉头了。

屏幕很亮，上面跳动的是公司来电，总监直线，她手机里存着那个名字。

不急着接，她先看车上时间，周末下午四点，这男人怎么突然想到打电话给她？

铃响五六声之后跳断，然后又响，还是同一个号码。

钱多多咬咬牙，一指按下去就接了。

"喂？"

"钱经理，我是 Kerry。"

许飞的声音，他报他的英文名，她的口气却仍旧公式化："嗯，总监有什么事吗？"

"我在公司，正在看你们组交上来的计划书，有几个问题想问你，电话里就可以，现在方便吗？"

他的语气很公事，钱多多回答的时候自然认真起来："什么问题？"

那边有翻页的声音："你这份计划书涵盖的是哪几个国家？全东南亚？"

他说的是她手头最新的一个项目，计划书是根据这几个国家最新的市场调查刚做出来的，她带着自己的小组忙了好几周了。

"菲律宾，泰国，越南还有新加坡，没有印度。"

"好，我刚才核对了一下泰国政府发布的最新进口产品指标，你原材料中所标示的 H5033 在东南亚其他国家可以接受，但是在泰国，看起来不行。"

钱多多倒吸气，这份计划书周一就要由她在高层面前做演示，泰国部分的数据她交给简妮负责，上周让她核对了最近三年的标准参数，没想到最后出这样致命的问题。

"最新标准是什么时候出台的？昨天吗？"东南亚一些国家的标准最近一日一新，她也感到很头疼。

"上个月，而且这个禁止是强制性的，你没有要求组员核对最新的标准吗？"

她当然有！冲动地想立刻拨电话给简妮质问，但是钱多多清楚知道这解决不了任何问题，心里深呼吸，迫使自己冷静下来，她立刻做出回应："我明白了，总监，你还在公司？"

"是的，怎么了？"

"我立刻过来，资料在我公司电脑都有，等我二十分钟。"

那头安静了一下，然后许飞的声音再次响起："今天是周日，你不用特意加班。"

这句话是讽刺吗？你不是正在周日加班研究我的计划书？钱多多抓着方向盘低头认错。

"对不起，问题出在我这里，请给我补救的机会。"钱多多一手电话，另一手方向盘，油门踩得很用力。

挂上电话以后她又拨给简妮，电话那头女声单调重复："您拨叫的电话不在服务区。"

拨了数次都是这样，钱多多怒火狂飙，扔下电话宣布放弃，一路加速往公司去。

她虽然性格直接爽快，但是工作的时候一向很仔细，这个错漏的起因很明显在简妮身上，但是她作为项目负责人，无论如何都不可能推卸自己的责任。

一路思考对策，进入公司地下车库后她已经冷静下来，等电梯的时候看到自己有些挫败的表情，她习惯性地掐了掐自己的手腕内侧，迫使自己精神一点。

的确是她的错，以前做任何报告她都会在上交前仔细核对，但是最近心事重重，竟然错漏这么重要的错误，如果许飞待会要大发雷霆，或者冷嘲热讽，她全都无话可说。

市场部里空无一人，总监办公室门和百叶窗都合着，钱多多跑进去之后不急着找他，先奔到自己电脑前里把资料调出来重新整理了一下。

一切就绪之后她才走过去敲门，没有意料之中的回应，门直接从里面打开，许飞一手还在门把手上，隔着一尺的距离招呼她："钱经理，你来了。"

他态度很好，脸上甚至还微笑着，和她想象中的情景相差十万八千里，钱多多还没来得及说话就愣了一下，回神就有些跟不上状况："呃，你好，总监。"

"你来得很快。"

Boss和颜悦色，钱多多再怎么心急火燎都顺着答了一句："是，休息日嘛。"

然后才快步走到他桌前找了个地方放下自己的电脑，又回身看了他一眼："总监，我把资料都带来了，可以开始修改了吗？"

"可以，你等一下。"许飞转身走到办公桌前找出那份计划书。钱多多低头就看到许多的铅笔痕迹，文字数字，线条图案，什么都有。

第一次看到那么仔细的批注，钱多多立刻打点十二万分的精神，打开自己的笔记本电脑准备应战。

这个男人在工作上的确能力超群，而且有着跟年龄不符的勤力，否则也不可能被选中万里挑一的管理培训生，接着又一路过关斩将，成为最年轻的传奇总监。

在公司相处一月有余，钱多多对这点已经看得很清楚，因此一旦在工作状态下面对他，早已养成了即时全神贯注的好习惯。

一边改一边征询他的意见，许飞措辞很中肯，钱多多点头表示赞同，抱着自己的电脑当场修改。

一旦投入工作就忘记时间，再抬头钱多多惊呼："七点了？"

许飞也抬头看钟："钱经理有约会？"

突然想起昨天他看到她和叶明申在一起的那个眼光，钱多多敏感："昨天在环艺——"

许飞笑，他长相有些娃娃脸，笑起来眼角弯弯的，更是阳光灿烂："你约会嘛，不跟我打招呼很正常，对了，以后别叫我总监了，我第一天开始就要求大家叫我 Kerry，只有你总是忘记。"

这是什么意思？示好？免战牌？对他的态度感到诧异，钱多多混乱了。

原本以为他会挟机报复，给她穿穿小鞋什么的，她过来的时候满心的戒备和不安，没想到他态度友善，对于她的错失没有只字责怪，这样的举动堪比自备车马雪中送炭，最后还在她家门前帮忙扫雪，太感动了，她反而没反应。

不是她钱多多小气不能容忍突然空降的年轻上司，实在是他们两个相识伊始太劲爆了，她虽然自诩现代人，好歹也算熟女之流，但面对一个曾经跟醉酒之后的自己互相缠绕着法式湿吻的男上司，不舍得甩手辞职，又不能整天当他透明，实在很难摸索到一套完美的相处模式。

不过钱多多一向吃软不吃硬，他态度亲和，又刚刚帮了她一个大忙，实在不好再摆之前的那些臭脸，她放缓态度回答："那你也别再叫我钱经理了，听上去很奇怪。"

"那叫你什么？"

"叫我 Dora 好了，Sam 他们都是这么叫我的。"

他又笑："Dora？听上去像儿童冒险小主角的名字。"

计划书修改完毕，大功告成，钱多多心情好转，这时不由自主轻松下来："那你跟我的 team 一起叫我老大，我也不介意。"

"OK！"他做严肃表情，"那你让 Sam 先这么叫我，成了公司文化以后我一定照办。"

Sam 是这儿的洋老总，长得跟圣诞老人差不多，钱多多忍不住幻想他嘴里冒出老大这两个字的样子，憋不住笑了出来。

"好，计划书很不错，周一等着看你表演，到时候我坐在下面第一个鼓掌，放心吧。"不说笑了，许飞结束话题。

打印机送纸声迅速，想到周一例会时就要用到，钱多多抓紧时间拿着刚打好的计划书又去了趟影印间复印装订，回来的时候满手文件夹。

虽然是周日，但是一路走过还是看到很多同事进出公司，海外部更是忙碌，就着时差开视频会议，偌大的会议室坐满了人。

会议室玻璃幕墙没有拉下遮光帘，钱多多抱着文件夹路过的时候正好被坐在正手位置的海外部主管看到，老远对她笑了笑，颇多同舟共济之色。

钱多多有点尴尬，像是小时候占了原本不属于自己的夸奖，想解释都不知从何说起。

一切结束之后，钱多多去敲总监室的门跟他告辞："总监，哦，Kerry，那我先走了。"

许飞正坐在桌前低头忙碌，听到声音抬起头笑笑，也不挽留："好，路上小心。"

那表情太自然了，脑子里仿佛听见"叮"的一声，豁然开朗，一个月来被那个酒后亲吻困扰的钱多多，终于松了口气。

大家都是成年人，忘了吧忘了吧，人家年龄比她小，又长了一张全民偶像的脸，说来说去，她也不吃亏啊。

一旦松懈防备感就散了，又近距离被这样的光芒笼罩，自认对他的个人魅力免疫的钱多多也被照得眯眼一秒钟。

骂自己没用，钱多多转身想走，但脚步迈不出去，迟疑几秒还是走回去。

好吧，她钱多多虽然不是什么圣人君子，但是人家今天这么帮忙，态度又好，虽说大家一条船上的，她出丑他面子上也不好看，但做人要知恩图报，别人都做到这个份上了，她总不能再那么睚眦毕报下去，显得她小气。

"Kerry，今天谢谢你。"

他放下手里的东西看过来，笑笑回答："不用。"

"你还在忙什么？"她看一眼表，随口一问。

"我想看一下这几年新型饮料市场反馈的数据，这些是去年的，丸美和正江昨天刚整理完。"

市场反馈？她有点疑惑，走得近了看到报表才明白他说的是什么，然后禁不住就有些想叹气的感觉。

想起上个月她也曾经无意看到他在反复翻阅这一类的资料，市场部总监的工作并不轻松，更何况他还是半路空降下来的，现在在进行得这些项目就够他伤脑筋的了，这男人哪里来的无边精力，这样几乎可以称得上毫无意义的东西都会不停地花时间。

低头扫过那份数据，钱多多眉头一拧。

这个项目是她曾经参与过的，所以一眼扫过就很熟悉，反馈的数据当年由她亲自负责整理的，再交到统计部负责列档保管，至少保留三年，怎么到他手里居然只是一些原始数据，列表都没有一份，他这么看要看到哪年哪月去？

要不要告诉他？嘴已经张开了，突然想起前任总监所说的话，心中突地打了个惊。

算了，这条路人人难走，她何必趟这个浑水。

许飞空降国内，摆明了就是来探路的先锋军，他能不能站稳脚跟，与他的直属上司今后的江山稳固关系密切，亚洲区这样一个肥缺，原来的势力怎会就这样轻易放手？

多事之秋，每个部门总监都有自己的打算，不怕做错事，只怕站错群，亘古不变的道理，这样的时候，她最好还是一切保持缄默的好。

想好了，她再次打算撤退。

身体角度已经开始往外偏，脚尖跟着动，窗外已经夜色笼罩，他翻动文件，窸窸窣窣的声音，她是站着的，从这个角度看过去，只看到他浓密发心，很漂亮的一个旋，眉毛也是，乌黑笔直。

还看？还不走？

心里在说话，她张开嘴要自己告辞。

周末没有人，办公室真安静，他还低着头，看得很仔细，眉头微微皱起来，手里拿着一支铅笔，灯光很亮，他睫毛的阴影投在眼窝下，也在微微动。

一根手指落在报表上，雪白的A4纸，密密麻麻的数字，她指甲修剪得很简单，也没有任何装饰，粉色之外的边缘短短的，雪白圆润的一弯弧线。

"错了，这个数据错了。"耳边听到自己的声音，跟原来设想的完全不一样，手指还落在那个数字上，钱多多瞪着它好像在瞪一只不听话的猫。

而他抬起头对她笑，因为仍是坐着的，睫毛的阴影投在眼窝下，在笑意里微微地动。

| 06 |

恋爱的成本

钱多多启示录 No.6

　　恋爱是有成本的，到了这个时候，谁能不计付出与回报？年轻的时候，就算头破血流，就算一败涂地，大不了跌倒了再爬起，失败了从头再来。现在？现在还能吗？

1

　　接下来的一周仍是忙碌非常，钱多多每天早上匆匆上班，晚上回家披星戴月，钱妈妈想抓住女儿询问她个人问题的进展都没时间。

　　知道老妈的习惯和心思，又怕了她紧迫逼问，钱多多这一周的时间一半是真的忙碌，另一半绝对是故意的，因此好几天晚上都成为市场部里人去楼空以后的留守人物。

　　市场部是所有项目的源头与核心，各个部门都要与这里协作整合，每天偌大的办公区都人来人往，忙碌不堪，越是热闹的地方，一旦安静下来反差就越是大，独自办公的时候，雪亮顶灯照在一张张空荡荡的桌子上，人去楼空，感觉苍白。

　　白天闪烁不停的所有电脑屏幕这时一片黑暗，每张桌上的东西都显得比平时要突兀许多，随便一个动作都好像有回声。

　　过去这样的经历也不是没有过，其实很习惯了，不是这样拼，她也做不到这个位置；有时候做得晚了，她偶尔会突发奇想，感觉这世界莫不是生化危机过了，外面早已没有活人，而她还偏安一角，忙活着再也派不上用处的工作，全不知自己就是全人类的仅存硕果。

　　想着想着就会忍不住笑起来，有时走出去看到大楼保安还有点克制不住自己的笑意，这样自得其乐，保不定在他们的传言里，她就是 UVL 加班到精神失常的第一块牌子。

　　可惜现在这样隐秘的乐趣都没有了，再晚办公室里都有人共同奋斗，看了一眼坐在斜侧正在埋头打字的丸美，钱多多暗暗叹口气。

　　左右手在，他们的顶头上司当然在，总监大人最近工作量大，所以左手右手轮流陪同加班，排场大得很，她钱多多就比较惨，一个助理都没留下，全都作鸟兽散。

　　电脑发出简单的收信声，钱多多回神打开 mail，信件抬头是总监大人的，估计是回复她刚传过去那份报告的修改意见，工作工作，她看信的时候全神贯注。

信的内容很简单，寥寥数语，修改意见不多，最后还跟了一句问候："Dora，我刚观察过窗外街景，一切正常，抱歉，你所期待生化危机仍旧没有发生。"后面还煞有介事地跟了公元开头的标准报时，看得钱多多直接竖起眉毛。

相处时间久了，那天他又帮了自己的大忙，她也不是什么蛮不讲理的人，渐渐也就不再对他百般防备，而他更好，私下里越来越不像她的顶头上司。

不过再怎么相处融洽也该有个限度，钱多多现在开始后悔自己这两天不知不觉跟他聊得太多，有些人就是会仗着自己还年轻就时不时耍一下疯癫，往总监办公室瞪了一眼，那扇大窗的百叶帘全部敞开着，她每次一侧头就可以看到许飞漂亮的侧影，在宽阔办公桌后持续忙碌，永不疲倦的样子，这时仿佛感觉到她的注视，遥遥看过来，还对着她的表情眨了眨眼睛。

怎么有人永远精神那么好？都工作十几个小时了，笑起来还是神清气爽的样子，再说了，做到总监了还这么拼，还给不给别人活路走了？

妒忌了，钱多多霍地转回来不看他。

丸美在旁边笑眯眯地递过精致的食盒："钱经理，寿司还有，要不要再吃一点。"

钱多多张口想说别叫经理，但是想起来这是永远的无用功，遂自动闭嘴，然后接过来非常客气地点头谢谢，拿起一个就塞进嘴里。

没事，客气来客气去，慢慢就习惯了，有他们在也好，至少每天加班的福利都不错，吃得讲究。

吃完把食盒还给丸美，她站起来双手接过去，桌上电话响，她又说了声不好意思再接，接的时候说日语，嗨嗨不断，声音特别温柔，钱多多敲键盘的时候都不敢太大声。

挂了电话丸美站起来到许飞那里说话，看来是要求提早结束工作了，出来又跟她道别，又是一阵客气，等她消失钱多多笑容都僵了。

低头看表，时间也差不多了，打算抓紧时间把那几个地方修改完毕再回家，刚打开文件，头顶突然有声音："忘了说了，这个地方也要改一下。"

知道是谁，可能是总监大人突然记起有个地方没有在邮件中吩咐到，这时亲自走到她身边，一手撑在她的桌角上，另一手指点着屏幕讲话。

"需要吗？这部分过去从来没有详细列出的先例。"钱多多照实说，并不是第一次做这样的报告，她一向驾轻就熟，但这回不同，许飞要求之高前所未有，她也大开眼界。

"这次亚洲区会议很重要，我还有一个关于新型饮料规模化投入市场的提案，会在这份总结之后的另一个会议上提出。Dora，你可要先抓住大家的眼球。"

"新型饮料？你真的要？"最近与他在一起加班频繁，有许多事情，他对她并不保密，有些时候甚至是毫不避忌，再联系他来这里的前因后果，她对这个提案的内容心中早已隐约有了猜测。

只是猜测而已，说实话她并不敢相信，再加上局势微妙，她这段时间在任何人面前都是一径的三缄其口。

没想到现在竟是他率先提了出来，吃惊了，她的疑问脱口而出。

他原本站在她身后，这时低头看过来："怎么？"

糊涂了，怎么这种问题都问了出来，大悔，钱多多立刻缄默。

"对了，还有这里。"仿佛刚才的对话没有发生过，他又指点屏幕，许飞人高，说话的时候很自然地俯下身子，同样是整天工作，但他身上的味道奇迹般的仍旧非常清爽，让人联想起浓荫碧翠的一棵树，晒透了阳光，凑近了鼻端就仿佛隐隐透着木香。

他站的是她的侧后方，两个人并没有紧紧挨着，明明是很自然的一个动作，但她竟突然无措起来，身子动了动，想拉开一点距离，但一偏头又看到他近在咫尺的侧脸，利落短发，可能刚刚修剪过，耳根露出来，就在眼前，干净清爽的一抹白。

"Dora？"发觉她没有在听，他停下继续说的话，眉毛一抬，又低头看她，下颚与她的前额挨得近了点，呼吸温暖，轻拂而过。

大门处有刷卡声，然后是自动门移开的声音，有人往里走，看到他们俩"哎"了一声。

"Kerry，Dora，还在加班？"是任志强，脸上惊诧之色一晃而过，然后笔直往自己的桌子走，"忘了一份文件，都快八点了，你们吃饭了吗？"

老江湖了，任志强这两句话说得滴水不漏，仿佛刚才看到的是世上最正常的情景。

事实是本来就没什么不正常的，钱多多在心里大骂自己刚才的非正常反应。

任志强走了以后许飞也回了自己的办公室，两个人又忙了一会儿，钱多多心里骂过自己以后定下神埋头做事，不知哪来的一股劲，反而一鼓作气，速度加快许多。

最后检查了一遍，按下发送键，她站起来舒了舒脖子，然后转头看总监办公室。

他已经收到邮件，又抬头往她这里看。

决定今天到此为止，钱多多对他做告辞的口形。

等电梯的时候身后传来脚步声，回头看到总监大人也走出来了，立到她身边一同等电梯："辛苦了，饿不饿？"

"不饿，之前的寿司还没消化呢。"跟总监一起加班有好处，她这两天享受了诸多日式美食，"再说回家我妈肯定逼着我再吃一顿，想不吃都不行。"

"多好，有人在家等你吃饭。"

"是啊，胃口越撑越大，你呢？"

"我？我一个人。"

她仰头看着电梯上的指示灯，他低着头回答问题，眼下就是她的肩膀，发梢很顺，柔软地落在黑色小西装的肩袖处，暗暗闪着光。

"家里其他人呢？"太晚了，电梯只开了一架，不知在哪一层耽搁了，久久不动。

"我爸妈？很久没见了，他们是生物学家，现在应该在南美洲吧，据说又发现了某种濒临灭绝的奇葩，乐不思蜀了。"

"你们都不联系？"头回听说这样的家庭。

"雨林里不通电话，过去一年见一次了不起了。"他笑得有趣，"不过现在好很多，到底科技发达了，一个月至少能听到他们念我一回。"

"你这样一个人多久了？"这种家庭太特殊了，她忍不住好奇一把。

"初中就开始一个人，从小寄宿学校待习惯了，同学很多，也不觉得怎么样。"

这也能习惯？想到自己每日得见的老爸老妈，父母父母，果然世上没有相同的两片叶子。

电梯门终于打开，她往里走，习惯性地站到右侧，伸出手指点地下二层。

他的习惯也一样，身体同时探过来，肩膀相擦，她突然又闻到那莫名的木香，鼻端贪婪，仿佛动物本能，想贴近了深呼吸。

动物本能更知道危险，她后退一步，让头发盖住自己突然火热的双耳。

两个人都不说话，太安静了，为了掩饰那种怪异的感觉，钱多多逼着自己继续说："一直一个人，不觉得累吗？"

他低头看着她，电梯里没有风，她的长发安静地落在肩膀上，苍白的灯光从上直射下来，钱多多很少化妆，工作了整整一天，脸上只有一点疲色，并没有许多女生都会有的脂粉憔悴的烦恼，说话的时候眼睛盯着电梯门，额头弧线美好，清秀舒朗，小巧的耳朵埋在发丝里，隐约一点红色。

有点想帮她把那缕头发拨开来，手指不由自主地微微一动，又克制住了："还好，我有秘诀。"

"秘诀？"如果无论何时都能保持神采奕奕也有秘诀，她倒是很想听一下。

"我跑步。"电梯已经到达车库，他扶住门以后对她眨眨眼，表情很可爱。

跑步？这算什么秘诀，钱多多很想反驳，但是突然想起第一次见面的地铁中，他穿得运动，四肢舒展，万众瞩目中追回了她的包，忍不住求证："那天在地铁——"

"想起来了？"他立在车前回答，回首一笑，"刚跑完，看到地铁站就下去了，没想到遇见你。"

那笑容明亮，地下车库忽然闪过阳光，心脏又怦咚跳了一下，钱多多告别的时候故作镇定，坐进车里以后却拿手捶扶手箱。

色戒色戒，男色误人，人家民族大义都泡汤了，她这样下去可如何是好？

2

地下停车库的出口窄小，他们的车一前一后缓缓开出，钱多多开一辆小小的两厢车，后尾圆润小巧，路口分道的时候轻轻闪两下刹车灯，以示告别。

他坐在车里看得出神，为了一个简单闪烁的灯光告别，感觉很温暖。

没想到自己会跟她谈起父母，还很自然。

"一直一个人，不觉得累吗？"

真是个好问题，但他是男人，神经不够纤细，很少把孤独与疲倦相联系。

年少的时候寄宿学校，工作后整日忙碌，再不济也能找一班朋友排遣寂寞。有一段时间他的公寓总像个杂乱的派对场，偶尔曲终人散，一室空寂，忽然感觉胸口缺了一块，但第二天晨起便恢复原样，继续精神百倍。

他还记得很小的时候父亲带他去丛林，看到独自在溪边喝水的小兽，很远的地方站着它的父母，远远凝视许久，然后便消失无踪，任它抬起头来立在原地，低声呜咽着面对独立的开始。

这是自然界的法则，他从小就明白了，所以后来当他被赋予无限信任，从初中起就被独自留在国内生活的时候，自己完全不以为意，甚至觉得那是对自己能力的肯定，反生出一丝骄傲。

独来独往习惯了，他连自己的父母的陪伴都不是很眷恋。只是最近，竟然渐渐习惯了生活中有另一个人的存在，习惯了抬眼看到她低头忙碌的侧影，习惯了一起加班到星月齐升，还有，习惯了这样简单温暖的告别。

开车的时候他持续出神，所以速度并不快，开始下雨，初春的夜雨，细密如丝，公寓离公司并不远，拐过弯之后大楼就近在眼前，他也没有开雨刮器，道路安静，前后都没有车，路边有个女孩子独自走着，没有打伞，步子很大，觉得有些怪异，他匆匆一瞥。

光线不好，她又披散着头发，长长的发梢来回晃荡，一瞥之后觉得眼熟，他再看了一眼。

奇怪了，是不是因为老想着一个人的关系，他居然会觉得那个街边的女子很像钱多多。

无奈一笑，小区门口到了，他回头打方向，突然一阵炫目灯光，一辆车从小区里疾驰而出，车头险险与他的掠过，他的驾驶技术再怎么熟练都猛吃一惊。

急打方向，刹车声急促刺耳，车头猛靠向内角路边，那女孩子被刹车声和突如其来的意外惊动，惊惶一退，路沿湿滑，她没有保持好平衡，险险贴着他的车身坐倒在地上。

一切发生在瞬间，交错时那车大灯雪亮炫目，而她倒下的动作仿佛慢镜头，双眼惊恐，一片空白。

他这一下刹车刹得肾上腺素狂飙，心跳至少两百，顾不上那辆已经驶到无影的肇事车，跳下来就去扶她。

她已经努力地从地上爬起来，仰头看他的时候脸色苍白若死，一点血色都没有。

"有没有受伤？需要的话我送你去医院。"

她拒绝他的搀扶，扶着车身站稳，然后转脸去看那车消失的方向，手指瑟瑟地抖，看来吓得不清，许久都没有出声。

"小姐？"近距离看，这女孩子的五官的确和钱多多稍有些相似，但她皮肤油润，额角饱满，最多二十出头，两者年龄相差很远。

小区里的保安已经跑出来，都认得他，先过来维护业主："许先生，刚才那辆车是访客的，有没有擦到您的车？摄像头都有记录，如果有问题我们——"

"我的车没事。"他抬手阻止他们说下去，然后转头继续问她，"小姐？需要去医院吗？"

她终于转过脸来，给了他们一个正面，那群保安中又有人说话："马小姐？你今天怎么走回来的？车呢？"

她不回答，只是对着许飞点头，又扯了扯嘴角，表示没事："你走吧，我刚才只是吓了一跳，没受伤。"

"你等一下。"看她又要往里走，他边拨电话边阻止。

有人叫，那些围过来的保安一个个散开，他拨给司机，简单问了几句就挂电话，然后把附在行驶证套里的保险公司随车卡拿了出来。

迎面又有阿姨匆匆走过来，可能是接到保安的通知，叫她的时候声音有点急："马小姐，你怎么才回来，先生打了好几个电话过来。"

果然是这里的住户，许飞在她离开前给了她一个保险公司的电话，旁边抄着这台车的保险号："小姐，如果有问题打电话给他们，这里的摄像头有存证，保险公司会派人处理。"

她已经走到那阿姨身边，回头接过卡片的时候匆匆说了声谢谢，然后催促着身前的阿姨快走。

不再多看她们，许飞接着一转身，身后还立着那个刚才发声的保安，正看着那个女孩子消失的方向表情古怪。

"怎么了？"虽然很危险，但整件事情已经处理完毕，他上车前随口一问。

"许先生，您心肠太好了，又不是您的责任，这个女人前段时间才住到这里的，给人家包养，包养她的男人年纪蛮大了，也很少来，谁知道在搞什么。这种女人，撞死了也活该。"他撇着嘴说话，状甚不屑。

是吗？原来是这样的，还那样年轻，长得有点像钱多多呢，真可惜，竟然长得有点像她。

又不是什么清平世界，这种事城市里每天发生，无意听他的八卦，许飞笑笑上车。

电梯打开的时候里面空无一人，四壁晶莹，走进去只有他和镜里的他，这一天忙碌不堪，临了又发生那样一个意外，觉得有点累了，他用手抹了抹脸。

这样高强度的每一天，男人尚且如此，女人岂不是更精疲力竭？怪不得许多男女，愿意依靠在另一个人的身上，乐得坐享其成。

又想起钱多多了，想起她刚才在电梯里的一抹疲惫，素颜清秀，问他一个人不累吗？开口的时候微微皱着眉。

走出电梯，开门进屋，他冲澡换衣，然后打开电脑修改提案，信箱提示跳出来，是法国来的加密邮件，内容不长，但他花了很久才看完，看完之后也没有立即回复，站起来伸手去拿电话。

立到窗前看着远处的万家灯火拨号码，那头接得有点慢，背景是很家常的电视连续剧，哭哭笑笑，热热闹闹。

他只"喂"了一声，钱多多的声音便忽然变闷，明显是仓促捂住电话又回头说话："妈，电视开小声一点，我电话。"

"什么事Kerry？"她再说话的时候好像移到了一个比较安静的地方，但还是有些含糊。

"你在吃东西？"

她在吃苹果，刚咬了一大口，又不能吐掉，心里叹口气，捂住话筒努力咽下去之后再说话："好了，你说吧。"

幻想那头是一只正在努力吞咽满嘴食物的松鼠，他看到窗上的自己皱着的眉头微微松开来一点。

问了几个问题，她听得全神贯注，然后有电脑启动的声音："行，我现在就把数据告诉你。"

等待电脑启动的时间很短，不过持续沉默觉得很怪异，钱多多输入密码的时候夹着话筒随口问了一句："吃饭没有？"

他忘了，不过丸美的寿司很抵饿，看完刚才那封信之后，更是一点感觉都没有了。

"还没，等会吃。"

"要吃啊，当心胃出毛病，跟我一样就惨了。"她边找边回答，然后"啊"了一声，"找到了。"

他走回桌前拿笔记下她报的数据，铅笔摩擦纸张，刷刷的声音："好了，谢谢，这么晚了，不好意思。"

"工作嘛，应该的，明天见。"她回答得很快。

"多多。"知道她下一个动作就是挂电话，他出声阻止。

"嗯？"头回听到他这样称呼自己，钱多多反应有点迟缓。

"工作强度那么大，不觉得累吗？"

Boss突然来这么一说，照过去的钱多多，一定猛然戒备，心中跑马，上百个圈都绕过了，但此时此刻，自己房里灯光柔和，身下圈椅舒服松软，手里还拿着半只苹果，被啃得狼狈，像是一个滑稽的笑脸。

太轻松了，那头的声音低缓，又加重了这种气氛，她被这一切所麻痹，竟然毫无警惕之心地笑着回答："不是说恭逢盛世吗？总监大人进场头一天就说了，要抓住这个最好的证明自己的机会，就在此时，此地。"

心情原本很复杂，但听完她的话仍旧笑出声。

这样生机勃勃，仿佛跺跺脚就能出发的女子，多么好。

打完这个电话以后他又打开那封邮件看了一遍，终于下指回信，但刚打完第一个词，又不自觉地抬头，再次看了一眼静静搁在一边的那个电话。

3

合上电话之后，钱多多继续咬苹果，另一手去按关机，关闭窗口跳出来，随之响起的还有邮箱提示的声音。

叹了口气，她点取消键，然后认命地打开邮箱查信。

邮件是副总经理李卫立发来的，内容很简单，让她明天一早到他的办公室面谈。

慢慢坐直了身子，她看着那一行简单的英文句子出神。

终于来了，她双手放在键盘上，最简单的一个 ok，但很久都没有敲下去。

权力更替，高层相争，这是一场可以预见的疾风骤雨，只是没想到来得这么快。

距离许飞落地的时间不过数月，那烟火味竟然已经传到了她的鼻端，又能怎么样？市场部现在是风口浪尖的地方，她再怎么样都不可能独善其身。

苦笑了，她手指一动，最后还是把那个回复发了出去。

思索第二天会遇到什么问题，又如何应答，这天晚上钱多多睁着眼睛翻来覆去想了很久。

过去她初入职场，第一年就亲眼目睹，亲身经历自己所在项目的经理与另一位平级同僚为了争夺权力、地位和升职的机会而彼此互斗，这种斗争一直延伸到团队中的每一个人头上，派系分明，哪里还谈得上沟通合作。

她曾经幼稚地以为再怎么样的派系之争都会有中立派的生存余地，只要她能够把手头的事情做到天衣无缝，不与其他人过多亲近或者疏远，就能避开冲突。

但是结果是她遭到各方的冷漠对待，最后撕破脸皮见真章的时候，她的态度被视为异类，主管给她安排的工作都是重复的事务性劳动，越是琐碎越容易找到过失和瑕疵，她再怎么疲于奔命都没有成效。

幸运的是她在疲于奔命的过程中结识了后来的顶头上司，然后便是突如其来的一纸调令救她于水火之中。

进入总公司市场部的第一天，当时的高级经理，也就是当年那个对她循循善诱，劝她权衡大好前途的精英女给她的第一条教诲就是："Dora，你的能力没问题，但是这世上有能力的人千千万，出来做事，处理好各方面的关系更重要。"

话说得光滑圆润，其实真正含义只有一个，任何地方都一样，如果她想做下去，那就一定要跟对人。

良言近乎金玉，现实残酷，她过去再不能苟同到了那时都得点头受教。

这些年风风雨雨，她自我感觉早已经十八般武艺练就，就算这次突然升职不成，也不过气闷挣扎了一段时间，慢慢也就咽了下去。照旧努力照旧做事。

但这次不同，事关高层更替，眼下任何一举一动都可能引火上身，整个亚洲区正处于局势微妙的冷战期，高层壁垒分明，是超级大国，中层们处于第二世界，个个按兵不动观风向，再往下如她这样的第三世界，弄得不好就是炮灰的最好角色。

怎么办？烦起来，她又翻了个身。

迷迷糊糊大半夜，实在是累了，最后她还是睡了过去，心里有事，睡得就不安稳，又做梦，梦里自己迷茫失措地独自奔跑，街上空无一人，鞋跟急促落地的声音传到很远。

跑到家里也是空空荡荡，她打开每间屋子寻觅若狂，忽然被人从背后抱住，她竟不觉恐惧，只觉得那人的怀抱温暖，自己终于能够安定下来。

回手反抱住那双臂膀，仍觉得不够，孤单太久的身体渴望拥抱，她又努力想转身，刚一侧头，忽然耳边闹铃炸响，整个人惊跳起来，卧室里已经天光大亮，原来只是个梦。

时间还早，她坐在床上双手抱住自己沉默，在初春的清晨感觉清冷无依。

原来自己错了，原来她还是需要的，需要一个人，被她所爱所信任，然后最重要的是，就算全世界都背过身去的时候，她还有他在身边。

再怎么不愿意，时间仍旧一分一秒地过去，钱多多仍旧按时到达了李卫立的办公室门外。

深吸一口气才敲门，推进去的时候李卫立已经站起来，很亲切地对着她一笑，然后让她坐。

打点精神，钱多多微笑开口："Willie，刚回来？"

"是啊，跑了一次伦敦总部，昨天刚到上海，对了，遇见 Danli 跟他打了场高尔夫，他特别提到你，说好久不见，让我带一句问候。"

Danli 是她在新加坡曾经的 Boss，后来又升职去了伦敦总部，实力派人物却仍旧八面玲珑，钱多多对他印象深刻。

"是吗？他居然还记得我，谢谢。"

"怎么会不记得，你工作一向出色，到哪里都是出了名的美女经理，这次就连欧洲区那块都有人跟我打听你。"

"您说笑了，怎么会。"

"呵呵，哪里说笑了，工作出色还是美女经理？都是事实。"他笑得一脸和蔼，然后又叹了口气，"Dora，其实我一直很看好你，这次可惜了，最近觉得还适应吗？"

来了——心里警铃大作，钱多多神经高度紧张，回答的语速却很慢，回答前停顿一秒钟再开口："最近几个项目都快收尾了，市场反馈不错，各个部门的协作配合都很顺畅，内陆城市的需求量提高迅速，我在报告中特意提出过。"

说了半天都是废话，她的太极打得好，人家的推手也接得快："很好，市场部的一直效率卓越，大家都有目共睹，现在几个项目都已经顺利完成，就等着接下来的重头戏，你们准备得如何了？"

人家问到头上来了，钱多多再次停顿一秒钟，然后笑着说话："我们当然是时刻准备着接受任务，全力以赴。"

"很好，Dora，新任总监在日本工作期间非常成功，也是总部最近注目的焦点人物，他刚到亚洲区，你跟他在一起时间比较多，有机会跟他多学学吧。"

"是，我一定会的。"她继续微笑。

"对了，说到Kerry，他之前在日本负责的项目的确令人印象深刻。"

心中一凛，钱多多斟字酌句："是，Kerry的确能力超群，不过日本一向列为单独市场独立运作，那里的项目可能与这里的交流比较少，所以我们都不太熟悉。"

她的话说得滴水不漏，李卫立倒也不强求结果，他是新加坡人，年龄已过五十，曾经在伦敦总部任职区域总监，年前到亚洲区，说是升职，实属养老，这个职位名头很大，但实质权力并不多，因此此人平日也行事低调，只求稳妥。

笑着又寒暄了几句，然后借说要开会，就让她下楼了。

紧绷的神经直到走进电梯才稍稍松下来，钱多多看着镜门上的自己长出了一口气。

没想到这次第一个出面的是李卫立，他是保守派的边缘人物，来亚洲区不过求个安稳退休，被推出来试探她想来也不过是因为人在江湖，身不由己，所以三言两语过个场，竟就这样放过了她。

她是第一个被提出来的吗？是不是觉得她升职不成会心中不满，比较好下手？

或者她已经是最后一个，前任总监已经离职，她又未能往上一步，靠山不明，前途叵测，说不定已经被划入边缘人物，不值得多谈。

还有许飞过去的那个项目和现在他正准备提出的方案有什么联系？惊动了谁的地盘？毫无关联的东拉西扯在这里行不通，至少在这个楼面上不可能，字字玄机，她光是想一遍就觉得脑子发胀。

李卫立只是来探个口风，今后不知道还有多少人物等着试她的忠贞与风向，光是这么遥想就觉得心都累到要垮掉，电梯还在持续下降，左右无人，突然烦躁不堪，暴力欲望狂飙，一身职业淑女装的钱多多忍不住一步跨到摄像头的死角里，反脚狠狠踹了一下身后明晃晃的电梯壁角。

4

暴力不能解决任何问题，钱多多的郁闷在工作中继续。下午她一个人去工厂，回到家已经过了晚饭时间，爸爸妈妈正在看电视，桌上倒是饭菜都给她留着，钱多多进门的时候妈妈站起来念叨："我说你这是上班还是上刑呢，天天都弄到这么晚，等会儿，我给你把饭热一热。"

"妈你别忙了，我自己来。"怕多说一句勾起妈妈的长篇大论，钱多多抢着端起饭走进厨房。

吃完以后她进厨房洗碗，耳里听到妈妈在客厅接电话，妈妈说话中气很足，她手里正在刷碗，隔着厨房门也听得清清楚楚："真的？下个月就办酒席？好好，我到时候一定到，唉，甜甜出生的时候我还抱过她呢，一转眼都要嫁人了。"

感叹了一会儿，妈妈的声音突然拔高："我们家多多？唉，别提了，这孩子可操心死我了——"

伸手就把水龙头开大，钱多多努力装没听见，身后有脚步声，一回头看到爸爸也躲了进来，一手里端着茶杯，另一手去拿水瓶，她看了一眼那杯子，然后压低声音说了一句："爸，杯里是满的。"

钱爸爸嘿嘿笑，也压低声音回了一句："嘘，我就是进来躲躲。"

了解，叹了口气，钱多多和自己的老爸相对苦笑。

走出厨房之后看到自己妈妈的脸又掉下来了，钱多多识相地低头进房，关上门打开电脑，做埋头忙碌状。

要做的事情的确很多，但她心里烦乱，怎么都静不下来，简单的一段情况分析写了两三个小时都是一团糟。

电脑传来邮件送达的声响，她打开看到是许飞发来的，一列问题，全是关于那份报告的。

标的并不是急件，但她仍是点了回复，十指落键准备回答，想了想又放弃，直接拨了他的电话。

铃声一响就被他接起来，叫她的名字，声音有些哑，不过仍是笑笑的。

她开口与他讨论那份报告，问答间那头还传来键盘的敲打声，一听便知他仍在工作。

"这么晚了还在公司？"她看时间。

"不，在酒店。"

"酒店？"她诧异。

"我在东京，明天回上海。"他答得简短。

东京？她愣住了，怪不得今天一整天都没有见过这个男人，原本早上该他主持的市场部会议也临时取消，原来他跑到国外去了。

再看了一眼时间，算上时差，那边岂不是已经半夜三更？两天一个来回还能工作到这个点，果然年轻就是好，铁打的精神。

再一次自叹不如了，钱多多垂头丧气。

不知道还能说些什么，但是耳朵好像习惯了那个略哑的声音，她竟呆呆举着电话不想动。

"Dora？"等不到回答，那头倒也不挂，两秒钟后他突然轻声补了一句，"想不想听笑话？"

"啊？"半夜Boss在国际长途里讲笑话，她这次真的呆住了。

他已经开始讲了："你听好啊，发洪水的时候动物都上了诺亚方舟，太多了要沉，大家说那我们比赛讲笑话，有人没笑就丢下去，恐龙第一个，说的笑话很有趣，大家都笑了，只有猪没表情，只好把恐龙丢了下去，第二个轮到牛，牛嘴笨，又紧张，说完后一个笑的都没有，只有猪捧着肚子大声笑，惹得大家都笑了，笑完大家还问猪，哪里好笑啊？猪说，好好笑啊，恐龙说的笑话真的好好笑。"

这笑话很长，他一开始说的时候还有些断续，后来就顺了，最后还哑着嗓子连说了两句好好笑，她听完心情再差都憋不住了，扑哧一下笑出了声。

"好了，早点休息，报告的事情等我回来再说，也没那么急。"他也笑着补了一句，然后与她道别。

放下电话钱多多又在电脑前坐了一会儿，心里想着把那段情况说明写完，但耳边翻来覆去都是那句"好好笑",实在写不下去了,她最后笑着上了床。

这一天烦心的事情很多,原以为自己会辗转反侧,但奇妙的是,她躺下之后居然睡得很好,嘴角都是弯弯的。

5

许飞第二天就回了上海,接下来几天整个市场部全都处于极度忙碌的状态,一直持续到香港年会前的周末。

周日就要飞香港,整个周六钱多多和许飞都在公司加班,再三确定那份总结报告不出一丝纰漏。

时间越来越晚,她从早忙到晚,中午就随便吃了点东西,到最后饿得前胸贴后背,等待许飞最终肯定通过的时候,她坐在他宽大的办公桌前几乎能够听到自己那些可怜的饥肠发出来的辘辘声。

等不下去了,她终于忍不住推椅站起来告辞:"Kerry,我想去吃点东西,要不等下再过来。"

"你饿了?"他停下笔看了看表,然后笑得有点不好意思,"这么晚了,我都没注意到。"

"你不饿?"她挑起眉毛反问。

"一起去吧,这份报告可以了。要吃什么?我请客。"他仍是年轻,这样的笑容居然依稀还带点腼腆,明知道那是绝不可能的事情,但是钱多多仍然目眩。

老了老了,她竟然羡慕一个男人笑起来眼角没有细纹,钱多多目眩之余忍不住叹息。

"不用麻烦,还有一点就做完了,我桌上有外卖单,随便叫点东西进来吃就行。"

"我也有。"他立刻打开抽屉拿出一沓,什么国家的菜系都有,还用笔指了指最上头那张,"中午我叫的是伊藤家的定食,还不错,不过你不是胃不好?别等了,我们还是出去吃吧。"

堂堂总监,周六晚上一个人看电影,周日整天加班,中午一个人叫外卖吃,依依说得没错,他看上去好可怜——钱多多今天不断受到冲击,渐渐开始麻木了。

　　所以说，这就是为什么人家是总监，她至今还是个高级经理。

　　那口气又莫名其妙地回来了，钱多多坐回原位，继续埋头，在他有点诧异的眼光里闷声说话："我突然不想吃东西了，还是先忙完吧。"

　　他不说话了，低头又去拉抽屉，那抽屉靠近她这边，忍不住好奇，她眼光一扫。

　　全是胃药，还有一包是拆过的，印象深刻。

　　上回那痛苦的一幕又回来了，钱多多眯着眼睛看他："干吗？"

　　他笑笑："以防万一。"

　　这人笑着说话的时候杀人不见血啊，好吧，身体是革命的本钱，她犯不着为了一口气糟蹋自己，钱多多投降。

　　休息日，这个点金融区到处堵车，彻夜不眠的狂欢派对正要开始，懒得开车，他们出门拐弯，直接进了旁边大楼。

　　三层有茶餐厅，她叫了艇仔粥，一边吃一边听他讲接下来的工作计划。

　　"饿坏了？"

　　"还好。"粥很香，钱多多吃得起劲，头都不想抬。

　　"明天由你上台，没问题吧。"

　　"为什么？"惯例一向是由总监上台的，虽然她全程参与了报告的修订，但上台这种机会，哪里轮得到她？

　　小姐上点心，虾饺皮薄，晶莹剔透，他夹了一个放到她面前的小碟里，也不解释，只弯起眼睛笑笑，说了两个字："加油。"

　　官大一级压死人，她再迷茫也只能接受，想了想又眯着眼睛叹气："Kerry，记得以后别这么对我的助理们笑，她们最近工作状态很差。"他笑意更深，低下头用勺子舀自己碗里的云吞，随口问下去，"为什么？"

　　"年纪小，对某些虚幻的闪光点没有免疫力。"

　　他失笑："你呢？"

　　"我？"她失笑，"得了吧，我都几岁了，什么年龄就该有什么年龄的样子。"

　　"你介意年龄吗？我不介意。"

　　"你是男人，当然不一样。"她没在意，继续吃着呢。

　　"哪里不一样？"

　　"择偶啊，"她讲话一向直，放松的时候尤其如此，"男人择偶年龄宽得很，专注事业好了，年龄再大都是黄金单身汉，女人就不一样，正忙着工作呢，一抬头，转眼就被人叫剩女了。"

他笑起来，眉目舒展，看着也风光无限，勒令自己不要多看，钱多多努力埋头吃。

"年龄算什么，喜欢你的人不会介意的。"

"谢谢安慰。"她就差没有抱拳。

"不是安慰，"他停下勺子，看着她的眼睛说话，"有感觉就好，我不觉得年龄会是问题。"

"说就简单。"被他看得有点不自然，钱多多低头继续用勺子舀粥。

"钱多多。"

"啊？"突然被点名，她正在把一勺粥放进嘴里，渔乡塘的艇仔粥，用料讲究，鱼片软滑，花生炸得爽脆，一直是她最喜欢的那一口，嘴里味蕾绽放，脑子运转就稍微迟钝了一点，只来得及回答了一个单音节。

"我说了不介意，你还要听几遍？"她有时候真是很擅长把人气死。

什么态度？总监了不起啊？正想张口反驳，但是突然朦胧感觉他的话意有所指，震惊然后呛住，钱多多捂住嘴大咳，差点被半颗花生害死。

旁边几桌都看过来，她脸涨得通红，咳完伸手接过他递来的杯子，大口灌下去压惊。

手机响，她说了声不好意思，接起来是叶明申，声音很清晰："多多，你在家吗？"

看了一眼许飞，他正招手让小姐过来加水，表情很自然，开始怀疑自己刚才幻听，要不就是理解错误，要不就是他坏心眼跟她开玩笑，唉，年纪小的人就是有代沟，她老了，人家的话都听不懂。

喉咙还有些痒，她咳嗽一声才回答："我今天加班，现在正跟我们总监在外面吃饭。"

"是吗？"那头背景有些杂乱，然后隐约听到很熟悉的声音在旁边讲话，"小伙子，这车位是有人的——"

那声音太熟悉了，怎么听怎么像自己的老妈，钱多多忍不住多问一句："你在哪儿？"

"就在你家楼下，有话想跟你说，刚把车停了，有个阿姨让我挪地方，我先跟她打个招呼，等下再打给你。"

"等等。"阻止他挂电话，另一个声音还在那头继续，"哎，说你呢，听到没有？"

无力了，钱多多说了最后一句话："别麻烦了，那是我妈。"

脑子有点混乱，钱多多按断电话之后匆匆告辞："有朋友到家里找我，不好意思，我要先走了。"

"男朋友？"他笔直看着她说话，眉梢飞起，问得突兀，她被盯得有点错愕，不知不觉竟说了老实话。

"不是，还算不上。"

"是吗？"他忽地一笑，可惜钱多多这时候已经转身要走，完全没有注意到。

"Dora，多多。"刚想大步流星，身后突然有叫声，回头正正对上他的脸，那双漂亮的眼睛里光亮有神。

"嗯？"模糊觉得忐忑，她答的时候有些迟钝。

他说话前先停顿一秒钟，然后笑了，微带点羞涩的样子，跟平日里的光芒万丈全不相同："现在你觉得，我比你强了吗？"

简简单单一句话，只是反复在耳边打转，很想努力抓住意思，但就是无法理解，睁大了眼睛看着他不说话，想好歹说句什么，问他你在跟我开玩笑吗？但找了半天都找不到自己的声音。

他也不说话，在那里安静地等着，奇迹，隔着三尺以外，她的眼前却好像有一面百倍放大的魔镜，竟然连他眼底的那一抹隐约的期待都清晰可见。

之后的数秒钱多多表情迷茫，然后突然吸了口气，猛地往后退了一步，一瞬间满脸惊恐。

现在你觉得，我比你强了吗？

多年前的那个午后又回来了，眼前仿佛有幻觉，自己在阳光下没心没肺地笑，对着面前的年轻男孩子声音揶揄："那好吧，等你什么时候能够让我心服口服说一声，弟弟，你真的比我强的时候，再来说追求这两个字好了。"

但是怎么可以？又怎么可能？！

被吓到了，猛地后退了一步，惊恐过度，再如何大风大浪前都进退有度的钱多多，这一刻竟然转头拔腿飞奔，众目睽睽之下，没用地逃走了。

6

跑得太急了，终于坐进车里之后钱多多"砰"地合上车门，然后抓着方向盘气喘吁吁。

玻璃上清楚映出自己现在的样子，头发披散，满脸惊恐，眼睛瞪得大，好像刚才见了鬼。

电话响，她手指一抖，竟然不敢去碰，低头看到是自己家里的电话，这才放到耳边。

妈妈的声音难得的笑意满满，不等她出声就在那头开始讲："多多，小叶来找你，我已经请他上来了，你在哪儿呢？快点回来。"

倒抽一口气，钱多多这才想起自己离开餐厅的最初目的，刚才被许飞那么一吓，差点忘了个精光。

好吧，人生坎坷，充满意外，她接受现实，现在开始一样一样的解决。

暂时抛开刚才所受的惊吓，她一路飞车回家，在家门口一眼就看到叶明申的那辆三厢大众，端端正正停在自己的车位上，一副理所当然的样子。

心里知道大事不好，她把车随便停了，三步并作两步往楼上赶。

开门的时候她急，钥匙孔都没对好，大概响动大了，门从里面被拉开，迎面就是妈妈的笑脸，好久不见的那排上牙龈都露了出来，一片阳光普照。

"多多，你回来啦，小叶等你很久。"说完侧身让她进去，还贴心地把她的包都接了过去。

已经很久没有受到自己妈妈像这样春天一般温暖的对待了，此刻的钱多多却无心感动，一偏头看到叶明申和自己的爸爸坐在沙发上，正一起看着她。

叶明申手里还拿着一本书，看到她来已经搁下，那么朴素的封面，一看就是她爸唯一结集出版的那本中国史学探究，爸爸的脸上也是春风和煦，一手还点在那书皮上，明显两个人刚才讨论得正酣。

有点气他自说自话登堂入室，钱多多走过去的时候眼睛瞪得老大。

"爸爸妈妈，这个是——"

"哦，不用介绍了，小叶刚才跟我们说过了，你说你这孩子，都跟小叶约会这么多次了，也不知道请人家到家里来坐坐，还好今天让我们遇上了。"

钱妈妈走过来说话，笑得眉眼弯弯的，还对着叶明申点头："小叶啊，以后可要多来玩，她爸爸最喜欢讲这些老古得没边的东西，也就是跟你聊得来。"

"好，"他答应得很爽快，又转头对着钱爸爸说完之前的话题，"74年中华书局的《明史》我家正好有一套，今天来得仓促没准备，下回我带给您。"

"真的吗？74年的？现在还有？"钱爸爸心花怒放，两只手搓在一起，就差没有握住叶明申的手叫一声知音。

这算什么？跑到她家来先搞定大后方？她才刚刚决定不再跟这个人继续，现在他独自唱的又算是哪一出？

一口气上来了，钱多多走过去拉他："先出来一下，我有话跟你说。"

她声音压得低，钱妈妈正转身往厨房走，也没听清，这时回头看过来，笑眯眯地看着他们说话："别急着走啊，小叶，留下来吃宵夜。阿姨今天煮了木耳莲心红枣。"

"妈妈，我跟他有话要说。"急了，钱多多拉着叶明申就往外走。

"多多！"钱妈妈一声断喝，这声音威力巨大，钱多多和钱爸爸听完一起缩了缩肩膀。

气氛突变，叶明申倒是仍旧笑得四平八稳，说话声音和缓："阿姨，多多一定是有些话想跟我单独说，今天这么晚了，我还是不打扰你们休息了。"

说完又转向钱爸爸："伯伯，下回我把书带来，再跟您好好聊。"

短短几句话，就说得钱爸爸钱妈妈同时脸绽笑容，送到门口钱妈妈还叮咛："一定要再来啊，下回来吃饭，早点跟阿姨说，阿姨烧拿手好菜给你吃。"

7

一走出大楼钱多多就把手放开了，然后回身瞪着叶明申说话："你怎么来了？还跑到我家里。"

"我有话跟你说，你妈妈很热情，刚才邀请我上去，我也不好推辞。"他微笑回答，然后和她并肩继续走。

天冷，他穿粗绒线的毛衣外套，里面的衬衫领露出来，浅蓝色的，笑容很淡，在月光下却显得光华流转。

虽然有点生气，但是钱多多看着这样的风景还是叹口气。

这男人处处完美，可惜她接受不了。

"我也有话要跟你说，谁先说？"

"你先吧，女士优先。"他很绅士地抬了抬手。

小区有园景，他们慢慢走在小径上，很晚了，又是冬天，四下没什么人，立柱灯光是乳白色的，照得两边树影婆娑，自家地方，环境熟悉，钱多多觉得心里安稳，说话前先整理一下思路，然后才开口："我想过了，我跟你，以后还是做朋友吧。"

"怎么了？"他回问，声调都没怎么变。

"我不想做替代品，就这样。"拖拖拉拉没意思，钱多多一鼓作气，说完了心里一阵轻松。

他没回答，站定身子侧头看她，夜色深厚，他眼里的表情看不清，只是钱多多突然觉得一阵凉，忍不住想双手环抱，但心里还想着要硬撑个架势，最后变成两手交缠在一起，不伦不类。

可能觉得她的样子很有意思，叶明申突然展颜一笑，然后伸出手来握了握她按在胳膊上的手指："冷吗？"

他手掌温暖干燥，但钱多多本能地缩了缩指尖，笑得有点干："我刚才说——"

"多多，现在该我说了。"他收回手，一点也不勉强，只是带着她往车的方向走。

好吧，公平起见，钱多多保持安静。

他打开车门示意她上车，钱多多迟疑着问："还要去哪里？"

"不，我只是怕你会冷。"他笑容很安静，感觉愧疚起来，钱多多终于顺从地坐上去。

车厢里没有声音，他不着急说话，先从仪表台上拿了张照片给她，钱多多接过来低头，车里没开灯，环形花坛边装饰灯光并不是太亮，照片上风景很大，人物很小，海边，依稀可见一个女孩子凭栏临风，灯光又不好，她看的时候只觉得一片模糊。

"你觉得像吗？"

"什么？"

"像你吗？"

"谁？我？"大概明白他的意思了，钱多多伸手去按亮顶灯仔细看。

光线亮起感觉就清晰很多，虽然只是一个很小的剪影，但眼角眉梢的确跟她有些相似之处——只是有些而已，谈不上揽镜自照那么可怕。

看完了又觉得有点荒谬，钱多多把照片还给他，笑笑问："干吗给我看这个。"

他随手接过去放回仪表台上，然后看着她的脸，一开始没作声，慢慢露出一个笑来："好吧，忘了那个，多多，你觉得自己真的需要一个婚姻吗？"

没想到他这么问，钱多多愣了一下，车厢里亮着灯，小小空间被照得朦胧有光，面前的大楼家家灯火晕黄，星星点点，四下安静无人，他们仿佛是人间烟火气中孤零零的一个小岛，如此格格不入。

突然感觉苍凉，这世界人人都融在那灯光中享受家庭温暖，为什么她钱多多，却被自己的妈妈当做销路不畅的滞涩品，恨不能双手推入面前出现的第一个适龄男人怀里。

被刚才那样苍凉的感觉打倒，一直很有劲的钱多多，难得眼露迷茫："我不觉得，真的，我想坚持到底。"

"坚持什么？"他微笑，眼神里颇多鼓励，鼓励她说下去。

"坚持什么？坚持婚姻是爱的结果，坚持我爱他他也爱我，坚持在一起是因为我们想在一起，一切水到渠成。"

"多好，为什么不坚持到底？"他的笑容慢慢收敛，但是声音仍旧柔和，他做老师的，声音里天生带一点劝诱的味道，温和入耳，像一块渐渐化开的太妃糖，过程甜蜜，让人不知不觉想多听一些。

静夜，车厢，面前是刚刚决定只和他做一对朋友的男人，气氛很忧伤，钱多多叹息："年龄。"

"年龄又怎么了？"

"年龄是放弃坚持的最好借口，你不知道吗？算了，你是男人，不会知道。女人到了一定年龄，就是跟郁闷作斗争。"

"结婚就不郁闷了？如果结婚以后，你又遇到想要为之水到渠成的另一个人，怎么办？"

怎么办？忽地转回头看他，钱多多总结发言："怎么办？你说怎么办？一直等吗？如果他一直不出现，难道我白发苍苍，一直等到跟杜拉斯那样，老了再写本书聊以自慰？"

"杜拉斯？她活得很丰富，并不苍白，白发苍苍的时候写的书叫情人。"他笑，但并不带嘲讽的意味，车顶灯仍是亮着的，他眼角弯着，耐心地侧着身，看她像在看一个小女孩。

"那是她，如果是我，就只能写《我至死都没等到的情人》！"今天受得打击太多太大，爆发了，钱多多索性借这机会一吐为快。

他没回答，也不笑了，突然黯了眸色，然后抬手关了顶灯。

习惯了那亮度，车厢突然一暗，钱多多禁不住"咦"了一声。

但是额头上一暖，是他的嘴唇低头亲过，然后轻轻补了一句："放心吧，你不会是一个人的。"

被他的动作吓到，钱多多一下没了方向，憋了半天才吐出一句话："好，我知道了，那我上去了啊。"

他好像在一瞬间恢复了原样，也没有阻拦，推门下车后很贴心地走过来替她开门，钱多多刚才的坐姿僵硬，这时候伸腿出来都有点不利落，他也不说话，一径微笑，末了还好心扶了她一把。

钱多多最后的感觉是自己被刺激得落荒而逃，都没顾得上问他是不是突然神志不清，所以才会对一个刚提出变相分手的女人情意绵绵。

太丢人了，自家地盘，自家门口，她钱多多居然很没面子地被一个素来温文尔雅的男人吓到——就因为一个落在额头上的吻。

或者还要加上之前的那场惊吓，她再怎么意志坚定，短短数个小时之内被一前一后两个男人连番夹击，总有点措手不及。

上楼前她忍不住回头再看了叶明申一眼，冬夜清冷，月光如霜，他立在车前一笑，也没有坐回驾驶座的意思，就是看着她上楼。

不知是否因为今夜月色太好让她产生了幻觉，还是刚才那个吻的刺激太大，她竟然觉得这男人跟自己印象中的完全变了一个人。

糊涂了，钱多多开始恍惚，上楼时脚步虚浮，进屋后连鞋都忘了脱。

爸爸妈妈正很兴奋地对坐聊天，看到她钱妈妈站起来笑容晃亮："多多啊，这个好，爸爸妈妈都很喜欢，怎么不早点带回家让我们看看？"

　　"他不是——唉，明天再说吧，我好累。"再也没有精力解释一切，钱多多选择暂时性逃避问题，转头就往房里去。

　　钱妈妈锲而不舍地跟进来："不是什么？我们刚才都问过了，小叶说你们约会都快一个月了，很聊得来。"

　　"我要洗澡了。"踢掉鞋子，钱多多抓起浴衣就往外走。

　　钱妈妈还跟在她身后笑眯眯："他说家里还有个姐姐，已经结婚了，爸爸妈妈都在国外，他一个人在上海工作，小伙子生得斯文相，我很满意，又是大学老师，跟你爸爸特别聊得来。"

　　已经在放水，哗哗的水声，雪白的浴缸底上仿佛有珠玉四溅，盯着看太久了，灯光下她只觉得双目刺痛，身后妈妈的声音还在继续，突然烦躁起来，钱多多猛地转身开口："妈妈，我说我要洗澡了。"

　　女儿是自己从小看到大的，多多是独生女，从小爱撒娇，就算现在早已毕业工作，平时在家跟爸爸妈妈讲话仍旧像个小女孩，难得听到她这样硬着声音，钱妈妈一时有点愣。

　　说完就后悔了，钱多多苦着脸对妈妈讲话："对不起妈妈，我今天心情不好，口气差，你让我一个人待会儿吧。"

　　钱妈妈看着女儿皱皱的眉头，有点想叹气，不过转眼又笑了，伸手去点她的眉心："小丫头，现在知道叹气了？吵架了是不是？人家巴巴赶过来求饶你就算了吧，才认识一个多月，摆谱也要有个限度，小心把他吓跑了。"

　　知道自己妈妈误会了，也提不起精神解释，钱多多索性跳进水里，把身子尽量往下陷，努力作逃避状。

　　又能逃到哪里去？浴缸边缘平展，妈妈一屁股坐下来，笑眯眯地看着已经大半个身子陷在水里的女儿。

　　心里乱，面前坐着的到底是自己妈妈，有些话真的不吐不快，钱多多安静了不到两分钟，声音闷闷地又开口问："妈妈，到底为什么要结婚？"

　　这句话倒把钱妈妈问倒了，看女儿表情那么颓，又觉得自己的回答很重要，她很是费思考了一下，然后才开口："谁不需要家庭？你难道还想一个人过一辈子？"

"我哪里没有家庭了？不是还有你们？"

笑死，钱妈妈摇头："你这孩子怎么快三十了都长不大啊，我们要老死的好不好？到时候剩你一个孤零零的，怎么放得下心。"

"呸呸呸。"先呸完三声，钱多多才开口，"不会啦。"

"不会什么？多多，人总要有个伴，结婚以后有了自己的孩子，到那时候你才知道做妈妈的开心。"

"谁说结婚了就一定有个伴？谁说有孩子就一定要结婚？外面单身妈妈多得是，想要个孩子有什么难的，白头到老才难呢。"泡泡浴，细腻的白色泡泡味道清香，身体在暖热的水中渐渐放松，跟妈妈聊得你来我往，钱多多一时嘴快，反驳的话脱口而出。

居然从自己女儿嘴里冒出单身妈妈这四个字，钱妈妈大怒，一手就往她脑袋上拍下去："死丫头，你再敢给我这么说一遍试试看？白头到老，我跟你爸不就白头到老了，现成榜样在这里，你少给我想那些有的没的歪门邪道，听到没有？！"

被拍得昏头涨脑，钱多多举起双手解释："不是那个意思，我是说，结婚了也不一定白头到老，结婚了也不一定能有个孩子，这不什么都有万一吗？"

结婚了也不一定白头到老，结婚了也不一定能有个孩子——女儿说的倒也算是事实，钱妈妈一时语塞，但一口气已经上来了，她忽地站起来做总结发言："反正我们家的女儿就得跟正常人一样结婚生孩子，真搞不懂你在想些什么，朋友都谈了，那么好一个小伙子，人家还一直追到家里来，你还在挑剔啥？不结婚？不结婚你以后就别认我这个妈！"

刚说完一句话就被自己的妈妈劈头一顿训，钱多多彻底没声了，一阵绝望，接着索性把头都埋进水里，直接装鸵鸟。

感觉温热的水瞬间从四面八方将自己所有的感觉吞没，钱多多默默憋着气，从没这样希望过自己其实是一条鱼。

算了，子非鱼，焉知鱼没有剩女的烦恼？说不定它们终日不休地游来游去，也就是为了早点把自己交配出去，比她还烦着呢。

撑到快把自己憋死才哗地冒出头，妈妈恨铁不成钢，早已转身走了，关门的声音挺大，她想装听不懂她的气愤都不行。

头发湿漉漉的，贴在脸颊上，大冬天，虽然水温很高。浴室里也是暖洋洋的，但她仍旧觉得脸颊上冰凉一片。

到底怎么了？哪里出错了？

她不是一向目标明确，不是想好了无论如何都要在年内把这件事情解决，现在现成的一个大好人选，为什么她会如此沮丧？

"放心吧，你不会是一个人的。"

"现在你觉得，我比你强了吗？"

两句话，一点前因后果都没有，却同时在自己的脑海里反复纠缠，身体还在水里，整个人陷在泡沫中，泡太久了，指尖发皱，交错纹路混乱不堪，而她的眼前也是，只能看到面前的一片错杂，怎样都找不到正确的方向。

和依依一样，这一夜钱多多也失眠了，两句截然不同的话在黑暗中如同旋转木马一般盘旋个不停，心绪紊乱，往常最有催眠效果的泡泡浴完全失效，对自己绝望了，她最后伸出双手掩住脸，徒劳地盖住了自己的眼睛。

|07|

总有什么让你坚持到底

我想自己一定是不够幸福，至少不像表面上那样没有缺憾，既然是这样，让我坚持到底的，究竟是什么？

1

叶明申突然的表白心迹，并没有让钱多多感觉到惊喜若狂，至少没有像自己妈妈那样，心情改变明显，整日笑容上脸，与她，这样突如其来的一句话，不添欢喜，反觉烦乱。

至于许飞，她没法想，一想到那个男人就头疼。

这男人才27岁，年轻英俊，笑起来像太阳，过去是她的学弟，现在是她的上司，认真的？荒谬！

她快三十了，升职不顺，厌倦了恋爱，筋疲力尽，想要个婚姻，这个公司和职位对她来说已经如同鸡肋，整个亚洲区又是大战将起，接下来的血肉搏杀可以预见，就算没有这位新任上司的荒谬提议她也已经萌生退意，这下算是彻底将她的心存侥幸想留下的意图打了个精光。

多年职场磨炼，又性格使然，钱多多一向是做了决定便努力付诸实现的行动派，想好之后也不睡了，直接下床坐到电脑前，打开网银帐户查存款。

她累了，换个公司再战江湖不是不可以，但那之前想休息，想放假，想让自己彻底抛开一切喘口气。

打开帐户之后，她仔细数了数存款的位数。这些年做得辛苦，根本没什么时间花钱，忙碌狼狈的时候也有怨气，不过现在看看帐户里的数字，倒是满意一笑。

关上电脑之后她走到露台，太早了，爸爸妈妈的卧室门仍旧关着，客厅里静悄悄的，他们家住的是老房子，独栋的上下两层，他们占了楼上的一整层，从小在这里长大的，空气里是再熟悉不过的安宁味道，闭着眼睛走路都觉得安心。

客厅连着宽大露台，她走过去拉开落地窗帘让逐渐明亮的天光透进来，露台正对着一大片公共绿化地，望出去视线开阔，树木青葱。已经是冬末初春，空气清冷，冷风扑面，她一个激灵，然后感觉畅快。

身后有呼唤声，是妈妈："多多，一大早在干吗？"

钱妈妈刚醒，身上还穿着睡衣，睡眼惺忪地走出房门就看到女儿站在露台窗前吹冷风，想不通，开口问的时候都有点小心翼翼。

她回头对着妈妈笑起来，白色的牙全都露了出来："没事，我失眠。"

妈妈露出吃惊的表情，客厅里没开灯，晨曦中仿佛有薄雾缭绕，但是她担忧的表情仍旧清晰可辨，想必是被自己的怪异表现吓住了。

是她的妈妈啊，是世上最爱自己的那个人，而且永远是。

忽然觉得鼻酸心暖，钱多多走过去揽住妈妈的肩膀，亲密地把头靠上去："真的没事，我保证。"

"谁知道你这个小孩子在搞什么，从小到大都这样，不是说今天晚上就要飞香港？有得睡还不多睡一会儿。"钱妈妈回神就继续戳女儿的脑门，立时三刻恢复往日神气。

厨房里传来锅碗瓢盆的声音，钱多多笑着回头去关窗，晨光里有清爽的树的香味，翩然飞过鼻端，她笑着笑着突然感觉迷茫起来，再看窗上的自己，原本翘起的嘴角仿佛失去支撑，慢慢放低落平，不喜欢这个表情，她又努力了一次，强迫自己把嘴角再次翘了起来。

2

虽然下定决心要离开，但钱多多并不鲁莽，花了一个上午的时间写完一份辞职报告之后，她把它叠好装进信封里，然后静静放到抽屉的最底层。

走，随时都可以，但是她做不到半途而废甩手不干那么不专业，香港年会的总结报告是市场部关键重要到极点的工作，她决定在离开之前抛开一切烦扰自己的因素，集中精力打好最后一仗，就算走也要走得漂亮。

找一个适合自己的男人的确很难，不过找到一份适合自己的事业同样不容易，她只是想离开这个公司，并不想放弃这一行。

靠自己和靠男人，两条都是荆棘路，靠自己披荆斩棘当然很累，但总不至于一无所获；男人就不一样，他们终究是另一个个体，可能为她停下，不一定为她留下，可能为她暂时留下，不一定为她永远留下，就算永远留下了，她又会害怕留下了人，留不下快乐。

过去的惨痛经历历历在目，那个曾经对爱情雄心万丈的她已经被现实逼得退了一万步，退到想要的只剩一个合约。

更可悲的是，现在有人愿意接受一个合约了，她又突然对自己执行合约的能力没了信心。

来去都是无解，想也头疼，算了，先解决眼前的工作，然后再一样一样的来。

做完这些事钱多多才开始做准备工作，整理行李打算赶去机场。

爸爸也在准备出门，今天他跟老同学聚会，都是几十年的朋友，很久没见了，可能有些激动，临出门前丢三落四，走到楼下才想起这个没带那个没拿，上下几次，搞得钱妈妈最后发了脾气："就跟那几个糟老头老太碰个头至于那么忙活吗？不知道的还以为你去会老情人了呢。"

对于老婆大人一向是俯首帖耳的，钱爸爸听完也不反驳，脸上表情都没怎么变，呵呵笑了两声就走了。

倒是多多心疼老爸，追着问："爸，你们在哪儿聚会？要不我送你过去，也省得你倒公交。"

"也没多远，多多，你晚上就要上飞机，别忙了。"钱爸爸拒绝，走之前拍拍多多让她出差小心。

回头开始收拾东西的时候妈妈已经进了厨房，听到响动跑出来要帮忙。

"用不着啦，很快的。"钱多多边说边动手。

女儿行李箱常年在门角备用，整理行李的时候手势专业熟练，笔记本套装平底鞋，摆起来件件各归其位，思考的时间都用不着，护肤品都是小件，装在透明的飞行包里，简简单单，一目了然。

一切搞定才用了二十分钟，钱多多拉着行李箱到门口一边弯腰穿鞋一边跟妈妈打招呼，

钱妈妈在旁边看得叹气，上去帮她拉门，嘴里还不忘记念几句："做这种事情动作倒是快，消防队员都不及你，找个男朋友怎么就那么难？"

老妈这两年任何一个话题不出十句都能归结到她的人生大事上面，钱多多知道再待下去大告不妙，赶紧低头看表嘴里开始念："哎呀，时间来不及了，赶飞机赶飞机。"说完拖着行李就匆匆闪人。

到达机场的时候时间还早，身边人群嘈杂，她反而觉得轻松，到商务舱候机

室里打开电脑查邮件，坐着等 check in 开始。

但是一直到登机的时候她都没有等到许飞，她一开始是有点抗拒跟这个男人主动联系，后来实在等不下去了，又觉得奇怪，终于伸手去摸手机。

一摸之下愣住，手机竟不在随身的包里。

突然想到出来的时候逃难似的，手机握在手里，拔鞋跟的时候随手搁在鞋柜上，一定是忘记拿。

对她来说出门没带手机就如同艳阳天忘抹防晒乳，怎么都觉得不自在，更何况这是出差，飞机起飞时间都快到了，她就算突然长出翅膀也来不及回家取。

正懊恼，突然有小姐走过来弯腰讲话："钱多多小姐吗？有人找您。"

一回头看到她身边站着的竟是叶明申，吃惊了，钱多多站起来问："你怎么来了？"

这个男人在她面前一直是笑的，这次却好像有心事，眉间有仓促之色，不过看到她仍旧微微勾起嘴角，递过来的正是她的手机。

他手指修长，天冷，刚从外面赶来，指尖有点凉，擦过她的手心，钱多多在暖气里待得时间长了，温差大，忍不住一缩。

"打电话给你，阿姨接的，说你到香港出差，手机忘在家。"

"谢谢。"相隔一周，机场再见，他赶得匆忙，指尖有凉意，身边都是各国过客，他是唯一熟悉的面孔，也许是环境特殊，她忽然感觉亲近起来，但又只是感觉亲近，身体并不想再多靠近一点，矛盾得很。

"对不起，这周我特别忙，都没顾得上给你打电话。"

"没事，正好我也有些事要处理。"他答得很快，然后看一眼手表："快登机了吧？我送你过去。"

商务舱登机的队伍并不长，叶明申目标明确，步子虽然不大，但她走得迟疑，又慢，所以三两步下来两人仍旧错开了一点距离，但他很快停下来，回头看了她一眼。

其实她就在他身后，相距三尺不到，所以钱多多把他的这个眼神看得很清楚。

他眼里第一瞬闪过的是恍惚，然后才恢复了平常，很自然地伸手过来，牵起她的手。

这不是他第一次牵自己的手，上一次的钱多多，心静如水，坦然接受，这一次，她却本能地抗拒，只想把自己的手收回来。

手指还没有动，心里突然一笑，笑自己的傻。

还在自欺欺人什么？这个人对不对，是不是，还有谁能比自己的身体更清楚！

时间紧迫，来不及从头细想自己的措辞，钱多多手一缩，直接说了三个字："对不起。"

说完又有点懊悔，觉得自己口太直，时间地点都不好，这种话好歹要说得婉转一点，缓冲的空间都不给别人，实在有点过分。

抬头看他倒是笑起来了，很自然地收回手，仍是等她走上来一步之后才并肩继续往前。

钱多多不好意思，登机口近在眼前，最后几步路了，她低声开口："你别介意，都是我的问题，是我没想好。"

他在入口前站住，把行李的拉杆交到她手上，说话时反比之前刚见面时轻松："多多，不用勉强自己，知道自己真正需要什么才会满足，强求都是负担。"

说得好，说得钱多多都没话答了，背上被他轻轻推一下，不由自主往前走，抬眼看到立在通道外的空中小姐对自己投来的羡慕眼光，忍不住回头再看了一眼。

他还站在原地，看到她回头就是微微一笑，她再怎么心神不定都得赞一声风光月霁，又难得这样明白通透，就算当场被拒绝都能继续与她低语笑谈，在别人看来一定是状甚缠绵。怪不得过往女性个个面露羡色。

而她居然面对这样的人物都会毫无感觉，简直暴殄天物。

来不及多想，时间的确是要到了，飞机不等人，她挥挥手举步，才走进通道背后就传来急促的脚步声，肩膀一暖，与后来者的轻轻相擦在一起。

忽地侧头去看，那人也正低头看过来，可能跑过了，呼吸有点热，四目相交的时候咧嘴一笑，仓促间仍旧光彩夺目。

笑成这样的还会有谁？自然是她家公司那位差点没赶上飞机的总监大人。

笑完他还说话："Dora，怎么走得这么慢？再下去机舱门都关了。"

这话说的，到底是谁掐分扣秒地往飞机上赶呐？钱多多听得眉毛都弓了起来，还没来得及开口，手上一轻，她唯一的一件行李就到了他的手中。

她出差带的东西原本就简单，现在被他这么一抓，跟着走的时候就只剩下挂在身上的一个贴身小包，这些年出入机场早已成了习惯，像这样甩着手一身轻松的倒真的是头一遭，感觉有点奇怪，她竟然都不知道自己的手往哪里放才好。

快进机舱的时候她回头看了一眼，通道弯折，叶明申的身影早已消失，只有两个空中小姐正往这边走来，边走边低声说话，看到她回头一起安静了下来，眼光里内容复杂，一言难尽得很。

可以理解，刚才这两位小姐就站在通道口，短短两分钟内看着她身边出现了两个男人，全都状甚暧昧，居然还前后交接得天衣无缝，想必受到的冲击很大。

对着那个眼光心里叹口气，钱多多无奈。

她也不想的，所见非所得，现在连她自己都搞不懂想要的究竟是什么，只能看着身边的风景徒自唏嘘。

3

公务舱座位宽大，坐定之后空中小姐开始忙碌，弯腰微笑提醒大家系上安全带，走到钱多多身边的时候笑得特别甜，但她近距离之下看得清楚，全是对着许飞的，完全轮不着她。

飞机平稳起飞，身边终于清静下来，钱多多侧头去看坐在身边的总监大人，他正在打开笔记本电脑，倒没忘记回望她一笑，附带解释："之前在公司做了个电话会议，差点没赶上飞机，幸好老孟技术好。"

昨晚的情景还在眼前，自从他出现在身边之后钱多多就有些心绪不宁，唯恐他会随时突发奇想，继续那个荒谬的问题。

但是再看他的时候又只是一个侧脸，低头专心在刚打开的文件上，垂着眼，长长睫毛掩不住眼角隐约的红色的暗影，一看就知道是熬夜的结果。

她毕竟是女人，人家不开口，一口气追问他为什么昨晚对她说出那么莫名其妙的话这样直白的事情毕竟做不出来，所以话到嘴边又改了方向，吐出来的只有轻描淡写的一句话："昨晚没睡好？"

"半夜接了一个紧急电话，起来改提案，一改就改到早上，然后直接去了公司。"他笑笑，空中小姐送上饮料，在他身边弯腰笑得甜美，他却完全视而不见，接过来就放到她面前，然后继续忙碌。

想问他需要帮忙吗？又随意看了一眼屏幕，他就坐在身边，也没有刻意要保密的意思，所以文件的内容一目了然。

一眼扫过钱多多就猛醒过来，睁大了眼睛看了他一眼。

"怎么了？"他不抬头，低声问了一句。

虽然只扫了一眼，但是大概的标题都很醒目，新型饮料量产已经是挑战保守派的大动作，居然使用的途径还是以收购国内第一的果汁品牌为切入点，这样大刀阔斧，果然是典型的激进派作风。

想到自己之前不知不觉参与的那些资料和提案准备过程，钱多多暗暗心惊，镇定一下才开口："没什么，有点困了。"

"昨晚也没睡好？约会吗？"他的手指很好看，敲键盘的时候舒展灵活，击键迅速，百忙中还抽空侧脸回答她，嘴角微微一勾，"刚才还看到他来送你。"

他这样的态度让她感觉迷惑，那两个字又触动神经，约会？唉，事实是她刚刚同一位完美先生和平分手。

不知道怎么回答，钱多多索性跳过这个问题，笑笑不答。

他也不再多问，回头继续专注手头的事情："困了就睡吧，到了我叫你。"

好吧，她从善如流地侧头闭眼睛，强压下心头的好奇与不安。她都要离开这一团纷扰了，那不是她该插手的东西，也不该多问，钱多多决定从此刻起守本分，顾自己，假装睡觉比较好。

又不是真的累到坚持不住，再加上空中小姐对他们这排座位特别关心，反复来去，频率和次数都远远超过她之前所经历的任何一次飞行，钱多多再怎么努力都没有让自己从假睡变成真睡。

但到底是晚班飞机，吃过饭以后机舱安静，身边敲键的声音规律重复，到后来她还是朦朦胧胧有了点睡意。

忽然觉得身上暖，一抬眼看到他正低头给自己盖毯子，垂着眼，因为她的惊醒，露出一个抱歉的笑。

"机舱里冷，小心着凉。"

毯子已经被盖到她的下巴处，鼻端下就是他的手指，那隐约的木香又来了，青葱茏碧，树一样的味道，怎么办？身体没有精神来得强大，她再一次被迷惑，心脏怦怦跳。

猜不到她心里的混乱，许飞看到的只是一个还没醒透的钱多多。眯着眼睛看自己，身体盖在灰色的绒毯里，单露出一张白色的脸，没有化妆，表情茫然。

好像一只小动物，很小很柔软，陌生丛林里不知所措。

这就是别人嘴里以干练闻名的钱多多？为什么他眼里的钱多多总是和别人眼中的不同。

他昨天说出那句话的时候是认真的，没想到她居然落荒而逃，想追上去，但转念又觉得将她逼得太紧不好，但现在看到她对自己的反应，忍不住在心里开始懊悔。

将近二十个小时没有合过眼，又惦记着她会如何反应，他往机场赶的时候真可称得上是心力交瘁。

赶到登机口的时候正看到她回身走入通道，那个曾经匆匆瞥到过一眼的男人立在原地目送，很唯美的一个画面。

但他不喜欢，心里闷得慌，不由自主加快步子奔过去，看到她惊讶的目光又觉得自己有点蠢。

她跟自己说话时的迟疑防备和一眼扫过屏幕之后的回避看在眼里，觉得很失败，又有点沮丧，他毕竟年轻，没有这方面的经验，脸皮又不够厚，怕再多说一句就会被她一口拒绝，所以憋了半天都只说了几句无关紧要的话。

再后来知道她装睡，也不去拆穿，只是渐渐按键慢了下来，控制不住自己，时不时望着她出神。

钱多多眼睛闭得紧，浑然不觉，但是随着时间流逝，她渐渐呼吸均匀轻细，双手交叠在身前，交互的手指慢慢松弛，怕她真的睡着了受凉，他按灯让小姐拿了床毛毯来替她盖上。

没想到她立刻惊醒，看来睡得不够深，或者是因为紧张，她现在靠近自己的时候时不时就紧张起来，让他感觉愈发挫败。

如果她对自己没感觉，也可以直说，紧张什么？她该不是因为他这个总监的身份而有所忌惮吧？不应该啊，刚开始的时候她因为那个醉酒的误会跟他关系紧张，针锋相对都有过，现在误会都烟消云散了，她反而开始不自在。

不知道他在想些什么，眼前只有这男人黑色的瞳仁里倒映的自己，心脏持续跳得不规则，伸手抓住毛毯，钱多多镇定一下再开口："谢谢，你——弄完了？"

"差不多了，剩下的到了酒店再说。"察觉到她的小心，挫败感更加强烈，他说话的时候笑了一下，但是唇角一放平，就有疲色显露，惯常的精神都没了。

不想讨论这个话题，又一时想不出还有什么其他可说的，正好空中小姐又走过来送饮料，钱多多只要了一杯水，接过杯子说谢谢，然后低头喝水掩饰自己的无话可说。

耳边听到他要了咖啡，飞机上的咖啡根本淡而无味，他喝的时候一点声音都没有，钱多多忍不住用眼角去看，看到他只咽了一口，然后望着舷窗外黑沉沉的夜色出神。

飞机已经开始慢慢降低高度，倾斜越过云层，举世闻名的香港夜景画卷般在眼下缓缓铺开，晴朗寒夜，地面上灯光缤纷繁华，仿佛漫天星斗洒落，青马大桥如同一线银河翩然扑面掠过，降落时机场灯火通明，照得舷窗水银扑面。

机舱里很多人忙碌交谈，还有急着立起来取行李准备下飞机的游客，但他一直都在出神，侧脸疲惫，满城璀璨都只是隐约的一个背景，仿佛另一个世界。

单打独斗终究是耗费精力的事情，再怎么年轻有劲，斡旋在那群老奸巨猾的家伙当中，总会觉得心累吧？

过去她也有挣扎在派系漩涡中感觉无力的时候，但是跟他所处的级别相比简直不值一提，即便如此，近距离看到他难得的疲态，仍旧感同身受。

原本的戒备与紧张突然烟消云散，本能地不想再让这个画面继续，又不知如何去打断，踌躇了几秒钟，捧着水杯的手指动了又动，意志力终于占了上风，钱多多最终还是选择了沉默。

4

公司派了专车在机场等候，到达酒店已经接近九点，大堂灯火通明，富丽堂皇，走入旋转门的时候里面有人正往外走，错身时突然对许飞一笑。

是个日本女子，穿着利落的套装，头发挽起，跟钱多多印象中日本女性温柔婉约的样子完全不同，许飞也笑了，又拉着她走出去介绍。

"Dora，这位是山田惠子，我在日本工作时的同事，惠子，这位是中国区市场部高级经理钱多多。"

钱多多一愣，她听说过这个名字，山田惠子出身豪门，父亲是UVL股东之一，在董事会也占了一席之地，而她一直是作为她父亲的特别助理在公司出现的，有名的千金小姐。

"Kerry，好久不见。"山田惠子双手放在身前看着他微微笑，然后才把眼光转到钱多多的身上，伸手与她相握："钱小姐，初次见面，很高兴认识你。"

钱多多立刻回应，有点诧异与她的西式作风，她与日本女性接触不多，丸美就是典型的日式传统风格，说话做事礼节繁琐，现在遇到一个反差如此之大的，真有点接受不良。

三个人站着聊了几句，山田惠子说话客气有礼，谈的也不过是最简单的工作近况，但不知为何钱多多总觉得插不上话，到后来她说到日本市场部，声音很低，许飞听着皱眉，又把头低下去靠近她一些，追问了一声，"嗯？你说什么？"

觉得自己站在旁边很突兀，突然感觉很差，钱多多开口告辞："Kerry，惠子，你们聊，我先上去了。"说完也不等许飞阻拦，点点头就转身进去了。

公司定的酒店照例是凯悦，房间宽大舒适，不过两三个小时的飞机，钱多多却觉得从来没有飞得这么累过，这时候看到那张床就忍不住，丢下行李直接躺倒。

原本只想休息一下然后开始整理，迷迷糊糊竟睡着了，直到包中的手机铃声大作才被惊醒，坐起来去摸，接的时候妈妈的声音在那头放得老大："到了也不知道打个电话回家，不知道爸爸妈妈要担心啊？"

说完对不起又讲了几句，短短几分钟，妈妈还抓紧时间夸了一会儿叶明申，提到叶明申她就头疼，还不能拒绝讨论，一旦流露出拒绝讨论的意思妈妈就劈头一顿训。

所以钱多多只好支支吾吾，恩恩啊啊地在这边应付，耳边是妈妈的絮絮叨叨，脑子里却控制不住地追忆起与那个男人相处那些场景。

她知道妈妈为什么喜欢叶明申，工作体面，一表人才，性格又斯文，这样的男人是所有适婚女子梦寐以求的对象，再挑剔的眼光都找不出一根刺来。

这样完美，为什么她仍旧不能接受？就是因为没有感觉到火花？都什么岁数了，还火花！自焚了一次又一次，还学不乖？

怪不得人家说大龄女子都古怪，以前她觉得全是狗屁，现在嘛，连她自己都觉得自己的脑子出了问题。

不敢说她已经拒绝了这样一位完美先生，妈妈还在那边絮絮叨叨，求饶了，好不容易挂上电话的时候钱多多无奈至极，再看时间已经过了十点，唉，工作不顺可以快刀斩乱麻，可以选择离开，生活呢？那毕竟是自己的亲人，妈妈等着她给一个交代，然后才能给一众亲戚朋友一个交代，谁都有压力，最后落实的还得是她，哎，还没更年期呢，她怎么就觉得不堪负荷。

心烦意乱，睡意全无，刚才许飞与山田惠子熟稔交谈的样子又在眼前不停打转，觉得自己有病才会介意，但克制不住去想那情景，心烦意乱，又觉得饥肠辘辘，她站在窗边啃手指甲，越想越饿。

不是第一次来香港开会，凯悦更是常住的酒店，还记得一条街外有间无比美味的粥品店，懒得再想了，她抱定一切烦心事丢给明天的宗旨，决定放纵胃口满足自己，抓过包推门就往外走。

5

一出门就看到旁边那扇门同时被打开，走出来的是许飞，穿着连帽衫和球鞋，再次变回第一次见面的街头打扮。

"你们聊完了？"看到他单独出现，心里居然有些高兴。

"嗯，有一会儿了。"他走到她身边说话，步子并不大，但奇迹般一瞬就到了她身边。

"为什么穿成这样？"

"想去跑步，一起吗？"

跑步？钱多多诧异地低头看表，不是说二十多个小时没睡了吗？居然还想跑步，他是超人吗？

他还在等回答，看到她诧异的表情之后只是一笑。

许飞平日里在公司穿着正式，现在的打扮跟平时所见惯的专业总监形象差了十万八千里，穿得轻松，笑起来就更是目眩，虽然钱多多早已习惯，但这一秒仍旧感觉有点晕。

妒忌了，她好想变成白雪公主的后妈，抱着魔镜质问自己的青春去了哪里？

然后在它开口之前一把砸碎它。

"你这样出去跑步？这里可到处都是我们的同僚。"

他低头看看自己："不像话？"

"像偷溜进来的大学生，不怕明天他们不让你进会场？"

"没事，我就说是来实习的，不要钱白干。"

Boss又说笑话，钱多多立刻很给面子地笑了两声，笑完往电梯走，拒绝他的提议："我饿了，要去吃东西。"

开玩笑，她躲这个男人还来不及呢，一起跑步？算了吧。

他举步和她并肩往前走，搭飞机很有经验的钱多多今天原本就穿得轻便舒适，现在仍是之前的那套平底鞋九分裤，上海冷，上飞机前她还套着厚厚的短款外套，现在早已脱下，里面只有一件平领的白色羊绒衫，长长的围巾很随便地搭在脖子上。

他想说话但是电话响，停下来听，钱多多自然没有等他，脚步不停，再往前几步就进了电梯。

十点已过，酒店在沙田，街道宽阔，没什么人，钱多多又是一心奔着食物去，一路目不斜视，步履匆匆。

迎面有嬉笑交谈声，几个年轻人走过来，男男女女打扮很潮，勾肩搭背互相笑闹，一副赶赴夜店的样子，她低着头走路没注意，擦肩而过的时候被狠狠撞了一下，脚下一个趔趄。

抬头瞪视，那群人其中的一个还流里流气地吹了声口哨："靓女，什么事？"

她不会广东话，不过这句话里的调笑意味还是听得懂的，气涌上来，张口就回了一句。

话音刚落那几个人就大步逼近了过来，近距离之下钱多多终于看清面前形势，这几个年轻人头发染得五颜六色，嘴里嚼口香糖，看着她眼神不善，大冷天的其中一个女孩子一大截白生生的腰露在外面，依稀可以看到红黑色的文身延伸向下。

街上安静，行人稀少，再怎么理直气壮都知道大事不好，钱多多暗暗咽了口口水，忍不住步子往后退了一点。

没想到背后还有人，一退就撞到了，仓促回过头，还没看清那人的脸就闻到熟悉的木香。

"Kerry。"

"嗯。"他就应了一声，然后揽住她的肩膀轻轻一带，转眼钱多多的眼前就只剩下一个宽阔的背脊。

他站在她身前跟那群人说话，一连串很流利的粤语，这男人今天穿得街头，又一向擅长见人说人话见鬼说鬼话，三言两语，说到后来居然跟他们哈哈大笑，拍着肩膀互相道别。

那群人离开的时候她已经被动地被揽到了他的肩膀下，他人高，手臂也长，很自然地圈着她的肩，自己的身体好像陷在一个独立的小世界里。

对那些人的注视还很忌惮，钱多多不由自主地贴近身边男人的身子，他的连帽衫外层是平绒的，蹭在脸颊上，柔软温暖，应该是刚冲过澡，那隐约的树木香味更加清晰。

上一次恋爱以后，不知多久没有接触过这样亲密的感觉，她一开始是不习惯的，全身都僵硬了。

但是平绒的温暖和树木的香味慢慢将她蛊惑，耳侧贴着他的左胸，有力平缓的心跳声好像某种原始的音乐，渐渐让她放松下来。

那群人终于离开，文身女孩临走时还用匪夷所思的眼光来回看了她和许飞两眼，那表情全世界都读得懂："你这种女人是怎么把他钓上的？不搭啊。"

缩在那么温暖的小空间里时间长了，钱多多原本已经有些出神，这时被她一瞪之后猛然惊醒，直起身子就往旁边退。

拜托，她跟这街头款的从来都不搭好不好？

6

对她的突然退却并不觉得惊讶，许飞很自然地收回手，双手插在口袋里低头对着她一笑："Dora，你还好吗？"

人家刚刚帮了自己一个大忙，钱多多也不好意思再追问之前他究竟说了些什么，干吗非得揽住自己才能告别。

全当那个动作没发生过，开口先道谢："谢谢啦，刚才多亏你。"

"没事，哪里都会有这种事，你一个女孩子要小心。"

钱多多哭笑不得，他叫她女孩子，还那么自然，好像她就是那种擅自离开父母走失的儿童，刚刚被他日行一善地捡了回来。

"你不是要跑步吗？"算了，不跟顶头上司计较措辞，钱多多提醒他走出酒店的初衷。

"有点累了，还想吃点东西。"他还是在笑的，声音却全不像刚才那样精神，低了下来，隐约还有点哑。

原来他并不是铁打的，这是钱多多第一个浮上来的念头。

顺理成章，最后的结果当然是两个人一起到了粥品店，不是第一次来了，她坐下来就叫白果粥，又对他说别客气，今天她请客。

所谓非常好吃的粥品店，其实就是那种最寻常的街边茶餐厅，开得临近居民区，火车席软座，墙上贴着瓷砖，还有很简单的菜单。

丝袜奶茶滑腻黏稠，白果粥香气腾腾，饿得有点惨，顾不上斯文了，钱多多先埋头大吃。

他也一样，两个人一句话都没有，捧着面前的食物，头都不抬。

虽然不抬头，但毕竟是面对面坐得贴近，眼角将对方的情况看得清楚，吃到一半钱多多突然忍不住，抬起头讲了一句："昨天，你是开玩笑的吧？"

他也正抬起头，听完没回答，看着她弯起眼一笑，然后继续吃。

被他笑得稍微轻松了点，钱多多补了一句："饿惨了？"

"是啊，飞机上的东西就跟没吃过一样，你呢？"

"也有点，不过也不全是，我有坏习惯，越烦越想吃东西。"实话实说，她低头继续吃。

"不怕胖吗？"平日见到的职业女性多，相处起来都是百般矜持，很少有像她这样吃相如此肆无忌惮的，所以每次看到她吃东西，都觉得是一种享受。

"先生，想想那些灾民，有的吃要惜福好吧？"

他笑："好吧，累了就吃东西，算个好习惯。"

"谁像你，累了还跑步，非洲草原上的习惯也算个好习惯。"伶牙俐齿惯了，她回得很快，说完才意识到面前坐的是她现在该退避三舍的男人，有点怪自己口快，钱多多赶紧用勺子塞住自己的嘴。

她说话的时候是笑笑的，举勺子的时候，小巧的舌尖在她的唇间一晃而过，刚才还觉得很疲倦，但忽然觉得欢喜，那些疲倦竟一瞬间消失了。

没听到回答，钱多多含着勺子看过来，特地补充说明："说笑啦，别介意。"

没有介意，都是他的问题，因为对一个人有了好感，所以看到她每一个细微的动作都觉得愉快。

勺子还在嘴里，等来等去等不到回答，眼前的男人不说话，慢慢眼睛弯起来，笑意流露，但是仍旧不出声。

茶餐厅熙攘热闹，最简单的长条白炽灯管投下的灯光明亮，照得四下亮如白昼，身边有人大声交谈，跑堂端着平盘穿梭来去，一边还直着嗓子叫菜："哪位的生滚鱼片粥？三杯奶茶马上到。"

这样嘈杂烟火气，但她竟觉得恍惚，又有幻觉，仿佛一切都已经远离，这世上只剩下他眼里的笑意，暖暖浸没了她。

7

这顿饭吃了很久，走出餐厅的时候街上万籁俱静，初春的晚上，风里凉意柔软，街灯明晃晃地铺设下来，照得平坦道路一层橘黄色的光。

到底是晚了，又没穿外套，钱多多吸气的时候用双手掩住脖子两侧。

"冷吗？"他侧头看过来，手指在身边动了动。

酒店遥遥在望，短短一段路，两人平行，地上影子交互错落，有时纠缠在一起，有时又各自散开，不觉得冷，那种恍惚的感觉还在，并没有喝酒，但就是仿若三分醉，居然感觉想傻笑。

"还好，你呢？"

"我？"他笑出声，"怎么可能？"

怎么不可能？真好笑，不过全身都感觉到松弛愉快，她只是微笑了一下。

还有几步就到酒店门口了，他一向步子大，这时却慢了下来，渐渐竟落在她身后，走了几步发现身边没人了，钱多多站定回头。

"多多。"他就立在她身后不远的地方，看着她。

"嗯？"那种微醉的感觉还在，她居然毫无警惕心地又嗯了一声作为反问。

他开口前笑了一下，但是语气肯定，全不带一丝笑意。

"那不是玩笑，我是认真的。"

天呐！又来？

被镇住了，钱多多居然被吓得控制不住自己的身体，突然地往后退了一步。

脑子里天人交战，她徘徊在断然拒绝和拔腿飞奔的两个极端选择中，眼前的男人不动弹，静静立在原地等答案，脸上的表情很执着。

街上清静无人，沙田的万家灯火全在他身后，繁华做底，他却独自立着，轮廓清晰，感觉有点突兀。

心里仿佛有一头潜伏了多年的小兽在那间空关的小房子里蠢蠢欲动，忽然鼻酸起来，步子迈不动，也说不出话，为了压抑那种奇突的感觉她努力低下头不看他。

低头之后眼前只剩下自己投射在地上那个影子，孤零零的，一式的感觉突兀。

橘黄色的街面，黑色斜长的孤单影子，忽然有另一个影子覆盖上来，来不及吃惊，身体已经被抱住，葱茏木香扑面而来，脸颊擦过柔软的平绒，然后是他温暖的嘴唇。

等不到回答，她在自己面前低头，黑色的头发安静地发亮，发梢顺着肩膀落下来，垂落在她白色的脸颊边。

只想伸手去拂开，好让自己看清她的表情，可是指尖一旦伸出去就不受自己的控制，她仿佛是一块巨大的磁石，身体的本能快过意识，下一秒自己就已经吻了下去。

记忆里纠缠了她数月的那个瞬间又回来了，舌尖湿润的甜味，鼻端呼吸纠缠，这一次没有喝酒，身体的反应却更加敏锐，皮肤战栗，耳边仿佛听得到空气中一个个小火团爆开的声音，快感强烈到令自己发抖。

知道自己失控，但又控制不了，他吻得深长，气息灼热，揽住她的双手很有力，掌心温暖。

分开的时候他把额头抵着她的想说话，四唇一旦分开，清冷空气将她仍旧湿润的唇刺激得微微一抖，太刺激了，她猛地往后退了一大步。

吸气让自己镇定，可是心中翻腾，手指颤抖，许多话在唇边冲撞，怕自己开口就会胡言乱语，她努力了半天才吐出几个字："Kerry，别这样。"

"为什么？"他反问。

"我比你大。"她说事实，说给他听，也说给自己听。

"那又怎么样？我妈还比我爸大 8 岁呢。"

原来如此——钱多多眉毛动了动，果然是强势的家族遗传。

"我们在一个公司，上下级，怎么可能？"

"有关系吗？"他表情疑惑，"我不 care 那些。"

"我 care！"被他气死，钱多多叫了一声，然后撇过头咬牙切齿，"我不是那些二十出头的小女孩，要玩别找我。"

"我说了我是认真的。"他眉毛皱起来，又重复了一遍。

"我也是认真的！"她吼回去。

他沉默了，钱多多一口气泄下来，突然莫名沮丧。

她对他有感觉，否则不会这样心乱如麻，不会这样忐忑不安，但她真的累了，不想再恋爱，恋爱做什么？恋爱就能有结果？恋爱就能让她从现在这一切烦恼中解脱出来？

叹息了，心灰意冷，想离开。但是脸上一暖，是他的手掌覆上来，按在她的脸颊上，好像是按在她的心上。

耳边有声音，很低，是他又重复了一遍："别害怕，我是认真的。"

太过分了，怎么都说不通？

但是鼻梁酸胀，眼角刺痛，仓促间闭起眼睛，唇上又有吻落下来，身体软弱，没办法再抗拒那样强烈的渴望，她又叹息了一声，慢慢回抱了他。

|08|

钱多多启示录 No.8

一个人的旅途再好，总有遗憾

> 我也想有机会在爱里体验争执与和解，分享和沟通，为了美好的细节微笑，忧伤的时刻流眼泪，一个人的旅途再好，总是有遗憾。

1

UVL 亚洲区年会第二天在公司香港新落成的大厦内准时召开。

由于这几年亚洲区在全球计划的版图上比重的不断加大，这次年会盛况空前，钱多多有幸见到了许多传说中的大佬，甚至连总裁大人都从伦敦大驾亲临。

总结报告准备充分，又有出色市场份额与业绩锦上添花，现场效果非常好，她在台上做总结报告的时候都看到那些大 Boss 们不断对自己微笑点头。

能给这些人留下印象就是升职的最好保证之一，这样大好的机会，她知道很有些同僚就是这样平步青云的。

过去被无数烦恼蒙住了眼，这时意识清明，忽然清醒意识到许飞坚持带着她来到这里，又让她独自上台的原因，结束报告的时候她立在灯光中保持微笑，眼睛控制不住地向他所立的方向看过去。

他就站在台侧，穿着非常正式的西服，这时望着她微微一笑，还调皮地眨了眨眼睛。

完了，她好开心，怕自己会在台上直接笑出声，钱多多赶紧低头看电脑，好歹掩饰一下情绪。

许飞下午有总监级会议，钱多多是独自回酒店的。

大门口有旅游大巴停着，服务生上前提行李，游客们在她身边大声交谈，她原本步子轻快，但遇到这样一大群人，只好放慢速度小心穿过人群往里走。

身边突然有孩子游鱼般一蹭而过，随之而来的是他们母亲的大声呼唤，闪避不及，她脚步往后交错一退，差点跌倒。

眼角一偏，忽然看到侧边有一对男女匆匆走过，那男人看上去眼熟，鬓角略白，长得极像牛振声，身边女子非常年轻，穿着时尚，短裙长靴，侧脸竟然有三分像自己。

牛振声和一个长得有点像自己的女孩——

太可笑了，怎么可能？

虽然在心里这么对自己说，但眼睛却忍不住追随着他们的身影仔细辨认，可惜她视力不好，他们又走得急，匆匆一瞥就失了踪影。

幻觉吧？没时间去玩寻根问底与猜猜猜，钱多多笔直往电梯走。

酒店房间连着宽大的阳台，正对中心园景，她拖过白色的藤椅在小桌边坐下，笔记本电脑早已被扔在房里，想到终于可以放下这一切好好休息一段时间，觉得一身轻松，再也没有打开它的欲望。

她已经很久没有这种感觉了，刚开始工作的时候，每做完一个项目都感觉达成目标，功德圆满，就想着怎么犒劳自己，度假花钱，奢侈过以后浑身舒畅。

后来职位越做越高，项目越来越大，想要达成的目标就离自己越来越远。完成之后再也没有轻易满足的成就感，往往是一个项目还没有完结的时候就急着烦恼下一个，年头到年尾咬着链子似的忙，赚来的钱都在账户里成了数字。

还是辞职吧，同一个公司，上下级，他没有心理障碍，她有。

想着怎么告诉许飞，但是一想到他又觉得心中酸软，没办法描述这种感觉，她一个人坐着想了很久，渐渐竟有了点睡意。

电话就搁在面前桌上，铃声将她惊醒，睁开眼居然已经是傍晚，电话那头是许飞很愉快的声音："多多，我回来了。"

她握住电话的时候微微笑，但小心着没有让笑意从声音里流露出来："好，你到我这里来，我有话跟你说。"

他走进来之后看着她笑，右侧嘴角翘得高，隐约有颗尖尖的虎牙露出来，她之前从未这样仔细看过他的笑容，这时不争气地一阵目眩。

坐下之前他没忍住，伸手拉了拉她披散开来的头发。

克制住自己想笑出声的欲望，钱多多退了一步表情严肃："别乱动，我真的有话要说。"

还没开口就有电话铃声在耳边响起，还来不及接又有另一个又响起来，不同的音乐双重奏，大有不被接听不罢休的架势。

谁这么有默契？钱多多暂时放弃开口伸手去摸电话，号码熟悉，是自己老妈打来的。镇定一下，她屏住气开始回应，耳边听到许飞也把电话接了起来，开口讲的是法语。

完全不知道女儿此时此刻的状态，钱妈妈在那头说得简单，叮嘱她上海突然降温，让多多回来时多添件衣服就挂上了。

回头他也已经结束通话，正笑笑地看着她，黑色瞳仁里有她的影子晃动。

太诱惑了，钱多多握着手机深呼吸，然后才正色看他："好了，我可以说了吗？"

他看看表，有点懊恼的样子，但对她说话的时候眼里都是笑："来不及了，边走边说好吗？"

"什么事来不及？"

"你还没吃饭吧？有人在楼下等我们，一起吃点东西，边吃边谈。"

"谁？谈什么？"她反应迅速。

"凯洛斯和山田先生，谈谈收购和田的项目。"

立刻想起在飞机上扫过一眼的那份东西，钱多多倒吸气："那份东西通过了？这么快！"

"还好，只是初步方案，计划先收购和田的销售渠道和下游工厂，投产之后再进入市场，这些事情落实起来都需要时间，不急。"他拉着她往外走，边走边解释。

"不急？Kerry，你等一下。"被他拽着往前走，钱多多急着说话，"为什么要我去？到底怎么回事？"

"坐下之后我解释给你听。"他对她眨眼睛。

"Kerry！"钱多多皱眉头，尽最大的努力强调自己有多严肃认真，"公司之前从来没有过用收购国内企业这样的途径切入新市场的先例，出发前李卫立还来找我旁敲侧击过提案的事情，通过了又如何？你确定能够顺利进行？保守派在国内那么多年，不是那么容易被说服的，凯洛斯又是怎么回事？他不是还在欧洲区吗？"

电梯门合上，他看了她一眼，没有回答问题，眼里突然有笑意，然后一低头吻了她。

吃了一惊，钱多多脚步一动，背靠在电梯壁上，双肩被他握在手里。

脑袋里嗡嗡作响，脸颊贴近，男人的气息拂面，仓促间，她的双眼本能地闭起，他吻下来的时候并不如何霸道强硬，但仍然坚定有力，她无论如何都挣不脱。

这个吻很短，分开的时候他双手扶住她的肩膀，继续盯着她看。

害怕他又吻上来，钱多多双手捂住脸再说话，声音就有点闷闷的："等一下，我刚才说——"

"多多，你是在担心我吗？"他笑了，刚刚吻过她的嘴唇，仍旧有些湿润，隐约仿佛闪着光。

来不及回答，电梯门开了，有人正要举步进来，看到他们的样子稍微愣了一下，然后才开口，客气有礼的声音："Kerry，钱小姐，你们好。"

脸红了，钱多多一惊回头，目光正对上一张修饰完美的脸，眉睫细长，眼神复杂。

"惠子？"她怎么在这里？有点不确定，她转头去看许飞。

他倒是很自然地笑了，走出电梯的时候答了一句："等很久了？不好意思。"

2

酒店内的法国餐厅，食客不多，音乐轻柔，反觉得更安静。

座上已经有两个人在等，凯洛斯她是见过的，另一个头发花白的日本老人却完全陌生，想来就是许飞口中的那位山田先生。

互相介绍，凯洛斯虽然是法国人，英语说得流利，与她握手，然后请她入座。那位山田先生更是客气，站起来与她讲话，握手时身体前倾。

落座时惠子很大方地坐在山田身边，叫他父亲，慢慢有些明白过来，钱多多偏头看了许飞一眼，眼里颇多责怪，而他微笑，为她拉了拉椅子。

侍者开始上菜，餐桌上的几个人聊起日本市场的新动向，凯洛斯是公司激进派中的权威，当然是铁腕人物，说话简短，很有威严。而山田却正相反，典型的日式老人，面目方正，交谈时语气和蔼，客气非常。

总觉得自己坐在这个地方格格不入，钱多多唯有埋头在面前的餐点里，沉默，不时微笑以应付其他人的眼光。

食不下咽，又不能停下，她吃得辛苦，法式大餐，侍者殷勤忙碌，一道一道上足全套，努力了半天才熬过第一道主菜。

面前金边铮亮的大餐盘被收了下去，接着上第二道主菜，惠子拈起雪白的餐巾擦擦嘴，把脸转向她："钱小姐，关于和田收购的项目，你觉得如何？"

钱多多嘴里还有半块香草烤羊排在，这时突然被点名，抬起头一边努力下咽一边想开口，差点噎住。

山田在旁边看着女儿笑起来："惠子，你最近对中国怎么这么感兴趣？这个方案是 Kerry 一手负责的，他人都在这儿，你怎么问到钱小姐身上去了。"

许飞把话题接过去，开始说国内市场的增长点所在，桌上其他人听得仔细，听完后凯洛斯点头开口："有些问题现在先搁一下，等我到任之后再着手解决吧，Dora，干得不错。"

什么意思？听完这句话钱多多心中猛地一震，之前也隐约知道一些内幕，前任总监提醒过她凯洛斯可能会以黑马身份出现在亚洲区，但委实没想到这么快，又被突然点名，局势混乱，猝不及防，之前决定辞职后放松的好心情直接飞到九霄云外去了，钱多多的左手在桌下不自觉地握起来，但是手背一暖，是身边男人伸手过来，轻轻抓住了她的。

他胆子还真大，当着一桌子人就这样——钱多多又被吓到，不过手背上很暖和，那温度像是一种麻醉剂，渐渐就弥漫到全身，原本的混乱情绪都没了，感觉世界上只剩下手掌周围这个小小空间发光又发热，突然之间很愉快。

好吧，这就是为什么要恋爱，皮肤渴求症得到充分的满足，就算只有那么小一点面积的触碰也觉得开心。

"钱小姐？"对面有人叫她，是惠子，看着她表情有点奇怪。

猛地回神答应了一声，钱多多此时唯一庆幸的事情就是，自己终于把那块小羊排及时地咽下去了。

从来没有哪顿饭吃得那么累过，终于得以脱身之后钱多多不想回房间，笔直往酒店外走。

身后有脚步声，她心里有气，不想回头，径自往前走。

一样的清静街道，灯光把两条影子拖得斜长，渐渐自己的影子被他盖过，然后手被抓住，耳边有笑声："小姐，赏光一起吃个宵夜？"

"我刚吃过，这位先生，说话请不要动手动脚。"她把手抽回来板着脸说话。

"怎么了？多多，我没什么哄女生的经验，现在学还来得及吗？"他苦着脸说老实话，然后从背后两手扶住她的肩膀，不肯放。

天呐，怎么感觉他在撒娇，有经验了，钱多多这次明智地没有挣，这个男人跟她独处的时候有点疯，唯恐他又会抓着自己在街上伤风败俗，她明哲保身地站住脚步不动了。

"Kerry许，你利用我。"虽然脚下不动，但她语气仍然严肃。

这个罪名大了，他立刻摇头，那颗小小的虎牙又露出来了，很是可爱。

"山田惠子对你很有兴趣啊，自己父亲都出面了，你不好好享用这一顿法国大餐，把我拖上干什么？"

"大家都是同事，有什么关系。"他还是笑，他与山田惠子在日本共事两年，她虽然背景特殊，但胜在工作认真专注，大家合作愉快，但他从没想过要与一位千金小姐来一段异国情缘，因此对她不着痕迹的示好一贯作不知情状。

没想到这次连凯洛斯都出面，幸好她在身边，想到这里又忍不住伸手去抱皱着眉头的钱多多，心满意足。

"什么乱七八糟的。"从来没见过这么自作主张的男人，钱多多突然很想伸手拍他的后脑勺："一样一样老实交代，先说提案的事情。"

"要站着说吗？"他的脸垮下来了，小孩子一样，那么高的人，突然把脸埋在她的肩膀上，还偷偷地啃她的脖子。

一阵麻痒，过电一样流遍全身，钱多多猛地反身把他推出去，脸红了："别乱来，这是大街！"

他抬起脸就笑嘻嘻，然后拉着她的手晃晃悠悠往昨天那个粥店去："先找地方坐下，边吃边说。"

精英超人款的她不怕，满脸严肃款的她也不吃，但是对这样死皮赖脸的就实在生气不起来，无奈地被他拽着往前走，钱多多嘴里还忍不住念："你还没吃饱啊？刚才多少道菜。"

他的手抓得很紧，正大光明的样子，这男人腿长，原本很大的步子现在却慢下来，努力配合着她的速度，说话的时候笑得很可爱："你吃饱了？我看你半天才咽下去一口。"

街上清清静静的，身边偶尔有路人走过，看到这对穿着正式的男女这样手拉手笑语闲逛而过，擦肩而过时个个表情羡慕。

钱多多心底那点潜藏许久的虚荣心得到极大满足，四周气氛又如此闲散，不知不觉间放松下来，再开口前就忍不住微微笑："我没见过大场面，受惊了，你就不同，早有心理准备，怎么能跟我比。"

他笑嘻嘻，手不老实，又去拉她的头发："我帮你说话呐，来不及吃。"

坐下后叫东西吃，钱多多这次没有埋头努力，先举着筷子问他话："老实交代吧。"

他正一勺子往粥里去，闻言抬头一笑："你不是都知道了？"

不开玩笑了，钱多多正色问他："你不觉得收购和田很冒险？我们在软饮料的市场上一直稳坐第一把交椅，但之前推出的茶饮料和果汁类饮料都水土不服，和田完全是一家民营企业，虽然在果汁市场上比较垄断，但是这个市场能有多大？"

"我们在传统市场上的份额已经没有什么突破的余地，公司看好国内市场的潜在消费力量，转型拿下全方位市场是早就定好的计划。"

"亚洲区一向是保守派当权，最不看好这么激进的计划。凯洛斯确定要到亚洲区了？这个项目能这么快通过，跟山田脱不了关系吧？"不想绕弯子，钱多多直接说出心中所想。

"山田？他的确对这个项目很感兴趣，这次凯洛斯倒是多亏了他的支持。"

"啪"的一声，钱多多的筷子拍到桌子上，眯着眼睛压低声音讲话，口气非常黑社会："项目？是他女儿对你感兴趣吧？"

"多多，你吃醋了？"他居然笑起来，心情很好的样子，"放心吧，我很专一的。"

"……"

他这样子好欠扁，这次钱多多真的一巴掌拍了上去。

喝完这碗粥之后钱多多终于把整个事态的来龙去脉全部整理完毕，凯洛斯对亚太区的位置虎视眈眈已久，而山田利用自己在董事会的势力支持他在亚太上位，同时巩固他自己在日本的地位，互利互惠，来一个双赢。

这一切她都可以理解，但是一想到山田惠子的眼神，就觉得心里发闷，怎么都压抑不住。

想追问他和山田惠子之前的关系，又觉得说这些很是无聊，她话到嘴边转了一句："凯洛斯什么时候到任？"

"就这两个月吧，亚洲区会有大调动，你事先知道了也好。"

"Kerry。"她正色，"我一直都想告诉你，来香港之前，我就决定要辞职了。"

"为什么？"他挑眉，"多多，你不是很喜欢这份工作？"

"是。"她点头。

"能够参与这样的项目很难得，如果你介意我们的上下级身份，放心，我很快就不在市场部了。"

这次轮到她吃惊，但转念又觉得正常。他来中国的使命顺利完成，凯洛斯到任之后，自然不会让自己的得力爱将再留在市场部这么遥远的地方。

那又如何？她轻轻叹了口气，继续开口："和那个无关，Kerry，我是真的想辞职。"

他沉默了几秒钟，然后伸手过来，轻轻按在她的脸颊上，说话的时候微笑，好像是安抚，又好像是请求："多多，你要留下我孤军奋战吗？"

他掌心里有树香和白果粥的香气，很温暖，动作自然，信任与宠爱的一个抚摸。

雷厉风行的钱多多，壮士断腕的钱多多，快刀斩乱麻的钱多多，这一刻突然失了坚定，就在这么简单的一个抚摸下，瞬间茫然失声。

3

来不及多说，许飞的电话铃又响，他看了一眼号码才接起来，对话间多是点头，回答很短。

听出来他和凯洛斯讲话，钱多多也不关心，低头喝自己的奶茶。

他听电话的时候一直在看她，说完把电话抓在手里。

"怎么了？是不是有事？那我们走吧。"她擦嘴角，很干脆地举手叫买单。

许飞动作一向比她快，这时已经把钱压在杯下，站起来拉她："凯洛斯找我，我先送你回酒店。"

说是有事，他的步子倒也不急，餐厅到酒店总有十分钟的路程，他仍是按照来时的样子，晃晃悠悠拉着她往前走。

"喂，你家老大在等你，不用赶时间吗？"哪有这么不把老大当回事的，钱多多很好奇。

"他还在等人，不着急。"他好像很享受跟她手牵手闲逛的感觉，讲话都慢了下来。

"谁？"脑子里突然灵光一闪，钱多多歪头看了看他，"山田？还是山田惠子？"

"惠子，她说想来学习一下，你也知道山田开口，凯洛斯不会拒绝的。"他说得很坦白，但一句话还没说完就被钱多多抢去话头，这次说话的时候她把双手背到背后，表情很酷，"你去忙吧，我还要回餐厅。"

"不是吃饱了？你还要吃什么？"他有点愣。

"突然很想吃醋，回去问问老板现在还有没有螃蟹配醋吃。"她说得一本正经，说完还转头往来时的方向迈步子。

身后有哈哈大笑的声音，肩膀一暖，被人用力拖住，脚下就再也迈不开。

钱多多瞪眼抬头，却看到他笑得露出一口白牙，眼睛亮亮的，很快乐的样子，然后眼前一花，唇上一暖，她又一次在大街上，正大光明地被他吻去了。

他吻得短促，又很有力，吻完了低头看着她笑，亮晶晶的眼睛，里面有自己的倒影。

手又被牵住，刚才那个话题算是自动结束，最近在大街上伤风败俗得很习惯了，实在拿他没办法，钱多多被他拉着继续往前走。

他的手心温暖，自己的鞋跟轻轻敲打着安静街面的声音绵延不绝，两个人的影子在眼底长短相依，明明昨天还在纠结要不要接受这个男人，可今天却好像已经和他水乳交融了很多年，就连行走间都默契完美，享受到极点。

四下很安静，他们俩不再说话，不约而同地沉默下来，为这样的感觉感到奇妙，钱多多忽然有幻觉，幻觉自己是一只离群许久的动物，终于在绝望之前遇到了同类——唯一的同类。

这样幸运，应该要感恩的，又看了他一眼，街灯下他很柔和的侧脸，线条温柔，跟平时的意气风发大相径庭。

酒店已经遥遥在望，十分钟的路程，在许飞的感觉只用了一瞬，到达终点时竟有点恋恋不舍。

多多，到了。

想开口对她说些什么，却忽然感觉手臂上有温暖的轻触，低头去看，当然是钱多多，这时正很乖地把脸靠过来，轻轻磨蹭了一下。

许飞将她送到房间之后就离开，钱多多独自洗漱上床，一切停当之后她倒在床上闭上眼睛。

这两天发生了那么多事情，觉得累，脑子发胀，但是身体疲惫软弱，她很快便睡得无知无觉，半夜突然被噩梦惊醒，她猛地从床上坐了起来。

室内一片安静，空荡荡的，一点声音都没有，她的喘息声被无限放大，仿佛一部恐怖电影中的场景。

还是那个噩梦，她独自奔跑，四下永远地空无一人，就算是家里也空空荡荡，不知道自己要寻找什么，只是打开每间屋子寻觅若狂。

正掩着胸口喘息，突然床头柜上的手机振动，屏幕在黑暗中跳出光亮，是短信。

抓过来看，那上面只有很简单的一行字："多多，你睡了吗？"

她没有回，赤脚下床，酒店房间地毯厚实，踩下去非常柔软，脚趾都要陷进去的感觉。

这样的酒店，所有的公共区域当然是二十四小时灯火通明，但毕竟是晚了，走廊里空无一人，一片寂静，她打开门的时候一愣。

眼前一花，身体被突然抱住，抱小孩的那种姿势，她人不够高，腰间被一揽双脚就离开地面，想尖叫，不过嘴给堵住了，耳边是门板合起的声音，轻闷的一声。

他还穿着那身正式的西服，奇迹一般，一整天的忙碌，居然仍旧气味清新，进门后一句话都不说，双手将她抱得紧，低头很用力地亲吻她，呼吸灼热。

身体的反应很诚实，纯粹的快乐，仰面倒在床上的时候钱多多必须咬紧牙关才能克制住自己不要叫出声。

一切发生得很自然，水到渠成，肌肤裸露在空气中的时候她居然不觉得凉，每一寸皮肤相贴的都感觉像星火蓬勃燎原，赤裸相贴的感觉好像到了天堂。

寻觅若狂，无数次打开门后的空荡和失望，突然间烟消云散，快感袭来的时候钱多多咬住嘴唇闷哼，唇边一暖，是他的手指，抚过她的脸，再轻轻扳开她的嘴唇。

耳边有声音，沙哑带笑，很温柔，好像在哄小孩子。

是他在说话，在说："别，痛的，咬我吧。"

身上的男人俯下来吻她，舌尖很用力，又抓住她的手腕按在头顶上方，快感袭来的时候她手脚痉挛，实在无法控制自己想尖叫的欲望，最后真的一口咬在他的肩膀上，齿尖深深陷进去，隐约间血腥味四溢弥漫。

他也不躲闪，眼光迷离，盯着她不放，被咬的时候闷哼，又好像是闷闷地笑，然后低下头去吻她不老实的嘴，唇齿间声音模糊："多多，我爱你。"

她快活得要爆炸，神智迷茫，只是"嗯"了一声，然后更用力地回吻过去，舌尖纠缠的时候感觉心脏同时被反复翻绞，整个身体都在颤抖。

结束以后钱多多暂时瘫痪，感觉自己全身骨头都被抽光了，只剩下出入气的力量，勉强维持生命。

氧气不足，她吸气的时候脑子里一片空白。

眼前迷茫，恍惚看到他俯下头又要亲吻上来，用尽残存的力气偏了偏头，钱多多差点没有哀叫起来。

不知道这时候后悔还有没有用，这只野生动物太强悍了，做爱的时候像一场非洲草原的追逐战，死死咬住猎物不放手，可怜她年届三十终于开了眼界，亲身经历了传说中的小死一回。

那闷闷的笑声又来了，然后身体被抱住，面前风景养眼，年轻男人的胸膛，皮肤结实紧致，仰脸可以看到他线条优美的下颌。

头顶又有声音，这次听得清晰又肯定，他又在重复刚才的话，不笑了，很认真，没几个字，她却好像在听天书。

天书的内容是："多多，我爱你。"

她的回答也很简单，是个问句，就三个字："你疯了？"

5

不知道别人是怎么想的，不过在快三十的钱多多的感觉里，我爱你这三个字基本上可以等同为，我疯了，我傻了，或者我刚刚被雷劈中了。

只有神志不清的人才会相信做爱中男人脱口而出的话，所以她刚才听到这句话的时候自动略过，根本没放在心上。

但是现在他又在自己的耳边重复了一遍，说话的时候速度很慢，茫然了，她努力仰起头看他，表情很古怪。

钱多多仰头看他的样子像一只正追着老鼠跑得欢，拐个弯却突然看到老鼠变大象的小猫，眼睛瞪得大，还在用力吸气，第一次看到她这样可爱的表情，被逗笑了，他下一个动作就是把她轻而易举地举起来，放到自己身上。

只有很小的时候才被父亲这样对待过，她趴在他的胸膛上像是变回了小婴儿，鼻尖对着他的，嘴唇湿润，呼吸跟他的合在一起，要说的话都忘了，自然又本能，他们当然是第一时间又吻在了一起。

吻完之后钱多多气喘吁吁，想翻身逃走，又挣脱不了，最后她无奈地侧过脸埋首在他的肩窝里，假装自己是一只鸵鸟。

不知道是几点，卧室里没有光，很暖和，静下心仿佛能闻得到欢爱的味道。

对一个人有感觉，接受他，被他所接受，两情相悦，这样的欢爱散发着奢侈而极乐的味道。

她娇小玲珑的身体乖乖地趴在自己的身上，静静不动弹，好像一只终于找到同类的小动物，累了，又充满安全感。

原本有许多话想说，但这时候又不想开口，不忍心打破这样奢侈的享受，他们两个人同时安静了下来。

太累了，他的胸膛温暖宽阔，觉得安心又愉快，钱多多最后竟朦朦胧胧睡着了。

这一觉睡了很久，醒来的时候自己是独自躺着的，天已经亮了，酒店遮光帘密密合着，卧室里仍旧昏暗，伸手去打开床头灯，灯光照下来的时候看到桌上许飞留下的纸条。

他的字笔画有力，一个一个很方正的样子，寥寥数语，却很亲密，上面写着："多多，我去晨跑，很快回来。"

还有PS，就跟在正文后面，更简单，也只有三个字："PS：我没疯。"

6

关于男人说的话，依依曾经在钱多多面前发表过非常精辟的结论，大致内容是这样的：

一、做爱的时候男人没有大脑，所说的任何话都可以忽略不计。

二、做爱以后他们有恢复期，这个阶段大脑仍旧处于供氧不足的状态，但是如果重复同样内容，可信度最多可以上升到30%

三、做爱以后的第二天早上，如果他们还能清醒重复同样的内容，那么就说明他是认真的，可信度非常高。

而且据依依亲口证实，她的求婚请求，就是在早餐桌上得到的，当时她脂粉未施，嘴里还含着半口牛奶，如果那个样子都能在牛振声眼中颠倒众生，那么他一定是爱她爱得很惨。

依此类推，虽然许飞在写这些话的时候不是早餐时分，但钱多多同样不认为自己睡得稀里糊涂的模样会美若天仙，那么——我爱你这三个字，是真的？

不是真的吧？现在哪里还有人这么直白地把爱说出口，这种行为就跟五花大绑把自己直接送到别人面前任人宰割差不多。

实在不敢相信，钱多多捧着这张纸条发呆了很久，然后才慢慢爬下床穿衣服，走到盥洗室漱口洗脸。

站在镜子前面觉得不认识那里面的女人，她很久没这么仔细地观察过镜子里的自己了，过去每天急着上班，匆匆抹完护肤品就走，回家又是累得贼死，打仗一样把自己弄干净就上床去了，哪里顾得上研究自己的这张脸。

今时不同往日，心情好，又难得有大把的闲工夫，钱多多左顾右盼之下只觉得自己整张脸都红润光泽，就连眼睛里都好像蒙了一层水。

怪不得人家说阴阳调和才是美容圣品，她以前总是一边抹着价值昂贵的护肤品一边嗤之以鼻，现在服气了。

伸手去拧水龙头，一抬手才发现那张字条一直被自己抓在手心里呢，最简单的酒店便条纸，四四方方，雪白的一片，已经被她抓得有点皱了，不过那些字仍旧清晰。

想象他坐在睡着的自己身边，一笔一画写下这些字的样子，盥洗室，来去就自己一个人，再装就太假了，实在忍不住心头快乐的感觉，钱多多直接笑出声。

| 09 |

钱多多启示录 No.9

自己选的路，跪着也要爬完

过去人生的每一步，学业，事业，男人，感情，她都尊重了自己的意愿，选择得义无反顾，当然偶尔也会感到挫折，但因为是自己的选择，所以与人无尤。

自己的选择，刀山火海，也不后悔。

1

原以为这一次 UVL 亚洲区的高层变动将会是类似于保卫莫斯科那样的持久战，不耗个一年半载直到弹尽粮绝硝烟弥漫不痛快，没想到结果却是突袭波兰的闪电战，凯洛斯一派以迅雷不及掩耳之势拿下江山，保守派还来不及应战，就输了个一败涂地。

香港归来之后的两个月内，公司里仿佛上演好莱坞精彩大片，每天都让人看得目不暇接，心惊胆战。

传说中的总裁大人驾临亚洲区总部，亲自宣布原属欧洲区的凯洛斯成为亚洲区的新任亚洲区首席执行官，旧任首席执行官提前荣休，欢送酒会和就任仪式前后脚进行，全都盛大无比。

表面风光而已，其实树倒猢狲散，那套旧班底纷纷自寻出路，有能力的早早想好退路，自从许飞到任之后就开始观望局势，这时一看大事不妙，立刻脚底抹油。没有能力的一时半会找不到出路，只好整天提心吊胆，人人自危，每天都过得惴惴不安。

他们的担心绝对是有理由的，全世界的改朝换代都是踩着老班底的尸体进行的，这里又不是什么世外桃源，当然不能免俗。

凯洛斯上任后的第一件事情就将保守派的人马撤换架空，而原本突然空降的那位传奇市场部总监 Kerry 许，当然又回到他身边，担任特别助理。

原首席执行官的副手已被架空，光剩了个名头，明眼人都看得出许飞现在的地位超然。

亚洲区大换血，腥风血雨从高层笔直蔓延向下，各个部门内都有去有留，当然也有升有降，几家欢喜几家愁。

至于钱多多，她的感觉非常复杂，简直难以用语言形容。

回国之后的第二周，一直勤于与她联系的猎头公司又致电她，然后又有 M&C 的人事总监亲自与她私下联系，给出的 offer 非常诱人，竟然是 M&C 的大中华区运营总监，合约三年，工作地点在香港。

M&C 是这两年国际市场上新兴的一匹黑马，善于资本运作，她在 UVL 的职位只是中国区市场部高级经理，而 M&C 竟然这次给出这样好的待遇，钱多多实属意料之外。

来不及权衡，几乎是同一时间，一纸升职公文已经放到她的面前，兜兜转转几个月，她终于得到了那个原以为顺理成章属于自己的位置，成为新一任的市场部总监。

一边是还静静躺在抽屉中没有见过天光的辞职书，另一边是 M&C 抛出的史无前例的橄榄枝，她在两份文件面前静静坐了一个晚上，一直到晨曦微露，天光乍白。

耳边一直盘旋着他的声音："多多，你要留我孤军奋战吗？"

闭上眼睛叹息了，她最后伸出手，把 M&C 的合约轻轻合了起来。

2

宣布自己升职的那天早晨钱多多坐在餐桌前对着牛奶杯表情凝重，钱妈妈已经习惯了女儿在早餐时间时不时的情绪落差，一边伸筷子夹榨菜一边开口劝她："又怎么了？多多，我不是早就跟你说过了，升不上去就算了，先把自己的事情解决再说，现在你最要紧的不是升职，最要紧的是快点给我成个家。"

成家——她现在哪有时间想那个问题？

心里叹口气，想想早晚他们都是要知道的，钱多多放弃与牛奶杯的两两相望，站起来先宣布好消息："爸爸妈妈，我升职了。"

几个月前才听多多宣布升职失败，短短几个字言犹在耳，现在时隔不久，女儿居然又用同样的口气讲出升职这两个字，这么突然，钱爸爸钱妈妈再次面面相觑。

回神以后钱妈妈率先抱怨："又升职？会不会越来越忙？那你跟小叶还有什么时间约会？"

听到这个名字钱多多就头疼，再深吸一口气才开口讲老实话，这次说话的表情有点艰难，不过她吐字清晰表示决心："妈妈，我对叶明申没感觉，所以不打算再跟他谈下去了。"

对面有倒吸气的声音，知道这是妈妈发飙的前兆，钱多多扔下这个深水炸弹之后都没有勇气再看自己老妈的表情，直接落跑上班去了，出门的时候跑得快，一声再见都是远远飘过来的。

把车直接停在地下车库的总监专用位置上，钱多多进电梯的时候正是上班时间，身边满满的人，前后左右看到她全是笑脸，至于笑容背后，钱多多忙着保持自己的微笑，所以也来不及关心，这样一路走过，她最后进办公室的时候感觉脸部肌肉都僵硬了。

还没坐下就听到敲门声，是小榄，用一只手抱着一大摞文件夹，走进来先是一个立正，笑着对她开口："老大，早上好。"

"早上好。"钱多多回报一笑。

小榄走过来不急着放下文件夹，先把背在身后的那只手伸出来，抓着的拳头放开，露出一个小盒子，笑眯眯地继续说："恭喜老大。"

"干吗送我东西，我才应该请你们吃饭呐，晚上一起去老地方？"

"这是老早就准备好的，没想到上次突然——"说到这里小榄吐吐舌头，"反正就是绕了个小圈，现在一切没问题了，看看啦，特地给你挑的哦。"

一边说一边小榄就已经把那个小盒子打开，盒子上印着施华洛世奇的天鹅logo，打开后柔软的白色内衬里藏着一件很小的水晶盆栽便条夹底座，灯光下红花绿叶红色小盆剔透可爱，银色铁丝在上方绕了两个小圈。

办公桌宽大，她才坐进来没多久，上面除了电脑空空荡荡的什么都没有，这小东西放上去之后就更显得玲珑可爱，看得钱多多也忍不住笑起来。

小榄和自己在一起工作很多年了，私交不错，再说这也不是什么贵价品，钱多多笑完大方地说了声谢谢，然后走过去拍拍她的肩膀："别闹了，准备例会吧。"

小榄出去以后桌上的电话响，是直线，钱多多正打开文件夹，接的时候也停下，直接把话筒夹在肩颈："喂？"

那头是均匀的呼吸声，还有风的声音，许飞回答的时候带着笑，"嗨"了一声，接着再问："多多，在办公室了？"

"还能在哪儿？你还怕我临阵脱逃？"在一起快两个月了，虽然在她的要求下没有对任何人公开过他们的关系，但是只要一有闲暇，他们总是抓紧一切机会在一起，不过都是工作忙碌到时间不够用的人，许飞上周又飞去了伦敦总部开会，好几天没见了，很想他，这时听到他的声音钱多多的嘴角就自动勾了起来，没办法，自然反应。

那头轻声笑，背景有隐约而过的车声："逃吧，我跑得快，回来再追。"

听那个声音就知道他在干吗，钱多多腾出手抓住话筒继续说话："又在跑步，那儿都几点了？小心被人抢。"

他哈哈笑："总监大人，要是我被抢了，记得管饭。"

这男人跟自己讲话总是疯疯癫癫的，钱多多无奈，看着时间说话："要开例会了，我先挂了啊。"

地球两端有时差，这时的许飞刚刚结束一整天的会议，伦敦的傍晚，酒店周围街道安静，他在薄雾中独自慢跑，突然很想念她，想她在身边，想能够伸手抱住她。

"多多。"他阻止了一声，然后低声笑，"伦敦起雾了，很漂亮，我想你了，真想你也在。"

地球两端有时差，这时的钱多多正坐在总监办公室宽大的办公桌前，面前是毫不浪漫的一大摞文件，挂钟的秒针一格一格移动着提醒她紧张繁忙的一天正要开始，但是，唉，但是她化了——心一寸一寸塌下去，好像黄油遇到火。

3

走进会议室的时候其他人都已经坐好了，唯独左手边的位置空空如也，钱多多看了一眼小榄："任经理呢？"

小榄还没开口回答，门响了，所有人都回过头去，正看到任志强。

他一手还在门上，就站在原地说话："Sorry，我迟到了。"

钱多多也看了过去，他们两人在半空对望了一眼。

今天会议重要，她戴着眼镜，所以视线清晰，这个时候清楚看到他目光中诸多复杂意味。

没时间多分析，她点点头示意他坐，没有微笑也没有多说一句话，转身宣布会议开始。

女主管一向要面对更大的压力，更多的质疑，她早有心理准备。

宣布完接下来市场部要面对的工作计划之后下面一片哗然，钱多多对大家的反应毫不意外，事实上就算她过去有些心理准备，最后在香港得到确定消息的时候仍旧震惊不已。

她不是许飞，说不来那些振奋人心的场面话，但是钱多多有钱多多的特点，她就坐在首位非常冷静地等待大家最初的惊讶稍稍过去，然后站起来打开投影仪，用最平常的声音，条理分明地宣布工作计划以及人员分配，仿佛这就是一个再平常不过的标准项目。

她这样的态度让会议室里很快安静下来，所有人不自觉地听得仔细，被指派到任务的已经开始埋头记录重点。

这一天过得忙碌，但下班后钱多多仍旧兑现诺言，按照老规矩请全体吃饭庆祝升职。市场部所有人聚在常去的日本餐厅，就连任志强和伊丽莎白也没有缺席，虽然伊丽莎白脸上表情不是太好看，虽然任志强从头至尾都没有说什么话，但至少表面上，整个市场部其乐融融，大家笑声不断。

自觉自己做人已属成功，钱多多一直笑着接受祝贺，将近九点的时候她起身告辞，说自己还约了人，鼓励大家吃得尽兴然后继续节目，全算她的，然后便爽快地买单先离开。

职位落差越来越大，表面再怎么一片和乐，她在座的话大家有很多话总是不方便说，钱多多也是从底下做上来的，这方面一向很体贴。

再说她也的确有约，最近发生这么多事情，怎么能不跟自己的闺中密友好好聊聊。

不是喝咖啡的时间了，钱多多和依依这次约在酒吧，钱多多认识的酒吧不多，依依更别提了，所以来去都是老地方，进门的时候面前仍是那个老旧的古董地球仪。

依依是由司机送到的，不是什么城中热闹之地，酒吧外的街道很安静，司机就把车靠着街沿停下，然后坐在里面摊开一张报纸，耐心等待。

钱多多早到，已经握着酒杯坐在角落里，身边是棕色木框镶着小块的艺术玻璃，透过那些冰纹看着依依下车，已经是初夏，依依穿着轻便，绾着头发，束腰风衣下露出淡紫色的裙摆，短短几步路也是一道风景。

这个酒吧靠近公司，并不出名，所以很安静，里面人不多，钱多多坐得角落，沙发后有室内植物，这时站起来绕过那从绿色招呼立在门口的依依，一脸笑。

依依也笑了，走过来脱下风衣坐下，沙发宽大，椅背又高，两个人一坐下就仿佛消失，美人一瞬，钱多多几乎能够听到背后传来的唏嘘声，忍不住又笑了。

"这么开心？"依依端起酒杯与她碰杯，红酒杯晶莹剔透，深红色酒液晃动，杯沿相碰，清脆的一声响。

"还好，升上去总是好事，不过完成这个项目之后我可能会离开 UVL。"到了这个时候才真正放松下来，钱多多调整坐姿让自己陷得更深一点。

没听明白她的话，依依有点吃惊地睁大眼睛："UVL 不好吗？上次你没升职成功说要换地方，这次都升总监了你还要换地方，换地方很好玩吗？"

钱多多吐了吐舌头："人在江湖，身不由己。"

依依眼光惊讶，钱多多只是笑，可怜依依从来没有工作过，又不了解情况，光靠一句人在江湖身不由己的解释，她根本有听没懂，照样是一头雾水。

不过依依对自己觉得不太重要的事情一向有搞不清就放弃的优良习惯，又对这方面的话题没什么大兴趣，所以这时候立刻抛开钱多多的工作情况，直接跳话题："好吧，不谈那个，你气色很好哦，又恋爱又升职，最近跟叶明申发展到什么阶段了？来汇报情况。"

钱多多摇头，讲老实话："恋爱是有，不过不是跟叶明申，我去香港前就跟他说对不起了。"

这回真的大吃一惊，依依酒杯还在唇边，差点呛到，放下杯子才说话："怎么了你们？不是一直在约会，那天我打电话去你家，你妈妈还夸了半天小叶小叶的。"

听到自己妈妈就头疼，钱多多坐起身子打算解释，突然门口有熟悉的人声，她一回头，然后又立刻转了回来。

居然是任志强和伊丽莎白，怎么难得出来喝个酒都会遇到他们，钱多多心里叹气了，懒得多看，又不能现在就拖着依依换地方，麻烦。

看不懂钱多多的表现，依依好奇地探出头顺着她刚才的眼光想看个究竟，却被钱多多一把拉住。

眼角只瞥到一男一女在距离她们不远的地方坐下，那个女生等不及上酒就开始抱怨，声音愤愤："我真想不通，凭什么绕了一个圈子还是让钱多多升上去了？

论年资论经验，她都不如你。"

听到钱多多三个字依依就安静了，用眼神提问："你同事？"

钱多多点点头，无奈地耸耸肩，继续喝酒。

伊丽莎白一直在不停地说着公司的不公平之处，任志强却很沉默，喝了一会儿才开口："算了，她跟我们不一样。"

"哪里不一样了，上次她不就是因为跟前任总监关系好，老是背地里下工夫，所以才说要升的吗？后来 Kerry 许突然空降，把她杀了个措手不及，真是大快人心。"

背后嚼舌根！听到了，我都听到了哦，钱多多在沙发里翻了翻眼睛，依依看得好笑，继续做嘴形："被人讲了哦。"

"没人讲才不正常。"钱多多压低声音回了一句，然后开始观察这个酒吧有没有第二个门能够让她们神不知鬼不觉地离开。

她也想做到全世界都满意，可惜这绝不可能，现实如此，钱多多不强求。

耳边又有声音飘过来，伊丽莎白不停地抱怨："谁知道这次钱多多又找谁下了工夫，你说她跟 Kerry 许会不会有什么关系？怎么他一升上去又是轮到她？"

"Kerry 许？"依依也听得清楚，这时一脸问号看着钱多多，"许飞？"

钱多多还来不及回答，任志强突然开口："你才看出来？钱多多早就跟许飞搞在一起了，现在你才来讲这句话，迟了。"

"真的？"相同的两个字和倒吸气的声音从伊丽莎白和依依的嘴里同时发出来，钱多多都来不及捂住她的嘴。

幸好她们坐的位置实在隐蔽，依依一向走淑女路线，声音撑死了也大不到哪里去，身后的两个人又情绪不好，居然都没有注意到。

伊丽莎白目瞪口呆，再开口的时候声音都变了，语气复杂："她跟 Kerry 许？那个男人怎么会被她——啊，你怎么会知道的？"

"我看到过。"任志强回答很简单，一副懒得多说的样子，接着就伸手叫买单，"走了，今天我要早点回去。"

"不去我那里？"意外与他的动作，伊丽莎白说这句话的时候很是情急，与之前的语气大相径庭。

"伊丽莎白，跟着我没前途的，你要学学钱多多，要找就要找最有用的男人。"任志强抛下这句话的时候声音很冷，然后头也不回地走了。

　　伊丽莎白没有跟上去，一个人又坐了几分钟，脸上表情很复杂，然后突然起身，抓起包就匆匆离开。

　　好像刚刚听了一场精彩的广播剧，依依挨到他们离开就立刻抓住钱多多提问："到底怎么回事？你快讲给我听。"

　　被人背后这样评论，钱多多脸色自然不太好看，这时候不答反问："依依，你觉得我升职靠的是什么？"

　　看出来钱多多有点郁闷，依依暂时压抑八卦的念头，认真回答："当然是因为你能力好，又够努力嘛。"

　　钱多多苦笑了一声："依依，你听到他们说什么了吗？现在你明白了吧，做个女主管只是表面风光而已，背后不知道要比男人多付出多少倍的努力，女人总有一天要结婚生孩子，再怎么有业绩，公司都会多考虑男人，真的做出来又升上去了，人家又要说你是睡上去的。"

　　"别理他们，那是妒忌，了解你的人根本不会相信这些胡说八道，你跟许飞会有什么关系？他比你小好几岁呢。"

　　"谢谢支持。"钱多多拱拱手，然后低头认罪，讲了老实话，"不过我跟许飞，现在的确是有关系的。"

　　"啊？"愣住了，依依呆呆补了一问，"什么关系？"

　　亲手破坏自己原则的钱多多千年难得地害羞起来，撇了撇头，讲话有点不自然："我们，我们在恋爱。"

　　对面没声音了，依依的眼睛瞪得大，酒杯还举在半空中，不上不下的，里面酒液晃荡得危险，钱多多识相地将杯子接过来，又替她倒了一点，然后双手放在膝盖上，安静地等依依恢复正常。

　　足足一分钟之后依依才开口说话，先喝一口酒镇定一下，然后抓起钱多多的手。

　　不知道老朋友要发表什么样的评论，钱多多凝神静气做好准备。

　　"多多，照片。"

　　"啊？"这次轮到钱多多呆住。

　　淑女款的依依，突然流露出跟一身贵气完全不搭的少女梦幻表情，双眼亮晶晶地盯着钱多多，摊开手很雀跃地讲话：："那个许飞，现在比以前更帅了吧，多多，我要看照片。"

4

太太跟她的闺中密友谈兴大发，依依家的司机这一次在酒吧外等了很久，一份报纸翻来覆去覆去翻来地看了好几遍，连夹缝广告都快背出来了。

不过既然是从事这一行工作的，又在这个家里待了那么多年，他一向是很有耐心的。特别是最后等到太太上车，后视镜里看到她脸上的笑容，更是觉得等得值得。

先生一直忙碌，他跟张阿姨算是跟依依最接近的人了，这些年看着这位年轻的小太太一点一点年龄渐长，刚来的时候还跟小女孩一样，整天喜笑颜开的，到后来却越来越寡言淡漠，最近更是，对身边发生的一切事情都不太关心的样子。

他们只是普通人，不过看看也知道富贵媳妇不好当，幸好她还有个好朋友可以排遣寂寞，钱多多跟依依生活圈子完全不重叠，但是两个人友谊历久弥新，每次在一起依依都很高兴，所以他对这样的接送等待当然是心甘情愿的。

后视镜里那个笑容一直在，难得看到太太这样高兴，司机开着开着也忍不住回头问："太太，什么事情那么开心？"

她还能笑什么？当然是因为钱多多。

刚才钱多多架不住自己的逼问，一五一十把她和许飞这段时间所发生的事情全招了，依依听得羡慕，最后还问多多："可是你妈妈不是想你尽快结婚吗？许飞还年轻吧，没有结果怎么办？"

这句话问得中肯，钱多多沉默了一会儿才回答："依依，我也害怕，到了这个年龄，如果恋爱没有结果，对男人来说只是浪费一段时间，对我来说可能就是浪费了整个青春。不过既然已经决定了，就要走下去，刀山火海也不后悔。"

觉得钱多多说这话的时候好漂亮，依依动容，举起酒杯跟她碰了一下，然后斩钉截铁地补充："对，自己选择的路，跪着也要走完它！"

说完她和钱多多两个人一起大笑，一直到分手的时候都抹不平自己往上翘的嘴角，这时听到司机提问，她仍是微笑回答："啊，我跟多多刚才说笑话呢。"

"什么笑话？"司机也笑了，又问了一句。

后视镜里的依依笑笑摇头："我们女生的悄悄话啦，不能告诉你。"说完转头看窗外。

车窗外一片黑暗，路灯下偶尔有人骑着单车努力埋头蹬踏，匆匆而过，但她所处的车厢里却充满了真皮的腻香，轻柔音乐环绕，流线型内饰奢华，相比之下，仿佛另一个世界。

两个世界，钱多多还在选择，而她早已经尘埃落定。

车窗上有自己的倒影，她看着那张熟悉又陌生的脸重复那句句子，已经没有在笑了，因为那根本不是什么笑话。

她在心里说："自己选择的路，跪着也要走完它。"

钱多多是独自开车回家的，已经很晚了，春天，风里带着柔软的味道，她开了一程之后索性把窗全都打开，感觉更畅快。

跟依依聊天果然有效，她已经很久没有这样轻松的感觉了。自从决定接受许飞之后，短短几周，她自觉每天起床坐上的都是一列高速运转的过山车，日子过得跌宕起伏，精彩非凡。

依依说的很对，决定与许飞在一起，她这一次完全是听从了自己的感觉，这个选择对她面前迫切需要解决的婚姻问题，不但毫无帮助，反而可能带来反效果，她很有可能在这段恋爱当中无限期地将青春抛掷，最后仍是毫无结果。

还有工作，之前决定了要离开，之后更有 M&C 大好的机会，她却因他生了踌躇，不愿留下他独自面对一切，不愿离开他。

M&C 的邀请，她当然是动心的，但她私心更期待另一个结果——她与他的结果。

如果上一次她有这样的踌躇，说不定现在已经在新加坡尘埃落定，孩子都老大了。

会后悔吗？但这是自己的选择，已经决定了，怎么改？

那就按照自己的决定走下去吧，钱多多在心里做总结性发言，更何况有了UVL 市场部总监的背景，再加上参与这个项目的经验，她今后海阔天空，哪里不能去？

车子平稳迅速地开在安静的午夜路面上，小小的空间感觉私密，无人窥视，她忍不住握起一只拳头在方向盘上挥舞了一下加重自己的决心——

就这样，自己的选择，刀山火海，也不后悔。

5

下定决心的钱多多，第二天就遇到了意想不到的问题。

早晨进市场部的时候，每个人的眼光都充满内容，小榄已经升为总监特别助理，现在桌子就在她的办公室门外，看到她走过来立刻站起身，一脸情急地开口："老大，刚才李副总来找过你。"

李卫立？钱多多皱眉头："你怎么没通知我？"

"李副总是陪山田小姐过来的，刚离开。"

"山田？"对这个名字印象深刻，钱多多重复了一句。

"没有事先通知就来，是我冒昧了。"身后有一道女声，回头便看到山田惠子那张妆容精致的脸。

钱多多一愣，然后镇定下来微笑："山田小姐？你怎么会来上海？"

终于知道为什么其他人会这么看自己了，山田惠子突然到上海，还一清早就由李卫立陪同出现在她的办公室里，新任总监位子都没捂热就出这样的状况，谁知道大家心里是怎么想的。

"钱小姐，好久不见，冒昧了。"山田惠子仍旧是一身利落的职业打扮，大楼用的是玻璃墙，采光很好，她的乌黑的头发在明亮光线下闪闪发光，妆容完美精致，很是吸引人。

钱多多脸上已经露出一个标准笑容："是啊，好久不见，叫我 Dora 吧，来开会吗？要不要我带你参观一下市场部？"

"谢谢。"惠子淡淡一笑，语气客气有礼，"刚才 Willie 已经带着我大致熟悉了一下，就不麻烦你了。我之前也来过上海，这里最近改变很大。"

钱多多一脸微笑："是吗？"又伸手推开总监办公室的大门，"到我办公室坐一会儿聊吧，小榄，替我们倒两杯咖啡，谢谢。"

她们两个这样笑来笑去，周围众人看得满脑袋问号，实际情况与原本的猜想没一个地方对得上号，难道钱多多跟这位鼎鼎有名的千金小姐也是认识的？难道她们是好友？如果是这样，那怪不得钱多多能够咸鱼翻身，成功上位总监。

还有想得更远的，为什么钱多多跟这些异国女性关系都那么好？难道——有些联想力超群的人脸上突然布满黑线条——难道她们真是传说的蕾丝边？

猜想的漩涡越来越大，两位中心人物却已经一同消失在合起的总监办公室大门后，唉，又没得看了，众人再次无声叹息。

"山田小姐，这么突然来中国，参加会议？"室内只剩下她们两个，钱多多请她在沙发上坐下。

"不是。"惠子回答很简单，"我申请参与亚洲区的收购项目，昨天刚从日本飞过来。"

钱多多心中吃了一惊，脸上表情倒是仍旧保持得很好："那以后要常驻这里吗？"

"是，我在日本就和Kerry合作过，这次过来也是想跟着他多学习，亚洲区是战略重点，这个项目又很关键，我很想在这里好好积累经验。Dora，你常驻中国，对这里的市场比较熟悉，以后请多多关照。"

虽然作风西化，但她到底是日本女性，说到最后一句还站起身来，双手放在膝盖上，微微鞠了个躬。

倒是钱多多不适应，也站了起来，正好小榄推门送咖啡，她们俩停下对答，坐了下来。

笑着谢了一声小榄，钱多多接过杯子放到惠子面前，等小榄退出去以后才继续开口："请教不敢当，以后我们见面的机会应该不少，希望这个项目一切顺利吧。"

惠子点头，坐下后端起咖啡杯放到唇边，眼睛从杯沿上方露出来，纤细的睫毛下目光笔直地看着她，过了几秒钟才微微一笑。

桌上电话铃响，钱多多说了声不好意思走过去接，小榄的声音："老大，李副总又来了，要请他进来吗？"

鞍前马后的，这么大把年纪了，倒也不容易。

钱多多心里才讲了一句，来不及开口回答小榄，身后已经有声音，惠子站起来说话："Dora，我第一天到，还有些地方需要熟悉，不打扰你工作了，先告辞。"

开门以后看到李卫立已经带着一群人准备好恭迎这位董事千金的大驾，钱多多把他们送到市场部门口，李卫立一直走在惠子身边，这时回头看了她一眼，一脸和蔼笑容。

佩服得五体投地，钱多多当即止步，保持微笑原地目送他们离开。

回到办公室之后她坐进皮椅里长吐了一口气，不知不觉手已经放在电话上，很想拨一个电话给许飞，问问他对这样突如其来的情况是否清楚？或者索性放纵自己直接抱怨，讲她觉得很不爽，又有点忐忑，想他立刻回来，解释一切。

这些想法在脑海里翻滚一瞬，突然觉得自己可笑，有什么好说的？他的回答又能改变什么？难不成她还要坐在办公室里隔着越洋电话撒娇，说我的一切不爽都是怪你怪你就怪你？

心里笑自己真是白活了，钱多多直接把手从电话上撤回来，打开电脑查今日的行事历，抛开一切，埋头做事。

下午钱多多主持项目初始会议，各个地区项目经理不停陈诉最近市场动荡所带来的困难和阻力，知道他们在试探新任总监的深浅，钱多多打起精神一一应对，等会议顺利结束时针已经指向七点。

走进地下车库的时候她自觉筋疲力尽，司机已经下班，总监的配车静静停在属于它的位置上，对它感觉陌生，她走过去的时候脚步异常缓慢。

身后突然有车灯闪烁，很轻的刹车声，一回头只看到晶亮灯光，有车滑行过来，正缓缓刹停，离她仅有数尺之遥。

车灯耀眼，钱多多情不自禁地举手遮挡，那车已经在她身边停稳，然后车门在面前开启，年轻男人欠身望她，声音含笑："这位小姐，能不能赏光让我送你回家？"

快乐的感觉来得简单又纯粹，但是钱多多没有动，弯腰低头，很仔细地看着他，一句话都不说。

6

钱多多目光炯炯，许飞被看得有点愣。他之前十几个小时都是在飞机上度过的，没有按照原计划与凯洛斯一起离开伦敦，也没有通知任何人，他独自提早回到上海，知道她这时候应该还在公司，他刚从机场直接赶过来。

没想到预想中钱多多见到自己的惊喜惊讶一样没有，只是一径仔细看他，好像他是突然出现的外星人。

糊涂了，许飞补了一句："多多，怎么了？"

"许副总。"她终于开口，用的语气很正式。

"嗯？"

"今天惠子大小姐来我办公室，当面通知我她接下来要在国内继续与你共事，还说以后有需要会来请教我，关于这件事，你有什么要说的吗？"

他答得大方："是，我也是昨天才得到消息，她已经到了？真快。"

"昨天你就知道了？为什么不通知我？"钱多多眯着眼睛继续讲。

他露出有点迷茫的表情："她来不来很重要吗？"说完停顿了一秒钟，突然恍然大悟地笑开来，伸手来拉她，"多多，你不是又吃醋了吧。"

钱多多保持原姿势后退一步，板着脸开口："许副总，这是公司的地下车库，很多摄像头，来往同僚也多，请小心桃色新闻。"

啊？她是说过在公司不要暴露两人的关系，但是从未像这次说得那么严肃，完全不是开玩笑的口气，许飞听完当即无语。

她是弯着腰说话的，所以眼前就是他的脸，眉毛浓黑，眼睫线条完美，年轻男人的饱满漂亮，依稀还有些孩子气，原本笑意满满，这时却因为她的话颓下来，看上去有点可怜兮兮的样子。

想笑，但她憋住了，接着又补充："所以等下你要跟牢我的车，别丢了啊。"说完那句话之后也不等他的回答，很贴心地替他合上副驾驶座的车门，转头就往自己的车走过去。

坐进车里的时候她很迅速地发动踩油门，后视镜里看到那两点晶亮灯光也动起来，地下车库出口坡道弯窄，她开得不快，转到街道上后车后仍是那两点光，不离不弃的样子。

嘴角忍不住翘起来，再翘起来，伸手去压，怎么都压不平。

车子仍旧不快不慢地向前行驶，公司边街道安静，往来车辆稀少，身后突然有雪亮大灯一闪，然后是加速声，转眼他的车就超到了前方，一顿即停。

被吓了一跳，她赶紧急刹，幸好车好，车速也不快，钱多多停得有惊无险。

干吗在街上玩这么危险的生死时速，被吓到，钱多多推门想下车教训一下那个间歇性头脑发热的男人。

但是她的动作哪有他快，双脚还没落地就看到面前的车车门开启又合上，他跳下来的姿势敏捷漂亮，转眼自己就被拉了出去。

下一秒钟，被吓得有点不爽的钱多多还来不及说一句话，就在街上被人用力拥抱住，然后是很快活的一个吻。

夏夜，夜风柔软清凉，街道安静，来往车辆放慢速度看着他们在街上拥吻，隐约有口哨声。

四唇分开后钱多多气喘吁吁地瞪着他开口，用尽全力吐出三个字："你疯了？"

他看着她笑，然后很认真地回答："我没疯。"

他没疯，只是刚才钱多多在地下车库那样严肃认真地对他说小心桃色新闻，然后又突然眼中笑意弥漫，让他不要跟丢了。他跟在她车后，看着她那样慢条斯理地往前开，突然很想拥抱和亲吻她。

他是这么想的，也是这么做的，并不是要故意要吓她，只是压抑不住内心渴望，想双手可以立刻触碰到她。

我没疯？他还真的回答？钱多多瞪着眼睛不可思议地看着他，想再教训他几句，但是心底涌出的快乐让她飘飘然。

自己的身体陷在年轻男人有力的双臂当中，鼻端有久违的树香，这样的拥抱和亲吻是无上的享受，才一周没见而已，她突然发现自己竟然如此想念他——身体到心，每一寸都在想念他。

这天晚上钱多多在许飞的公寓待到很晚，许飞所住的公寓楼层很高，客厅外有一个宽大的弧形阳台，夜里风大，但可以俯视万家灯火，景色华美。

他们就在阳台上聊天，喝红酒，手肘搁在围栏上，肩膀碰在一起。也不知道为什么有那么多话可说，也不知道有什么那么值得高兴的，说不了几句就相对一笑。

波尔多口味香醇，钱多多喝得并不多，却觉得酒精上头，飘飘荡荡的感觉，心脏如何都落不到实处。

心里还惦记着惠子的到访，她放下酒杯侧头问他："Kerry，我觉得惠子过来加入你的 team 目的很奇怪，她已经在亚洲区参与过项目，就算要积累经验，也应该往欧美跑，为什么还要到中国来浪费时间？"

"公司接下来的增长重点放在亚洲，印度和中国都很重要，山田支持凯洛斯也并不是没有条件的，我看他对中国也很有兴趣，让惠子过来可能是希望她多熟悉一下这里的环境。"

"是熟悉这里的环境还是熟悉你？"钱多多挑起一边眉毛斜斜看他。

"多多。"他也放下酒杯，侧过身子正对她笑。

"干吗？喂，别岔开话题……"一句话来不及说完，可怜的钱多多已经整个人落进熟悉的怀抱里。身体被抱得紧，鼻梁陷在他的胸膛里，男人宽阔的胸膛，隔着衬衫都能闻到蛊惑的树香铺天盖地，呼吸不受控制，撞痛了鼻尖也忍不住贪婪吸气。

头顶有声音，他还在笑，胸膛震动："多多，你吃醋的样子真可爱。"

真是可恶，居然还敢笑，想挣脱，但他手臂收得紧，快乐毫不掩饰地传递过来。那种火苗处处的感觉又来了，皮肤战栗麻痒，身体满足到饱胀，像一只刚刚被喂饱的猫，又被放在太阳下晒得毛爪蓬松，到最后被人抱起的时候什么反应都没了，只懂得享受。

落到床上的时候她在心里叹气，可耻啊，居然不能控制自己，居然任由他这样予取予求，但是太快乐了，四唇相交的时候她忍不住呻吟了一声，津液甜蜜，他突然地长驱直入，巨大的快乐让心脏狂跳，身体却虚软无力，恍惚了，罢了罢了，有原则的钱多多最后放弃挣扎，再次投降了。

他们在床上漫长而缠绵地做爱，窗没有合上，高层，夏夜里风大，窗帘被吹得噼啪作响，月光无遮无拦地照在他年轻光润的皮肤上，睁开眼睛就能看到他线条美好的身体，觉得很幸福，她怎么都不舍得把自己的眼睛合上。

结束之后钱多多还在喘息，说不出话来，只能把头靠在他的肩膀上安静了片刻，不过喘息停歇之后她延续之前的话题："你，你还没回答我的问题。"

身体一暖，又被他抱到身上，已经很熟悉这个姿势了，钱多多没有吃惊，只是用双手撑在他的胸膛上等回答。

卧室没有开灯，他在月光下微笑，轻声答了三个字。

"放心吧。"

突然鼻酸，讲不出话来，钱多多把头一低，埋在他的肩窝里不说话。

放心？她怎么放心，活到这么大，她第一次面对一个男人，面对一段感情的时候感觉惶恐，她爱这个男人，享受这段关系，可是他还这样年轻，这样好，而她竟在巨大的快乐面前生了恐惧，怕年龄的分歧会越来越大，怕他要面临的诱惑远胜与她，怕他们最终没有结果，不能天长地久。

太可笑了，这样患得患失，哪里还像过去的钱多多。

看不起自己了，又有点埋怨，身体与他贴得紧，她最后张开嘴咬了他，孩子一样撒了口气。

他被咬得大笑起来，反手抓住她翻了个身，眼里亮亮的，一低头又吻住她不老实的嘴。

被压得没话说了，钱多多一口气上不来，哀叫了一声，再次缴械投降。

| 10 |

寻找婚姻的安全感

安全感和婚姻，根本就不是鸡和蛋的问题，安全感就是安全感，自己给自己，婚姻就是婚姻，它不是鸡，生不出安全感，所以，它们之间毫无联系。

1

再怎么恋恋不舍都没有胆子彻夜不归，钱多多最后还是坚持回了家。

刚刚消耗了那么多体力，上楼的时候她脚步虚浮，对了几次钥匙都没有打开门，突然大门从里面被打开，被吓了一大跳，定睛才发现开门的竟然是自己的爸爸。

"爸爸，这么晚了你还没睡？"还好不是自己老妈，松了口气，进门之后钱多多压低声音问了一句。

"想点事情，睡不着。"钱爸爸立在一边看着女儿换鞋，欲言又止。

"怎么了？出什么事？"爸爸一向是名士风，退休之后更是闲散得很，难得看到他这么烦恼的样子，钱多多继续问。

"也没什么，你妈最近很烦，晚上拉着我说了好久你的事情，弄得我也睡不着。"

这句话立刻把钱多多打倒了，妈妈心烦的事情现眼前就只有一桩——女儿的终身大事，她也确实努力过了，但结果是再次证明她确实做不到立时三刻就满足妈妈的伟大心愿。

感觉自己实在对不起面前殃及池鱼的老爸，钱多多诚恳地抓住爸爸的手低头认罪："爸爸，对不起。"

"好了好了，一家人说这种话，今天又加班到这么晚？早点睡吧，小心身体啊。"爸爸拍拍她的肩膀，转身回房去了。

晚上纵欲过度，第二天早上钱多多起不来。

起不来也没人叫她，最后唤醒她的是电话铃声，钱多多在床上一惊而醒，接起来后那头小榄的声音很急切："老大，早上有例会哦，许副总刚才打电话过来，问你到了没有。"

钱多多朝床头柜上的小钟望去，看清时间之后双眼突然瞪大，竟然一睡就睡到这个点！她最近怎么跟猪一样。

打仗一样把自己收拾完毕，钱多多急匆匆往外赶，眼角扫到妈妈正独自在露台上晒衣服，她抓钥匙的时候忍不住埋怨了一句："妈，你怎么都不叫我一声？"

钱妈妈头也不回，硬邦邦抛过来两句话："你现在做什么都不跟自己妈妈招呼一声，我还叫你干吗？"

正面被台风尾扫到，钱多多出门的时候一脸黑线条。

下楼梯的时候她又看了一眼手表，最近家里气压低，现在本该是爸爸妈妈共同出现在餐桌边的时候，看来今天早上妈妈心情处于谷底，连一向乐呵呵的爸爸也受波及，干脆地躲在房里不出现，只有她不知好歹，还一头撞了上去。

唉，钱多多心里长叹一口气，人家说女大不中留，留来留去留成仇，她以前嗤之以鼻，现在觉得果然是有道理的。

自从得知她主动放弃叶明申这样的完美结婚人选之后，妈妈已经决定彻底放弃这个女儿，每天进出都当她是透明人，吃饭都不拿正眼瞧她，用行动坚决彻底地表示自己的愤怒，现在发现沉默不够力量，转为言语泄愤，看来她接下来在家里的日子会越来越难过。

要不还是搬出去独立住吧，幸好她有先见之明，年前就偷偷买了套房做自我投资，算算还有个把月就能交房了，好歹也算有个退路。

关于买房这件事，她是瞒着自己的老爸老妈决定的。原因也很简单，第一是不希望他们贴补自己，第二当然是照顾老妈的脆弱心灵。

她曾经试探性地跟妈妈谈过女孩子独立买房的问题，当场便遭到了强烈反对。

钱妈妈的出发点自然是万年不变的，在她的想法里，女儿到了一定年龄，就应该把全副精力放在找一个适合的结婚对象上面，多多一路卯起来拼事业她已经很不赞同了，再加上自己买套房子，那岂不是直接扼杀了所有正常男人的选择欲望？

这年头一个快三十岁的女人，职位高薪水高能力高已经算致命伤，如果再加上一套自有的房子，那基本上就等同于在脸上写了"我不想结婚"这几个大字，成家是彻底没希望了。

基于以上两点，她那套房买得是无声无息，水漂都没打一个。

刚想到这里电话又响，来不及听，她先发动车子转上大街，车子在第一个红灯前停下后她才一手把着方向盘，另一手去抓手机。

那头是许飞的声音，背景声很安静，又隐约有打印机送纸的声音，很明显他已经在自己的办公室里了："多多，你在哪里？刚才我拨你办公室的电话是你助理接的。"

他的声音听上去心情很好，精力充沛的感觉，这世上就是有人怎么折腾都不会累，可惜不是她。

忍不住在心里又叹了一口气，再想起刚才妈妈说话的样子，钱多多回答的时候就忍不住带了点情绪："我睡过头，还在路上，等下要是带头迟到，许副总你就直接把我又起来示众好了。"

"你还在路上？司机呢？"

"我就是司机。"昨天她这么晚才下班，司机早就消失了，难不成还要人家一早步行来接她？

"那你还接电话？太危险了，开车小心，等到了公司再说。"他答得很快，钱多多只来得及"哎"了一声，那头已经挂了。

居然就这么挂了她的电话？钱多多不敢相信地看了一眼屏幕，身后有喇叭声，红灯已经跳转，她扔开手机继续开车，双手用力抓着方向盘，打方向的时候都比平时猛了许多。

过了路口之后她突然想起一件非常重要的事情，也不管时间了，硬是穿出车流靠到路边安全线上，然后再次抓起电话拨出去。

铃响数声之后才被接起，她劈头就是一句："Kerry，以后你不要随便打电话到我办公室，我的助理会误会。"

那边有敲门声，还有电话铃声，他在这一片忙碌声中回答："多多，专心开车。"

"我停下了，"她不理睬，继续说正事，声音严肃表示强调，"你听到我刚才说的话没有？"

许飞笑起来，虽然低，但是从话筒里传过来仍旧让她耳膜震动，昨晚才耳鬓厮磨在一起，身体反应敏锐，突然间耳郭发烫，钱多多不争气地红了红脸，幸好电话那头看不到。

"听到了，钱总监。"他笑着给出肯定回答，然后补充了一句，"不过公事行不行？刚才我告诉你家助理10点的市场部会议我也会过来，她会误会吗？"

唉，拿这样的男人没办法，听着听着钱多多也想笑，时间紧张，不跟他多说了，她应了一声就挂电话，继续踩油门。

掐分扣秒到达公司，她走进办公室的时候小榄已经抱着东西跟上来："老大，其他人已经会议室里等，现在就开始吗？"

"现在就开始，我马上过来。"钱多多脚步不停，接过文件翻了一下，对着小榄点点头。

钱多多走进会议室的时候长桌两边都已经坐满，她一个人走到首位坐下，刚打开文件夹门又被人推开。

所有人的眼光一起转过去，推门的是许飞，对着大家笑了一下，眼光扫过坐在首位的钱多多，那个笑容就更大了一点，偌大的会议室都感觉有阳光闪过。

之前与他通过电话，有了心理准备，钱多多倒也不觉得惊讶，坐在原地回报一笑，正要开口，突然被推开的门后又有人走进来，套装利落，挽着乌发，对所有人有礼一笑。

会议室里没什么声音，但是钱多多仍旧清楚听到大家心里响起的此起彼伏的吸气声，自己脸上那个笑还在，她反应快，也对着惠子笑着点点头，然后站起来伸手请他们入座。

他们坐定之后许飞对她微笑："Dora，我想先讲几句话，占用你一点时间，可以吗？"

"当然，你先说。"钱多多坐下来，移动椅子让了一让。

许飞说得不多，寥寥数语，但是钱多多在一边看得清楚，一干女职员们目光又开始泛起涟漪，水汪汪得几乎要渗出眼眶外来。

又想递纸巾给她们了，钱多多无奈。

权力是春药，放之四海皆准的道理，这庞大的公司就像一个小国家，最年轻的市场部总监已经让人抵挡不住了，现在他又一跃变成了最年轻的副总经理，唉，这可如何是好？

不管了，钱多多等他讲完立起来将接下来的会议照常进行，惠子就坐在许飞旁边，听得很仔细，又时不时探头与他低语，其他人目光迥异，尤其是伊丽莎白和任志强。

提问，讨论，总结，这个会议一切如常，但钱多多可以保证，第二天公司上下就会有无数不同版本的流言四起，只希望她在那些版本中的角色稍稍漂亮一点，不要被传成上位失败的狐狸精，或者再夸张一点，直接被传成搞蕾丝边不成惨遭抛弃的那一方。

无论底下各人心中的想法如何，这个会议还是貌似顺利地接近了尾声，门又被人敲响，进来的是正江，先向所有人抱歉，然后走到许飞旁边低头说了几句话。

清楚看到他的眉头一皱，然后把脸转向她。

目光与他交接一瞬，感觉他在凝视自己，不知道出什么事了，钱多多心中一凛。

但他随即一笑，站起来才说话："Dora，有个紧急会议，我要先走一步，你们继续吧。"

一旁惠子正在低声问正江怎么了？这时也站了起来，虽然没说话，但还是对钱多多点头一笑。

怎么人人那么客气？钱多多突然间适应不良。

2

工作忙碌，项目刚开始，一切千头万绪，也没空多猜测发生了什么事情，钱多多在接下来的时间里暂时把会议当中的这段小插曲抛到脑后，埋头工作。

下班前接到依依的电话，声音恹恹的，原本手头还有些事情没有结束，但感觉到她情绪不对，钱多多暂时放下一切，准时下班赴约。

司机在车库等，让他把自己送到地铁站，钱多多按照老习惯坐地铁。

下车的时候天已经全黑，钱多多手里电脑包沉重，身边人群熙攘，声音嘈杂，隐约听到电话铃声，她腾出一只手去包里摸手机。

这个站点是西区新建成的枢纽，几条线路相交，又在商业中心区，面前道路开阔，两边商厦鳞次栉比，四下热闹非凡。

果然是自己的手机响，她摸出来接通放到耳边，那头许飞的声音有点小抱怨："多多，你怎么都不接我的电话？"

"赶地铁呐，和朋友约好了吃饭，你下班了吗？"

"下班？我还在开会。"他好像叹了口气，不过很快又笑起来，"怎么坐地铁？在哪里吃，开完会我来接你。"

"那怎么好意思，还要麻烦许副总。"她说话的时候立在地铁口，街沿，眼前是宽阔大街，车辆川流不息，最平常的上海街景，但这时竟觉得一切都很美，答的时候微微笑，嘴角都不自觉地翘起来。

"拜托你麻烦我吧，钱总监。"他笑着挂电话。

感觉很愉快，钱多多放下手机仍旧保持着那个微笑。转身往地铁口迈步子，侧脸间扫到街沿有车缓缓靠边停下，门开处有个年轻女子飞速跳了下来，又用力把门拍上。

她原不是个好奇心过剩的人，但那车就停在身后，拍门声又猛，她本能地站住脚步回头张望了一眼。

就是这一眼，看得她笑容凝固，再也迈不动步子。

是一辆好车，后门一合又开，有个男人跨下来，一把将那个年轻女子的胳膊抓住。她挣扎，他不放，两个人就在大街上拉扯在一起。

那男人已经不年轻了，皱着眉头，侧脸熟悉，她再怎么视线不清都一眼认出来，正是牛振声。

而那个年轻女子长发披散，露出来的脸庞与她有三分像，钱多多就站在他们身侧，眼前清晰晃过她的五官，那张脸突然和记忆里一张模糊的照片重叠，钱多多倒吸了一口气，心坠了一下，再翻上来的全是烦乱。

繁华的交通枢纽，商业中心，看热闹的人一眨眼就围起一个小圈，还有不断增多的趋势，钱多多原本就立在离他们三尺以内的地方，突然间眼前人影憧憧，什么都看不清了。

她也不想看清，更不想让牛振声看到自己，努力移动脚步往后，最后挣扎出了人群，转身拔腿就走。

下地铁的的时候感觉一节一节阶梯仿佛在面前漫长无止境，她走着走着忍不住跑起来，手心扶着冰冷的铁栏，千万人每日抚过的光滑金属表面，竟让她感觉有些刺痛。

一路上脑子里翻滚的全是刚才那两人纠缠在一起的样子，不是第一次见到他们俩同时出现了，这影像与香港的模糊一瞥联系在一起，傻子都知道发生了什么事。更可怕的是，那年轻女子的脸她是见过的，不止是在香港，现在想来，更早以前她就见过她，在叶明申的车厢里，他微笑递过来的那张照片上。

怎么办？两次撞见朋友的丈夫与其他女子纠缠，那女子又貌似是她刚放弃的完美男人的前女友，觉得面前猛然张开一张错综复杂的大网，纵横交错，毫无头绪，钱多多突然感觉头疼欲裂。

怎么办？要告诉依依吗？可是最不讨好的就是这种角色，人家夫妻不合全由你起，要是最后两公婆尽释前嫌，再看到她就是心头一根刺，弄不好连朋友都做不成。

那还是保持缄默？就当自己什么都没有看到过？反正刚才一片混乱，牛振声根本没有和她对过眼，她又跑得快，料想他也不知情。

但是就这样让依依蒙在鼓里过下去？若是牛振声哪天突然决定不再需要这段婚姻，她难道就眼睁睁看着自己最好的朋友被杀个措手不及，一点准备都没有便成了下堂妇？

想破脑子都想不出自己接下来该怎么办，钱多多最后在心底呻吟了一声，无力地把脸埋进掌心里。

生平第一次对闺密之约有了抗拒之心，但是再怎么不愿意，地铁还是将她迅速送达目的地。

已经是晚餐时间，她们约的是商厦三楼的泰国餐厅MMK，上楼的时候钱多多脚步沉重，几乎连自动扶梯都迈不上去。

餐厅门口装饰着热带植物，穿着泰国传统服装的接待小姐上来微笑带座，老规矩，依依早就到了，看到她远远招手，脸上微微笑，气色还好，倒不像之前电话里听来那样恹恹的样子。

脑子里还在打架，钱多多落座的时候强迫自己笑了一下。

"多多，最近有什么新闻？"依依正低头翻菜单，不是第一次来了，依依点得很快，没听到钱多多的回答，合上菜单又对她看过来，"多多？"

"啊？"餐厅里有很小的舞台，有三两个泰女正在起舞，十指指套尖长，变幻光线下闪烁不定，钱多多正恍惚着，回答都慢了半拍。

依依笑了："怎么了多多，做总监很累吗？跟你讲话都听不到。"

"不是，我在想吃什么呢。"钱多多勉强笑笑，小姐正送上菜单，她伸手接过，低头借着翻阅掩饰自己的失态。

　　吃的是咖喱蟹黄煲，清炒芥蓝，还有茅香鸡肉卷，MMK 泰国菜做得地道，这几道菜原本都是钱多多心头好，可这一次她却食不知味，倒是依依谈兴很浓的样子，一边舀着金黄的咖喱汁一边跟她讲话："多多啊，前几天史蒂夫那个管理课程的同学搞聚会，我也去了，猜猜我遇到谁？"

　　"谁？"钱多多答得简单，因为一直是低着头的，所以眼前看到的都着依依手里的动作。

　　她碗里是雪白狭长的泰国丝苗米，淡青色的勺子带着金黄色酱汁落在上面，然后被慢慢搅拌，咖喱香味浓郁。

　　依依是常年闲散惯了的人，所有的动作都透着慵懒，十指纤纤，美人美食，就算拌个饭也让人看得享受，哪像她，吃饭总像在赶时间，看着看着钱多多又走神，这样的依依，还经得起打击吗？

　　对面依依的声音又响起来："还有谁，叶明申啊。"

　　"啊？你怎么会遇到他？"听到叶明申的名字钱多多倒是回神了，语气疑惑。

　　"人家是教授，叶教授。"依依加重语气，然后难得叹口气，"多多，他有跟我谈到你哦。"

　　"有吗？"觉得自己今天跟只鹦鹉似的，只剩下重复问句的本事，钱多多又吐出两个字。

　　"他问你好不好，唉，我觉得叶明申真的没什么可挑剔的，放弃这样的男人好可惜。"

　　说到叶明申钱多多想起的只是那张模糊的照片。长发的女孩子凭海临风，五官与她依稀有些相似。

　　实在忍不住了，她开口问了一句："前几天才聚会，那史蒂夫还在上海吧，你今天怎么不陪他？"

　　"今天早上走了，说是去南京开会。再说就算在上海也是半夜三更才到家，这个点我哪会看到他？"依依说话的时候口气很淡，手里勺子都没有停。

　　迟疑了半晌，钱多多才继续问下去："你不会担心吗？"

　　"担心？"依依抬头看过来，"担心什么？"

　　答不上来了，钱多多无语。

倒是依依看着她的样子笑起来："干吗？你是不是觉得我这样挺让人担心的？"

"依依。"钱多多正色，"不开玩笑，我想知道，如果婚姻出了问题，你会怎么解决？"

"婚姻出问题？你是说两个人感情出问题？"她偏头看了看钱多多，"多多，我说过维持婚姻有很多方面，我跟史蒂夫结婚都这么多年了，感情淡了也正常。"

"那就真的让婚姻变成爱情的坟墓？感情淡了总要挽回的啊。"没想到依依谈起这个话题口吻如此平淡，钱多多眉头微微皱。

"我们有感情啊。"依依笑着继续说，"没有爱情有亲情嘛。"

"可是这样的话，万一……"钱多多欲言又止。

"万一什么？"依依放下勺子，看着钱多多的眼睛说话，"你是说万一他要抛弃我，我该怎么办对吧？"

依依的眼睛很大，双眼皮深刻，这时在灯光下直视过来，黑白分明，仿佛洞悉一切，多多感觉一震。

"不会的。"一眼之后依依就低头继续举勺子，继续说话的时候因为嘴里有了东西，接下来的声音就有点模糊，"史蒂夫公司那么大，我跟他婚前又没有签过财产公证，要是真想和我分开，共同财产怎么分？生意上的事情已经够他忙的了，男人哪来的心思自找麻烦？"

心头一凉，钱多多再也接不上话了。

也来不及说话，她搁在桌上的电话又响，屏幕闪烁，接起来耳边就是许飞的声音。

"多多，我已经在路上了，大概还有半小时。"

心里乱，钱多多只是"嗯"了一声，对面依依看着她做口型："谁？"

钱多多捂着电话小声答："是许飞，他等会过来接我。"

听到许飞的名字依依就来精神，双手合十开口讲话："那么好？那你快去快去。"

"不急，他在路上，还有一会儿。"钱多多匆匆结束通话，搁下手机继续吃，但食不知味，吃了半天也不知道自己究竟咽下去些什么。

倒是依依很有兴致，问了她许多关于许飞的事情，拗不过她，钱多多只好一五一十地招了，依依听得双眼亮晶晶，还时不时小声惊呼，情绪不知比她这个当事人高昂多少。

这一顿饭吃得钱多多神思恍惚，最后两个人告别的时候两人一起走到路口，商厦侧门的港湾式泊车点，出租车，接人的私车排了一溜，许飞的车还没到，但是依依的车早已经等在那里了。

司机远远看到她们就下车来拉门，加长型的豪华座驾，车身晶亮醒目，依依走过去的时候身侧每个人都有意无意投来羡慕眼光，钱多多就走在她身后一步之遥，那些目光看得清楚，但感觉很差，只觉得自己的步子越来越沉重。

快到车前的时候依依突然回头看她："多多，你今天好奇怪，是不是还有话没跟我说？"

心突地一荡，但是钱多多摇头："是我自己的问题，心里烦，最近被老妈逼得紧，我老在想婚姻是什么。"

已经走到车边，依依扶着车门对她很平静地一笑："多多，其实婚姻不是终点是起点，有了婚姻就不用再操心吗？错了，那也是需要你劳心劳力的地方，不比职场简单多少。"

那么多年的亲密朋友，过去她们当然也会聊到这样的话题，但是钱多多没有进过围城，说起来总是隔着一层纱，依依也很少说得那么直白。这一次她语调平静，但内容冰冷，听得钱多多浑身发凉。

还来不及回答，又有车转过街角靠到身边，是许飞，就停在依依车后，他从里面推开门对着钱多多说话："多多，我来了。"说完把眼光转向依依，点头一笑："这位就是你的朋友？"

"这是依依，我最好的朋友，依依，这是Kerry。"

钱多多开口介绍，他们俩也简单认识了一下，依依早已恢复平时的样子，讲话时一脸笑，临走时还对钱多多挤眼睛，嘴形做得明显："赞哦，好好享受。"

享受？没想到她在大街上就这么直白，钱多多都不好意思往许飞那里看。

依依终于离开，钱多多转身坐进车里，副驾驶座舒适宽大，感觉这一天筋疲力尽，她倒在座位上一动不动。

"怎么了？很累？"他伸手替她拉安全带，"陪我去吃点东西？我还什么都没吃。"

"好。"她简单应了一个字。

自己的身体正侧过她的身前，两个人脸颊贴得近，她答应得爽快，但眼里清楚看到她的一脸疲色。钱多多一向精力充沛，难得看到她这么无力的样子，不知道发生了什么事。

其实他这一天也突然遇到了许多麻烦事，但是看到这样的钱多多，就是本能地怜惜起来，忍不住伸手拨了拨她落在肩上的长发，声音一软："要是很累就算了，我送你回家。"

刚才那种寒凉的感觉还在，但又不由自主因为这样的声音和动作软了心口，钱多多坐直一点身子，轻声催："没事，我还好，快开车吧，这里不能久停。"

许飞很忙，开车的时候还接了几个电话，无线耳机一直没有拔下来过，钱多多也不想说话，坐在一边保持沉默，依依之前的话仍旧在耳边回荡，她翻来覆去地想，怎么都感觉沮丧。

那么多年了，虽然不想承认，但是偶尔被挫折打倒，偶尔对寂寞感到绝望的时候，她心底深处到底是羡慕过自己这个好朋友的。

依依从小目标明确，又嫁的富贵，这些年锦衣玉食，从不担心生计，也不曾经历过职场上的血肉拼杀，有时候两个人一起走过镜前，总觉得相较她的一身安逸，自己整个的满面沧桑。

但是刚才她在她面前谈论婚姻，声音淡漠，又说那也是需要劳心劳力的地方，不比职场简单到哪里去。

那么到底什么是婚姻？她不是什么稚龄少女了，早已不相信王子和公主从此幸福快乐生活在一起的童话，但心底最深处终是有幻想，幻想婚姻是最后的避风港，自己能够在那里暂时躲避尘世纷扰，安定喘息一下，然后转身继续精神抖擞地努力下去。

只是一个避风港而已，她并没有奢求那是什么优诗美地，繁花似锦，只要四季宁静，只要让自己能够安心一瞬，只是这点要求，没想到也是虚幻。

如果婚姻也不能带来安稳安心的感觉，如果那以后一样要面对风险搏杀，一样需要自己劳心劳力，还有更可怕的，如果那才是一切最大伤害可能的起源地，那她还有什么可期待的？

突然间心灰意冷，身边男人还在通话中，这时百忙中侧头看了她一眼，然后又回过头去继续直视前方。

但是左肩一暖又一沉，是他腾出一只手来，穿过她的头发，轻轻握了握她的肩膀。

觉得这样的安抚好奢侈，钱多多叹了口气，侧头在他肩上靠了一下。

3

上车之后依依独自在后座看着窗外出神，这条路地处市中心，夜里也繁华拥挤，接连几个路口都遇到红灯，前后左右都是各色车辆。

旁边出租车里有人盯着她所在的方向猛看，又拍着身边朋友的肩膀举手指过来，说得有劲。

透过车膜看着这一切，知道人家看不清自己，多半只是在讨论这辆车而已，但她仍觉得不耐，低头看到自己搁在手包上的双手，紧紧交握着，阴影中戒指仍旧闪着光。

缩手握拳，想了想她又去摸电话拨给自己的丈夫。

第一个电话拨通的时间只有五秒钟，内容是"我在谈很重要的事情"，几乎一瞬就被按断。

其实她对这种情况早已经习惯，但这次不知为什么心头憋闷，愣了一分钟后抓起来又打，那头只剩下机械的女声反复在说："对不起，您拨打电话已关机。对不起，您拨打的电话已关机。"

那样单调而无感情的声音，其实已经麻木了，但今晚竟然能够让她感觉疼痛，痛得仿佛被划破了耳膜。

不想再打了，她把电话丢到身侧座椅上，继续看窗外。

已经快到家里，一路上依依都在后座沉默，车库的电动门缓缓升起，她仍旧不言不动。司机觉得奇怪，等待的时候在驾驶座前回头看她："太太，是不是今天很累？早点休息吧。"

她好像猛然惊醒，抬头看了他一眼，然后点点头，伸手就去推门。

车库门已经升起，司机刚想踩油门，被她在后视镜里的动作吓了一跳，他猛踩刹车，叫了一声："当心！"

她停住手中的动作"哦"了一声，也不回头，侧脸掩在垂下的头发里，看不清表情，几秒之后突然弯了弯嘴角，笑了一下。

明明是个笑容，却让司机感觉浑身一凉，不敢再多说一句，他迅速将车开进车库里，下车为她开门。

许飞开车很快，目的地也明确。不是第一次在一起吃东西了，他们都不爱热闹，喜欢安静的家庭式餐厅，最常去一家台湾小馆子，就在他公寓楼下。这时车已经转入小区前的安静街道，熟悉的餐厅近在眼前。

许飞住的是酒店式服务公寓，高层，最下两层裙楼全是各国餐厅，夜里灯火全开，玻璃墙无遮无挡，远远望去晶亮通透。

小区的保安是认识他们的，车还未开到近前就已将隔离栏升起，又站在一侧敬礼，对着他笑："许先生，你好。"

他已经用各种语言接了一路的电话，还没结束，嘴里仍在说英语，这时却对电话那头说了声抱歉，然后转头笑了一下，看着那保安才回答："你好。"

下车的时候他终于结束通话，钱多多一路听过来，虽然心事重重，耳边只是掠过只字片语，但仍旧感觉不对，所以立在车边开口就问："怎么了？是不是项目出了问题？"

"坐下再说吧。"他锁门，举步的时候回头看她，因着她的表情安抚一笑，然后对着她张开自己的掌心。

小区里灯光柔和，四下绿茵浓郁，他的手指修长漂亮，握住她以后随即紧了紧，很有劲。

这么肯定有力的一握，钱多多瞬间恍惚，错觉一切不安彷徨都可以被转移过去，鼻梁突然酸了，这时的愉快仿佛是一种罪恶，觉得矛盾，她一低头，再一次默默无语。

晚餐时间已经过去，餐厅里人不多，老板是一对台湾来的中年夫妻，这时正坐在靠门的桌边聊天，看到熟客一脸笑。

来的路上许飞已经叫好了东西，老板跟他很有话题，这时站起来就开始跟他讲新看中的一款车，手还在他的掌心里，钱多多立在一边陪听。

一整天踩着寸高的鞋跟，她立了一会儿觉得累，两脚换重心缓解疲劳，他侧头看她，又指指他们坐惯的位置："多多，去坐吧，我马上来。"

服务生已经送上餐点，钱多多只要了一杯奶茶，老板娘过来招呼的时候眼里羡慕之色明显，她也笑了一下，又转头去看他。

他正与老板聊得兴起，两人哈哈大笑，眼角弯起，男人简单纯粹的快乐，这时仿佛感受到她的注视，又侧头看过来，很远眨了眨眼。

忍不住了，捧着奶茶的钱多多也笑出声来，一边笑一边觉得这男人有魔力，有他在的地方，任何空间都会很愉快。

结束笑谈之后许飞走过来入座，看得出他饿惨了，举起筷子就开动，吃得头也不抬。

"出了什么问题？很麻烦？"钱多多继续问。

他放下筷子看着她说话："收购的意向书已经报到政府有关部门，和田之前也跟他们打过初期交道，问题应该不大，但是昨天有传闻出来，M&C也有意向要加入竞购和田，虽然只是传言，但和田高层有些动摇。"

"M&C？"钱多多听完一愣。

他收敛笑容，眉间微微皱起来，难道看到他这样的表情，钱多多心里一惊，恍然大悟于他们对自己的垂青，又诧异于M&C的迅速反应，她眉头一皱："M&C最近对国内良性资本很有兴趣，但和田是做刚性需求的实业型企业，没想到他们也想横插一脚。

"也不奇怪，最近是个投资公司就跑到中国来找投资方向，我们收购和田的意向出来之后它的股价上涨迅速，被人注意也很正常，这一点并不令人费解，但是我看了M&C最近这段时间的财报和投资流向，有一点真的很难理解。"

"什么？"在市场部习惯了与他讨论工作，但是自从他离开之后，两个人总是分头忙碌，很久没有这样的机会了，钱多多捧着奶茶杯子接得很快。

"最近有大笔资金在不断吃入M&C的股份，它在亚洲的几个投资项目也与同一个基金合作，我又查了那个基金的背景，山田集团也有份额，而且还很大。"

"山田？你说山田惠子的父亲？他不是UVL亚洲公司的大股东吗？"他说的并不复杂，但不能理解，钱多多满脸迷惑。

"可能是巧合，山田集团很大，也并不由惠子父亲执掌，他在 UVL 刚刚进入亚洲的时候就开始与公司合作，亚洲董事会里也算元老了。"

思索了一会儿钱多多才慢慢开口："山田旗下的资金与 M&C 合作，山田惠子参与收购项目，现在 M&C 宣布参与竞购，巧合这么多，你不觉得有问题吗？"

许飞淡淡一笑："他在 UVL 下得成本更大，市场上没有永远的朋友，也没有永远的敌人。这一切都是台面上的数据，只要稍微有心就能查到，如果山田真的有心摆公司一道，也没比要搞得那么大白天下吧？"

钱多多摇头："你还笑得出来，就算山田与此事无关，那和田动摇是事实，万一这个计划就此搁浅怎么办？"

"这么大的收购案，哪有容易的道理？我们之前与和田多方接洽，底价都已经谈得差不多了。更何况最近我托张千在查一些数据，需要等结果，和田主动拖时间，倒也正好。"

张千她是知道的，现在正在研究所搞生物工程，可是他们现在聊的不是和田收购吗？怎么又扯上张千了，越听越听不懂，钱多多张口又想问。

他倒是停下筷子，这时好整以暇地看着她，嘴已经张开，但钱多多一转念就觉得这些事情早已涉及商业机密，她又不是直接的负责人，问太多也不是什么好事，她闭上嘴沉默。

"凯洛斯刚到亚洲区，和田在这个紧要关头动摇，你——"奶茶都快喝完了，钱多多才又开口，捧着杯子补了一句。

其实她想说的是如果出了问题，凯洛斯刚到中国，根基未稳，就算不伤筋动骨，也免不了一番风雨，到时候担子落下来，不又是在你的身上。

外资里面最难做的就是像他这样的非外籍高管，斡旋在海外上司和国内复杂情况之间，两头不讨好，感觉许飞现在所面临的情况很麻烦，钱多多说话的时候眉头皱得紧。

"多多，你在担心我吗？"他已经吃完了，听完咧嘴一笑，抓过她的手就亲。

这男人在公司每天穿得正式，一群四五十的中年高管中硬是装得老成持重的样子，但私底下，特别是在她面前，就是时不时地露出孩子样，大庭广众的弄得她哭笑不得。

餐厅人不多，但钱多多仍是觉得羞，挣扎着缩手，但男人的十指有力，又抓得实在，她哪里挣得脱，到最后还是被他一把拉过去，手背一暖，是他的唇轻轻擦过，低着头还盯着她看，眼里尽是笑。

唉，皇帝不急急太监，她这是何苦。

但是心口软了，又很甜，说不出话来，一身套装的钱多多，小女孩似的红了脸。

4

走出餐厅的时候已经夜深，小区里非常安静，他们并肩往大楼走，钱多多还想说些什么，才张嘴又打了个哈欠。

已经走到车边，他抓着她不放，叹着气说话："多多，跑来跑去累不累？要不搬过来，我这里地方大。"

心里想笑，但钱多多板着脸讲话："许总监，注意形象啊。"

"我知道，小心桃色新闻嘛。"他又叹了口气。

小区车道上没什么人，车灯晶亮，一直照到很远的地方，他开得慢，又转头看她，心里也有些舍不得，钱多多侧过头想说话，突然迎面有车开过来，两车一进一出，交错时靠得近，她一眼扫过时双目瞪大，满眼的不可思议，又忍不住回头望了一次。

"怎么了？"许飞打方向的时候问了一句。

"没什么。"钱多多突然坐正看前方，两手纠缠在一起放在膝盖上，回答只有三个字。

那辆车的款式与之前在地铁口看到的完全相同，车窗贴膜很暗，又是匆匆一晃，看不清里面的乘客，但她毕竟印象深刻，之前的烦乱全被这一眼勾回来了。

心里跟自己讲话，不会的，这种款的车也不是全世界只有独一辆，一定是巧合，要是这样也能遇到？她还不如去买彩！

但是终究不舒服，脑子里又是一团乱麻，回程的路上钱多多皱着眉头看前方，满腹心事的样子。

他看了她一眼开口："多多，事情会一样一样解决的，现在项目才开始，你也不用太担心。"

知道他误会自己还在想公司的事情，也不想多做解释，钱多多挤出一笑。

快到她家的时候许飞电话又响，仪表盘上显示的时间已经将近 11 点，这些资本家也太不知体恤民情了吧？钱多多挑挑眉。

许飞看了看号码，然后接起来应了一声："惠子，这么晚了什么事？"

那头说了许久，他却答得简单："嗯，我还没到家，回去我会看的。"

"早上？早上我要运动，到公司再说吧，你也早点休息。"

三两句他就挂了电话，钱多多在一边听得安静，这时倒是笑了一下，嘴角弯弯的："好敬业，知道你忙，早餐约会都愿意。"

车已经转入钱多多家的小区，许飞停车的时候还不忘侧头看她，眼里都是笑："多多，我也知道你忙，早餐约会行不行？"

"你不是要运动？"其实并不是吃醋，只是不想离开，坐着聊几句也很享受。

"一起好了。"

"我懒，起不了床。"

"我帮你。"他笑容加大，贼贼的，一偏头就吻了她。

再说下去就是限制级了，唯恐他疯起来直接把车开回公寓去，钱多多笑着逃下车，但脚尖一落地又回头看他，这次不笑了："Kerry，山田惠子……"

他微笑，又伸手按了按她的脸颊："放心吧。"

5

走进楼道前她习惯性地回头看，许飞的车还在原地，车窗全落，他并没有下车，也没有试图难舍难分地拉住不放，只是坐在驾驶座上安静看着她，眼神一直没有移开。

不是第一次被送到家，也不是第一次回头看到目送自己的男人，但是这一次钱多多竟然不敢再多看。知道自己不消失他也不会走，她转身继续迈步子。上楼的时候心脏跳得怪异，好像被什么东西包住，一下一下落不到实处，飘飘荡荡的酸麻感。

不是第一次恋爱，她知道这是为什么，但这次又不同，快乐中生了惶恐，只怕留不住。

鄙视自己的想法，她最后几节楼梯步子迈得很大，两阶两阶地往上奔。

开门后室内一片漆黑，知道爸爸妈妈应该已经上床睡觉，钱多多关门时动作很轻。

借着门厅里小灯的光往里走，路过沙发的时候突然瞟到茶几上的一叠书，仿线装的淡黄色封皮，书名用白底框起的黑色墨字，阴影里很是显眼。

原本不会在意这些东西，但钱多多一眼扫过那封皮上那两个字又觉得不对劲，低头弯腰去拿，想看个仔细。

黑暗中突然有"啪"的一声，厅里顿时大亮，钱多多被吓了一跳，一抬头看到妈妈披着衣服站在卧室门口，手指还在开关上，目光炯炯。

被看得一个激灵，不知道自己又犯了什么错，钱多多本能地一低头，检查自己身上何处出了问题。

手里还拿着书，灯光下那两个墨字清楚分明，一低头就在眼前，大大的两个字——《明史》。

明白了，钱多多抬起头的时候满脸黑线条。

回过神来以后钱多多涎着脸笑，试图蒙混过关："妈，这么晚了你还没睡啊。"

"自己的女儿天天半夜三更才回家，做妈的怎么睡？"钱妈妈根本不领情，走过来一屁股坐到沙发上，"今天小叶来过了。"

"他来干什么？"钱多多开始皱眉头。

"人家也没提你，就说来拜访你爸的，还把书送过来了，那孩子多好啊，我说你这个孩子怎么这么挑啊，这样的对象你也不要，你到底想找什么样的？"

"我对他没那种感觉嘛，妈妈，强扭的瓜不甜。"钱多多开始撒娇。

完全不吃那一套，钱妈妈回答的时候也皱着眉头："我看人家对你挺上心的，哪里强扭了，之前你们不是约会得挺好。"

"什么上心啊，他明明是来看老爸的，他们倒是一处就成了忘年交，不容易啊。"

"别打马虎眼，我说你到底结不结婚？眼看快三十的人了。"钱妈妈气不打一处来，说话的口气满是怒其不争。

听到这个数字钱多多也不爽了，一句话脱口而出："过了三十怎么了？过了三十没嫁人就不是人了？"

心里的话倒是说出来了，但是说完就知道不好，果然，钱妈妈勃然大怒，说话前一拍沙发扶手："多多，你给我坐下。"

知道这是妈妈对她开始长篇大论的典型开场白，钱多多当场颓了。

不出所料，当天晚上钱多多被洗了足足一个多小时的脑，钱妈妈从她三岁时不听话在公园走失一直说到她过了三十之后在婚姻市场上将会是多么的凄凉惨淡，而且大有不将她一生说完不罢休的趋势。

再也不敢多说一个字，钱多多唯有硬撑着乖顺状洗耳恭听，到后来实在撑不住了，坐着都是头一点一点的。

到后来还是钱爸爸看不过去，过了12点以后走到客厅找老伴，说话前先咳嗽："别说了，睡吧，孩子明天还要上班。"

钱妈妈正说到气头上，突然被打断一转头就没好气地回了一句："你也来说几句，整天就会在房里待着看书，看书！女儿都丢给我一个人操心，难不成她是我一个人生的！"

"结婚是大事，多多都几岁了，你这个当妈的也不能逼着她随便找个人不是？"时间实在是晚了，屋外万籁俱静，屋里却搞得跟批斗会一样，心疼女儿，钱爸爸皱眉补了一句。

钱妈妈几十年来在家里权威惯了，从来没被自己的老伴这么反驳过，又是气头上，被这句话一顶，霍地站起来指着钱爸爸就开腔："你也知道多多几岁了？眼看就要三十了！你知不知道现在的行情？一个女孩子过了三十还没结婚，还跟老人住在一起，人家会怎么看？前几年还老是盯着我问要给她介绍对象的老姐妹现在看到我都不开口了，等她三十一过，你看着，到时候指不定人家背后怎么说！"

一个人听训已经麻木了，钱多多之前只把妈妈的话当催眠曲，但是这一嗓子真的把她惊醒，一抬头看到爸爸叹气的表情，心里猛一酸。

一直以来，她都不认为自己的人生有什么缺憾，妈妈的催逼虽然一年胜过一年，但到底是自己母亲，她总是抱着一种撒娇依赖的心态，听着答应着，但是现在家里的气氛竟然因为她的年龄到达这样的临界点，从妈妈嘴里吐出来的话字字伤人，她始料未及，也根本无法接受。

实在憋不住了，钱多多也站起来说话："不过就是没结婚，又不是做了见不得人的事情，有什么好怕的，管人家怎么说。"

"你不管我要管，亲戚们都来问了，到底什么时候能喝上你的喜酒？你叫我以后怎么跟人家说？谁家的女儿到了年龄不成个家？难不成你还一辈子在我们身边待下去！"

"那我搬出去好了，免得别人拿这个说闲话，行了吧？"听不下去了，从小到大乖乖牌的钱多多，做了生平第一次的叛逆行为，当着自己妈妈的面拿起包掉头就走，关门的时候手劲大了点，"砰"的好大一声。

下楼的时候她脚步重，手里抓着电话直接拨给了那个罪魁祸首。那头很快就被接了起来，虽然已是午夜，但叶明申的声音很清醒，背景很安静，耳里还听到隐约的音乐声。

好得很，这男人莫明其妙跑到她家来勾起她妈妈的满腔怒火，害她全家一夜无眠，自己却得闲得暇地待在家里欣赏音乐，气不打一处来，钱多多开始深呼吸。

其实是想劈头问一句，你到底想干吗？但是冲动是魔鬼，刚才这句话已经在家里很好地得到了验证，她最后还是努力压抑了一下情绪，镇定了一秒钟才开口。

"今天你来过我家了？"

"是啊，上次跟钱伯父说好要带一套明史给他，今天正好有时间，来之前想给你电话，不过是你助理接的，说你一直在开会，我就直接去了，sorry。"他答得很自然，好像这样的午夜通话是再正常不过的事情。

这人像一谭深不见底的水，再大的火下去都被灭了个无影无踪，被弄得没脾气了，钱多多心里叹气。

机场一别，他们俩一直没有再联系，这次的事情严格说来她也没资格发脾气，有什么好说的？说他跑来触动了她妈妈的导火索？说因为他的出现导致她半夜三更离家出走？

算了，说到底都是自己家的问题，她跟他置什么气？

"是我不好意思，多谢了。"

"不用，多多，你最近好吗？"

"我很好，谢谢关心，你呢？"

"也还好，对了，明天有时间吗？我有个朋友刚回上海，很想认识你。"他说话的声音微微笑。

"你的朋友想认识我？"原本垂头丧气，听完这句钱多多眉毛都弓起来了，一肚子疑惑。

他笑:"别误会,还记不记得有次碰见我朋友大李?他把你错认成另一个人?"

"我记得。"脑子里模糊的影像一闪而过,她不由自主补了一句,"你说青青吗?"

"是啊,她刚搬家,又开生日派对,说让我邀请你一起来。"

"邀请我?为什么?"搞不清状况,钱多多声音迷茫。

"哦,她听大李说起你,有点好奇吧。"

"可是我跟你现在已经……"话说了一半又后悔,钱多多没接下去,到是叶明申笑了,"朋友也不是了吗?"

她没那么小气,但是她对任何陌生人的派对兴趣都不大,想开口拒绝,但昨天在地铁口的匆匆一瞥仍旧在眼前晃动,她对那个跟自己有些相似的女子心中始终梗着一根刺,觉得那个青青身上迷雾笼罩,考虑了几秒钟,钱多多最后竟点了头。

"好,那我明天再给你电话。"他很干脆地与她道别,然后两个人各自收了线。

这个电话不过三言两语,讲完钱多多刚刚走到大门口,下一步迈出去有点迟疑,她立定脚步回头看了一眼黑乎乎的楼道。

电话又响,接起来是爸爸的声音:"多多,这么晚了还跟你妈堵什么气?快回来睡吧,你妈已经进房去了,她也就是嘴巴厉害,老了老了跟孩子似的。"

刚才一时激愤,现在一个电话打完,又被冷风一吹,钱多多早就清醒了,这时一听到爸爸的声音就开始觉得抱歉,抓着电话先说了声对不起。

"好了好了,你又没做错什么。"钱爸爸又叹了口气。

"爸爸,我没事,就想在楼下走一走,一会儿就回家,你也快睡吧,别担心了。"

"好,那你早点回来,我给你门口留着灯。"知道女儿心情糟糕,钱爸爸也不再多说,讲完断了线。

收起电话之后钱多多又在原地驻足立了一会儿,楼前石阶被扫得干净,月光下白色的一层光。站久了觉得累,她索性独自在楼前坐了下来。

妈妈的话还在耳边回荡——你知不知道现在的行情?一个女孩子过了三十还没结婚,还跟老人住在一起,人家会怎么看?

怎么看?她是残了还是傻了?不过就是大龄未婚,怎么就这么天理难容了?

已经是初夏,夜里虽有了凉意,但风里并没有寒意袭人的感觉,只是她心里冷得彻骨,突然很想听听许飞的声音,电话还握在手里,手指在那些光润的数字上反复摩挲，简单的一个拨出键，半天都没有按下去。

说什么？难道她劈头就对他说，我快三十了，没时间多谈恋爱，你爱我吗？爱我就跟我结婚。

结婚！结婚不是水到渠成的事情吗？这根本是逼婚吧！这样的话叫她怎么说得出口？更何况她根本不认为他们已经有了共度一生的默契和准备，一切才刚刚开始，要求一个27岁正准备大展宏图的男人突然进入家庭生活，这简直是天方夜谭。

她不能说，也不敢说，她很享受这份感情，不想因为这几句话就失去他，就算是冒一点点险也不愿意。

愣愣望着在眼前延伸的那几条台阶，手指不知不觉往回退，手机的屏幕亮了又暗下去，很轻的声音传出来将她惊醒："多多？喂？多多？"

这才意识到自己竟无意间把电话拨出去了，钱多多把电话放到耳边轻声答他："嗯，是我，你还没睡？"

"在改点东西，还有一些材料要看，你怎么还没睡？今天不是很累了？"

"睡不着。"不想他知道之前的一连串的挣扎，钱多多回答的声音很低。

他安静了一秒，然后是推开椅子的声音，落地窗拉开的声音。

手机里最后传来的夜风的声音和她身边的重叠在一起，眼前仿佛看到他站在阳台上的样子，突然很想走到他身边去，钱多多心中又是一叹。

"睡不着我给你讲笑话吧。"那头突然冒出这样一句话来，还来不及回答，耳边已经听到他自顾自说下去，"你听好啊，笑话是这样的。家用电器讲笑话比赛，电视机说笑话，烤箱说好冷啊，洗衣机说笑话，烤箱说好冷啊，电饭煲上台的时候很紧张，还没说完烤箱又说话——冰箱，干吗在我后头开着门吹气。"

这不是他第一次对自己讲笑话，仍旧是很长的一段，一开始不太流利，说着说着就顺了。

她上一次听完就笑，但这次听着听着那种酸麻的感觉又来了，她竟然不争气地红了眼。

"喂，你有没有在听？"说了半天都没有回应，许飞在那头抗议。

"在听啦。"钱多多坐在冰冷的石阶上笑了，回了一句，"好冷啊。"

"烤箱，你这样会引起公愤。"

"电饭煲，你笑话还没讲完呐！"

说完他们两个一起笑起来，他最后低下声音："那么冷你还想听下去？好了，快睡吧，小心被笑话冻着，着凉。"

"好。"她也应了一声，然后放低声音，补了两个字，"谢谢。"

他这次顿了一下才回答，声音温柔："不用，我爱你。"

原以为自己会失眠，但是这天晚上钱多多躺下后睡得很好，梦里有许多家用电器喋喋不休，但她竟不觉烦扰，只觉享受。

想起来还有一句话刚才忘记说，但是没关系，下次听完笑话她一定说。

谢谢，我也爱你。

| 11 |

钱多多启示录 No.11

我不想长大，不想长大

我不想长大，想永远做个孩子，想一直笑着，想无忧无虑，想不要哭泣，想每天都心满意足，如果长大让我不快乐，我能不能拒绝长大？

1

第二天早上一切如常，爸爸妈妈坐在餐桌前吃早饭，钱多多坐下的时候妈妈正跟老伴在讲晨练时候看到楼下新养的大金毛，看到她坐下也没把头转过来，只是把手边的生煎包、碟子往她这儿推了推："喏，吃完再上班。"

多年母女，完全领会妈妈的意思，钱多多立刻举筷响应，夹着生煎还补充："真的很漂亮，我昨天早上也看到它了，特别皮，我看楼下吴叔叔拉都拉不住，妈，你说是不是？"

餐桌上气氛不错，钱爸爸乐呵呵地笑，然后给女儿递醋碟："多多，今天忙不忙？"

"早上有个会，不过不急，十点才开始。"钱多多蘸醋，咬了一口生煎才回答。

还算愉快地结束了全家早餐，钱多多准备上班，上车的时候看到自己爸爸妈妈一同立在露台上看着她离开，她抬头笑着招了招手。

有时候爱你的人会让你伤心，不过幸好她懂得一家人永远是一家人这个道理。

不过上车以后她仍是叹了口气，想了想拿出电话拨给房产公司的小姐询问进度。

虽然是气话，但妈妈说得并非没有道理。一家人彼此依恋没什么不好，但她毕竟不是个孩子了，又不是没有能力负担自己的生活，一直这么在父母身边住下去，连她自己都觉得有问题。

房产公司的小姐对她有印象，回答的声音甜美："啊，是钱小姐，楼盘已经装修完毕，正要通知您可以入住了，您什么时候有空来办一下入住手续就行。"

这倒是她两天来听到的最好的一个消息，钱多多这次答应得很爽快。

忙完一个上午，午餐时间钱多多接连接了两个电话，叶明申的比较先，问她何时下班，她心里正想着这件事呢，看了看行事历之后立刻就答了时间。第二个电话是许飞的，听得出正在吃饭，背景里还有刀叉起落的声音。

"在哪儿吃饭？"钱多多率先问了一句。

"在餐厅，跟人谈点事情。"

"谈事情还打电话给我，跟你吃饭的人不会对你丢叉子吗？"听到他的声音很开心，她笑。

"还好，我闪得快。"他也笑，跟她说话的时候声音很柔软地低下来，"多多，下午我飞深圳，到和田总部去一次。"

这么突然？昨天都没有听到他提起，钱多多愣了一下，然后点头："好，路上小心，到了给我电话。"

"好。"他答应了一声。

还想说些什么，突然听到那头又有声音："Kerry，不好意思，让你久等了。"

那声音很熟悉——惠子。

对这位千金小姐很是捉摸不透，耳边扫过那一句之后钱多多忍不住眉头一动，想开口问多一句，但一张嘴又咽了回去，接着就用最平常的声音跟他道了别。

也不是十几岁的小情侣了，这点信任都没有，还谈什么恋爱！

在公司忙到八点以后，钱多多自己开车去了叶明申的学校，其实这地方离公司和许飞的公寓都不远，她来去间经常路过，但是从没走进去过。

大街上人人行色匆匆，虽然天色已暗，但仍有许多人背着电脑包大步流星，红灯时助动车自行车一字排开，占满了车道，人人瞪着红灯表情麻木。

但是车一转进校园就仿佛到了另一个世界，车道并不宽阔，两旁树荫浓密，自行车慢悠悠地从车边擦身而过，牵手走过的小情侣一脸甜蜜，她不知道多久没有见过这样的情景了，不知不觉间车速放慢，顾盼间一脸唏嘘。

车开到研究生院门口的时候正赶上下课时间，许多人从里面走出来，叶明申也在其中，看到她以后远远笑了一下，人群与夜色中仍是醒目。

钱多多看着看着忍不住叹了口气，这样的人才还愿意跟她签订你情我愿的合作协议，实在是天大的面子，而她居然不要，如此没心没肺地暴殄天物，怪不得自己的妈妈一肚子怨气。

叶明申做派绅士，过去总是约好时间提早来接她，但现在两人关系已变，她今天答应与他共同出席派对的动机又不纯，所以钱多多在电话里坚持自己开车过来与他见面。

"嗨，好久不见。"她下车与他讲话。

"好久不见。"叶明申微微一笑。

"你的车呢？"

"停在学校停车场，那地方离这儿很近，走过去就行，今晚开车去的人一定很多，我就不去占车位了。"

"这样啊。"钱多多点头，"那你上车吧，我来开。"

"我来吧，免得你不认识。"他替她拉开副驾驶座的门，钱多多也不推辞，很干脆地坐了进去。

起步之后他才开口："多多，最近过得怎么样？听伯父伯母说你升了总监，还没有恭喜。"

"谢谢。"钱多多简单回答了两个字，她性格直接，心里也藏不住事，这时忍不住问了一句，"明申，是你跟她聊起我的吗？"

"谁？哦，你说青青，是大李碰巧遇到她，聊着聊着就说起了。"才下课，车道上有些学生走动，他看着前方开车，回答的时候脸上带点笑。

"哦，原来这样。"她也记得那个嗓门很大的男人，状甚热情，做出这样的事倒也不奇怪。

说话间车已经转出校园后门，这条街不长，开到尽头再转就是一片清静街区，许飞的公寓也在那里。

他打方向的时候目标明确，动作很稳，钱多多还想说话，但眼前的道路越来越熟悉，忍不住问了一句："她家在哪儿？"

"到了，我说很近吧。"他笑着答了一句，然后将车转入了右侧的小区大门。

"在这里？"钱多多声音惊讶，这小区并不大，两栋高层比肩，里面非常安静，正是许飞公寓所在的地方。

车在小区入口起降杆前停下，保安走过来低头询问，叶明申按下车窗回答，又伸手往前方指了指。

那保安正低头看过来，眼光扫到钱多多之后愣了一下，然后来回地看他们两个，表情诧异。

更诧异的人是钱多多，这两天意外太多，她现在已经被不断的震惊弄到麻木了，一点反应都找不到。

2

　　青青家和许飞的公寓并不在同一栋内，楼层也更高，是顶层。电梯里灯光雪亮，钱多多立在角落沉默，抬眼只看到镜门上自己的表情，眼里全是矛盾。

　　要去吗？还是现在掉头就走？照片上与她相似的模糊影像，香港酒店大堂的匆匆一瞥，地铁站前的一团混乱，还有昨天晚上在这里看到的同一款车，所有的一切都在叶明申转入小区之后慢慢联系到一起，只等推开那一瞬，揭晓答案。

　　而这个答案，她又真的想知道，真的需要知道吗？

　　那是依依的人生，牛振声的人生，还有那个所谓的青青的人生，跟她又有何干？

　　再亲的密友都不能代替别人做任何一个微小的决定，这件事她知道得越多越无谓，知道了又如何？知道了她还能做什么？！

　　突然觉得自己很荒谬，钱多多皱眉退了一步。

　　耳边突然传来叶明申的声音："多多，你还好吗？"

　　他就立在她身后，虽然对着她说话，但眼神却仍注意着电梯内显示的数字。

　　"明申，我突然感觉有点不舒服，能不能不去了？真不好意思。"决定了，钱多多开口就说，手指已经放到了侧边按钮上，打算等电梯到达就直接按下行。

　　很晚了，电梯笔直上行，迅速平稳，当中都不带停顿的，钱多多才讲完这句话："叮"一声清脆提示，面前的镜门就往两边平顺滑开，门外有一男一女，就立在电梯门口讲话，这时同时看过来，几道目光交错，表情各异。

　　"青青，史蒂夫？"走出电梯后率先开口的是叶明申，声音里带着诧异。

　　被叫到的女子头发绾起，身穿礼服，夜里虽然不凉，但她仍是披着一条宽大的丝质披肩，更显得身形姣好，正是被钱多多几次三番看到与牛振声一同出现的那个女孩子。

　　这是钱多多第一次与这个长相和自己有三分相似的女孩子面对面，对方很明显年纪尚小，笑起来眼角平滑，又妆容精致，近距离细看，反而觉得与自己并没有特别相似的地方，感觉很遥远。

　　四个人中反应最正常的就是青青，看着叶明申笑，回答很快："明申，你认识我先生？这么巧，这就是多多吧？我听大李提过你，欢迎欢迎，这是我先生，牛振声。"

"你先生？"这么大两个活人就在面前，钱多多再也装不下去了，直接反问了一句，然后笔直对牛振声看了一眼。

青青的手还插在牛振声的臂弯里，笑得甜蜜蜜。

而钱多多这一眼看过突然感觉错乱，仿佛看到当年的依依，用同一个姿势和同一个男人立在自己面前，笑着对她开口："多多，过来认识一下，这是我先生。"

那时候她还曾感动羡慕，没想到这个词如此廉价，太可笑了，她反而笑不出来。

完全没想到电梯门打开后出现的会是这两个人，尤其是钱多多，双目炯炯，几乎要将他看出两个洞来。年过四十，在生意场上打滚多年的牛振声，这一瞬间竟然不敢与她的眼光接触，完全是本能反应，他接着就脚下一退，抽出手来收到了身后，全没想到这个动作是多么欲盖弥彰。

"明申，对不起，我有点不舒服，要先走一步。"不想再看那对男女，钱多多声音冷淡，电梯仍停在顶楼，她伸手按住开门键，一步就跨了进去。

"多多，你等一下。"叶明申一把没拉住，眼睁睁看着电梯门在面前合上。

觉得有什么异物堵在嗓子眼，呼吸不畅，钱多多几乎是奔出那栋大楼的，身后有脚步声，她大步往停车的地方走，说话的时候头也不回："明申，史蒂夫和依依你我都认识，至于刚才我们所看到的，我不想再多说一个字了，你应该知道他们是什么关系。"

"钱小姐，请留步。"身后传来的声音并不是叶明申的，钱多多霍地立定脚步回头，看到的只有牛振声。

不想与这个男人多说一个字，钱多多转回头继续往前走，脚步声加快跟了上来，他先她一步立到车前，抬手挡住她要打开的车门。

"牛先生，请自重。"钱多多眉头一拧。

"多多，那是误会。"他声音稍稍急促。

"误会？"觉得好笑，她冷笑了一声，"青青小姐几岁了？不至于连自己的先生都认错吧？"

"我……"他呆愣一瞬，再也说不出话。

懒得多理睬，钱多多又去拉门，但是他的手在门的最上方扣得紧，她努力了一次竟然拉不动，浊气上涌，她索性将门砰地合上，转头直视他。

"多多，你听我解释，我已经在着手解决这件麻烦事，依依那里……"

出轨丈夫要求妻子好友代为隐瞒真相，理由是他正在着手解决这件麻烦事——

麻烦事！不见光的时候他们把这个叫做齐人之福，见了光之后就变成了麻烦事，太荒谬了，钱多多这次终于笑出声来："牛先生，你放心，我不会插手别人的家事，你也不需要对我解释，要解释的话请回家。"

听完这句他立时松了口气，原本紧扣着车门的手也放开来，大晚上的，凉风习习，他居然一头汗，这时才得空去擦。

"谢谢，多多，我也知道你不会的。"

小区街灯光线晕黄，他额头上满是汗，一层油光，突然间觉得恶心，钱多多再不想多待，简单再见了一声，直接坐进车里，大力踩动油门。

牛振声没动，立在原地望着她离开，她情不自禁地望着后视镜，那里面的他抱着双肩，苍老得不可思议。

这男人不是才过四十吗？怎么突然间老成这样！想不通了，也懒得想，钱多多强迫自己专注前方。

车灯已经打开，她一眼望过的时候突然有两道人影出现在车前，眼看就要撞了上去。

魂飞魄散，她猛地一下踩住刹车，心跳得差点从喉咙口落出来。

定下神再去看前方，车前的确站着一男一女，穿着职业，被刹车声惊动的一瞬间那男人动作迅速，一把就将身边女伴拉到身后，这时四目笔直地往她这里看过来，车灯雪亮，照得那两人面貌清晰，她不敢相信地眨眼，再睁开还是那两张熟悉的脸——许飞和山田惠子。

九点都过了，小区里没什么走动的人，车道前开阔一片，正对着大门口的景观喷泉，这时水柱溅落，隐约有气雾弥漫，许飞身材修长，惠子乌发晶亮，在车灯和水光的交映中画面怡人，但她却觉得面前的一切都茫然变色，竟分不清是真是幻。

为什么是他和她？

他不是应该在深圳？为什么会在这个时间和她一起在自己公寓楼前出现！

想不通，又不愿意多想，感觉有些什么东西凭空塌了下来，压得她浑身僵硬，钱多多脚尖还在刹车上，身体却没了指挥，都不知道下一步该怎么反应。

有人敲车窗，一开始很轻，后来就用了力，还叫她的名字，声音急切："多多，多多？你没事吗？"

她仍旧茫然，侧头看了几秒钟才反应过来，手指摸索着去推车门，门外站的是叶明申，一脸担忧，这时不等她完全把门打开就低下头开始审视她是否完好无损。

但另一个人的动作比他更快，一伸手就将钱多多拉了出来，抓住她的双肩上下看过松了口气，然后才吐出一句话："多多，你干什么？"

这怀抱熟悉，但她却突然生了抗拒，竟不想靠近，挣扎着想往后退，又有一只手伸过来，叶明申一手扶住她另一手抓住许飞的手腕开口："这位先生，你……"

"放开，我们认识。"认得这个男人的样子，许飞眉头一皱，落在钱多多肩上的双手一动不动。

场面尴尬，钱多多后退不成，又被晃得一阵头晕，最后终于忍不住对着面前的男人叫了一声："Kerry，你放开我再说话！"

惠子也走了过来："Dora，怎么是你？Kerry，我们……"

许飞眉头紧皱，说话的时候头也不回，只答了一句："惠子，你先上车等一下，谢谢。"然后继续追问钱多多，"多多？我问你话。"

听完这句回答之后惠子便是一愣，她生来富贵，从来没被人这么怠慢过，不过再看了一眼面前这三人的情景，她退了一步选择沉默，接着一转身就往外走。

公司的司机等在门口，看到她独自出来表情诧异："惠子小姐？许总呢？不是说接他一起去机场？"

"他有点事，我们再等一下。"她坐进车厢后才回答了一句，想了想又伸手把车窗按下来，长吐了一口气。

3

听完许飞的话之后叶明申又把眼光转向钱多多，夜里风大，喷泉水花四溅，有一些被风带到脸上，凉意让她清醒过来，她深吸一口气再说话："明申，我和

Kerry 单独说两句话行吗，谢谢。"

他沉默，大楼内又有人奔出来，四顾的时候有些张皇，披肩都落到了地上，看到他们又迟疑，脚步顿在不远处。

是青青，牛振声早已走得无影无踪，她望着叶明申和钱多多一脸失措。叶明申对钱多多点头，然后往那里走过去，拍拍青青低声说话，然后带着她往回走，很快又进了大楼。

身边安静下来，觉得这一天混乱到极点，钱多多双目一垂。

"多多，你怎么突然跑来？"他开口。

"我不能来吗？为什么你还会在这里？什么时候上海改名叫深圳了。"她不答反问。

"航班改签，你不要岔开话题好不好。"

"航班改签需要惠子亲自来通知你吗？你才不要岔开话题。"

"多多，你在想什么？"

"你在想什么！"

夜里安静，刚才的刹车声已将小区保安引出来，看到他们的样子更是一脸疑惑。

心乱，但是理智告诉她没必要在这里娱乐大众，钱多多再次后退，左手去掐右腕，逼迫自己镇定。

知道自己情绪有些失控，许飞也在试图让自己冷静下来。

下午突然有紧急会议要出席，临时让秘书将航班改签，他一直忙到晚上才回家取行李。

准备就绪后一开门，正看到惠子站在面前，笑着说司机已经在门外等。

没想到她会突然地出现在自己公寓门口，虽然理由冠冕堂皇，但总是惹人误会，尤其是多多。

下楼的时候他在心里措辞怎么跟惠子商谈一下相处方式，还没开口斜刺里就有车快速驶来，就在他们面前急刹，声音尖锐，惊险一瞬。

他的第一反应是想上前质问，没想到在驾驶座上看到的是钱多多。

正想着她呢，她却用这种方式突然出现，还有更加意想不到的情况，有人先他一步奔到车边，表情急切，言辞间亲密有加。

这男人他有印象，电影院巧遇，机场送行，他和钱多多每次都状甚亲密，但那都是他和她在一起之前的事情，多多从不提起，他也没有多问。没想到竟会在自家门前再次看到他们一起出现，身体反应快过思考，他本能地想抓住她问个清楚。

旁边有人迟疑地走过来，小声插了一句："许总，飞机……"

是司机老孟，在外面等了许久，时间实在不对了，最后进来怯怯提醒了一声。

钱多多脑子里乱麻纠葛，手腕被指甲掐得刺痛，他们在一起不过数月，两人从未有过争执，这是第一次相对无语，稍稍冷静下来，又看到司机走过来，心里已经明白情况，但场面已经僵住，不知道怎么下台，她最后挤出一句："赶飞机要紧，你先走吧。"

司机还在旁边等着，时间紧张，再也没办法拖下去了，许飞安静了几秒钟之后沉默地点点头，举步就往外走。

就这样走了？一声再见都不说？钱多多立在原地愣住，脑子发胀，难受得很，想叫住他，但是又犟着不想出声。

司机已经往外走，而他脚下沉重，走出两步又回头，喷泉里波光粼粼，她在这样的光线里抱着双肩，剪影娇小，可怜巴巴的样子。

原本是不舒服的，但突然之间心就软了，不想就这样离开她，又觉得之前自己的表现实在幼稚，他一转身再次走了回去。

"干吗？"脚步声在面前停下，钱多多的眼睛却看旁边。

唉，个子不大，脾气这么大。

算了，山不就我，我来就山，许飞双手一伸，先把她抱住再说话："好了，对不起。"

没想到他会这么说，钱多多原本绷得紧紧的神经一下子没了方向，鼻酸，她最后额头一低，抵着他的肩膀轻声吐字："没事，我迟些跟你解释。"

"好。"没时间再多说了，他又用力拥了她一下，"早点回家，开车小心。"

觉得他说这句话的时候很像自己老爸，脸颊埋在他的肩窝，钱多多的声音闷闷的："别这样，孟师傅会看见。"

都什么时候了她还忘不了桃色新闻，许飞忍不住低声笑："知道了，我到了就给你电话，不许不接，否则我立刻杀回来。"

"那都半夜了，我还睡不睡？"奇迹，乱糟糟的心情在他的笑声里突然烟消云散，嘴角一翘，烦恼了一个晚上的钱多多竟憋不住笑了。

"睡？你还欠我一个解释，还敢睡觉？"知道快来不及了，但就是抱着她就是不想放手，突然变回小孩子，只想抓着自己最宝贝的东西24小时都不松开。

"好了好了，快去吧。"两个成年男女一会儿吵一会儿笑，再这么下去别人一定觉得他们神经有问题，钱多多伸手推他，想想又补了一句，"路上小心，我等你电话。"

的确是来不及了，许飞终于松开手转身，才走出两步又突然回过头来，看着她微笑。

"又干吗？"钱多多仍立在原地没动，目送的时候情不自禁地目光恋恋，这时被他一回头看了个正着，有点不好意思，她说话时脸都有些涨红。

他仍是微笑，轻轻说了三个字："放心吧。"

鼻尖突然之间涨满了酸涩的味道，她克制着情绪点头一笑，回了他同样的三个字。

"放心吧。"

4

司机老孟已经回到驾驶座上，他在 UVL 工作多年，许飞和钱多多这两个人当然都很熟悉，但是素来知道做这份工作什么该说什么不该说的道理，这时仅仅跟后座的惠子打了声招呼，然后便很自觉地保持沉默，把着方向盘开始低头盘算接下来从那条路飞车往机场赶比较保险。

车窗仍旧是开着的，住宅区附近行人稀少，车厢里非常安静，后座突然有低笑声，他一抬头却看到后视镜里的惠子面无表情，听错了吧，他又把头低下来。

耳边突然听到提问："还来得及吗？"

眼角扫到许飞大步走过来身影，老孟立刻松了口气，然后回答："应该没问题，放心吧山田小姐。"

她也正看着那个方向，说话的时候嘴角一勾："是吗？那就好。"

当天晚上钱多多失眠，脑子里堆着许多事，只想找个人说说话。过去她遇到这种情况总是拨电话给依依，但这次她连依依这两个字都不能多想，只好等着许飞的飞机落地。

算着时间拨电话，那头一响便接起来，许飞笑："多多，我刚下飞机，不是让你等我打来？"

"我睡不着，心里有事。"

他在飞机上一路都想着刚才的情况，这时倒声音认真起来："到底出什么事了？你说给我听。"

出什么事了？钱多多嘴巴一张，又不知道从何说起。这件事情说起来复杂纠葛，但她其实没什么资格妄加评论，想了半天才说出最简单的几句话，最后叹了口气。

她说得简单，但前因后果一联系，许飞也明白了七八分，想起那个五官与钱多多有几分相像女孩子他还很可能是见过的，不由也是一叹："多多，别想那么多了，会很辛苦。"

"我知道。"抓着电话在床上翻身，钱多多声音很低，"我就是觉得自己荒谬，碰巧看到也就罢了，还巴巴地自己跑去，现在弄得一团糟。"

"关心朋友也很正常。"他低声答了一句，然后又笑，"要不要听笑话？"

又来？钱多多眼一直，然后嘴角压不住地一弯，低声答了一句："不要了，冷。"

"好，那你早点睡。"喜欢她这样带着笑意的声音，终于放心，他微笑，停顿一秒，声音低下来，"多多，我爱你。"

机场嘈杂，午夜里都充满了各种杂声，但话筒里他的声音仿佛就在身边，烦扰背景与她身边的寂静无声融合在一起，很奇妙的感觉。不是第一次听这三个字，但仍觉得震动，嘴角笑着，笑完突然觉得凄凉。

爱一个人，想她开心，费尽心思，牵肠挂肚。这样说来，很久以前，牛振声也是很爱依依的吧？但就是同一个人，数年之后便轻巧转身，立到了另一个女人的身边。

是什么改变了这一切？婚姻吗？

"多多？"没有回答，也没听到挂线的声音，许飞在那头疑问。

"Kerry。"心里矛盾，钱多多声音都有些异样。

怎么办？她害怕将来，但更怕错过现在。

"嗯？"他边走边回答了一句。要出关了，惠子已经走到前头，这一路她都很沉默，这时却驻足回头看着他。

耳边又响起钱多多的声音，很轻，但非常清晰："谢谢，我也爱你。"

来不及回答，她已经挂断，机械的嘟嘟声响个不停。

"Kerry？"他突然立在原地不动，觉得奇怪，惠子又唤了一声，然后愣住了。

已经快到出口处，相隔数十步而已，距离并不远，但他对她的呼唤充耳不闻，仍是独自立在原地，脸上慢慢露出一个笑容来，熙攘人群中闪闪发光。

相隔数十步而已，距离并不远，但她突然错觉那笑容来自于另一个世界，无尽遥远，是她穷尽全力，都无法到达的地方。

许飞离开上海的第二天，国内第一部垄断法开始正式生效。UVL进入国内市场已经超过十年以上，市场份额虽然没有到达垄断的标准，但是在营销渠道上一向强势，又刚刚公布对国内品牌和田的整体收购方案，立刻成为众矢之的。

公司法务部的电话铃声整天不断，就连市场部也受到波及，很多已经拟定的项目方案都被收回来重新讨论，钱多多上任不过月余，内部局势仍未完全稳定，突然面对这样的内外夹攻，感觉整日都是焦头烂额。

M&C有意参与竞标收购的消息还未得到证实，对和田的收购案又受到国内其他同类企业以及一些政府部门的多方阻挠，一时间就连公司内部都是波涛暗涌。

而许飞飞深圳之后接着就到香港，然后又与凯洛斯一起飞了伦敦和董事会交涉，不知不觉已经过了半月，原定回上海的计划一推再推，与她联系多是半夜，总让她感觉心中酸楚。

她已经很久没有这样想念一个男人了，想念他的气味，想念他的陪伴，想念他在身边的感觉，有时候半夜醒来，突然思念欲狂，她真想跳下床就飞奔到机场，搭上最近的一班飞机飞去他身边。

竟然这样不能控制自己，那以后的路还怎么走？清醒过来钱多多就对自己骂，然后在黑暗中强迫自己闭上双眼。

公司里的事让她疲于奔命，每天半夜回家也不是办法，钱多多连续加班一个星期后决定还是尽快搬入自己的公寓。

　　她买的是酒店式服务公寓，已经装修完毕，就连家具都贴心地为住户准备妥当，多多花了一个周末稍微整理了一下，第二天把爸爸妈妈载过来参观，然后就在附近的餐厅里一起吃了顿饭。

　　爸爸妈妈一开始当然很难接受，钱妈妈更是直接，坐进包厢后菜都没上齐就开始念她："多多，你是不是嫌妈妈唠叨？不想回家了？"

　　"不是啊。"钱多多叫冤，"这里离公司近，加班住嘛。太晚回家你们又睡不好，家里我的房间不要动啊，还要睡的。"

　　"多多，这套房子什么时候买下的？怎么都不跟我们商量一下，钱还够吗？"钱爸爸比较实际，说话的时候已经开始往外掏存折。

　　女儿早上说要带他们来看房子，他当时就准备好了，原以为要看的是多多正准备买的公寓，没想到到了地方已经一切就绪，害他愣到现在才想起来口袋里的这张折子。

　　"就是，这么大的事情都不跟家里商量，你大了，主张也多，爸爸妈妈还能把你怎么样？怎么就这么一声不吭往外住呢？"妈妈这次没有发怒，一句话说完竟叹了口气。

　　赶紧按住爸爸掏折的手，钱多多又转头看妈妈："爸，妈，我没有要离开你们的意思，我只是，只是……"

　　"好啦，我们明白。"舍不得女儿这么为难，爸爸拍拍老伴的肩膀，"多多大了，总是需要一点自己的空间，又不是看不到女儿了，她不是还要回来睡的嘛，你就别紧张了，女儿这么能干，要高兴才对。"

　　钱多多大力点头，然后抱住妈妈的另一边胳膊撒娇，钱妈妈被两面夹攻，到底也撑不住，叹完气又伸出手指戳女儿的脑门："迟早被你气死，早点结婚吧，结婚我就再也不管你了，你想我操心我还不乐意呢。"

　　不是吧？又来？

　　钱多多和钱爸爸很有默契地同时把头一低，埋首在面前的饭碗里开始努力，钱妈妈长篇大论才开了个头，看到他们俩的样子好气又好笑，嘴巴张了张最终没有再说下去，叹了口气开始喝汤。

5

第二天中午钱多多终于拨电话给依依，响了很久那头才被接起来，中午时分，那边背景里却有音乐，好像在某个特别的空间，依依说话时微微断续，不知是否是钱多多的心理作用，总觉得有些怪异。

那天 MMK 一别，依依再也没有联系过她，她又不知面对依依时该说些什么，所以钱多多拨这个电话的时候狠下了一番决心，可现在一听到依依的声音，她又开始吐字艰难，倒是依依回答得很快。

"新的公寓？"那头传来窸窸窣窣的声音，好像是她起身开始走动，然后背景声安静下来，"好啊，我正想找你聊聊，什么时候方便？今晚？"

"史蒂夫又不在？"钱多多脱口问。

依依不答反问："要不要我来？"

钱多多心里叹了口气，然后看了看行事历点头："好，今晚见。"

想好了今晚要和依依好好谈谈，但是钱多多紧赶慢赶仍是工作到七点以后才得以脱身。

进大楼的时候她急匆匆地往门里走，一边伸手到包里去摸电话想拨给依依，突然背后有大灯一闪，吓得差点跳起来，钱多多猛回头。

身后停着熟悉的黑色大车，依依从副驾驶座上推门下来，看着她笑了一下。

那车也不停留，一待依依下车就往大门外开去，钱多多眼睛不好，又只是匆匆扫过一眼，这时表情疑惑地望着那车消失的方向开口："咦，你家司机换人了？"

"好啦，管那么多，快带我参观新居。"依依不回答，拉着她就往楼里走。

钱多多叫了送餐服务，进屋后桌上已经摆放整齐，一边脱鞋一边感叹现代生活的方便，依依已经先她一步坐倒在地上的一堆靠枕里，感叹了一声："真舒服，多多，羡慕死我了。"

"别人说这句话也就算了，你少来。我这个蜗居还不如你家的车库大吧？羡慕你自己吧。"钱多多走过来拉她，笑着摇头。

"你喜欢？那我们换。"依依不起来，反把她往下拖。

"讲笑话就那么爽快。"其实也没什么食欲，钱多多顺势坐下，小时候她们俩窝在小小的卧室里一人抱一个枕头可以聊一整天，后来年龄渐长，渐渐根据地移到了餐厅和咖啡，现在突然重温过往，觉得很感慨，她拉过靠枕让自己更舒服一点，笑着回了一句。

"真的，我没开玩笑。"依依突然正正地看过来，一张保养得宜的芙蓉脸，那么多年了，岁月好像没有在上面留下一丝痕迹，但此时此刻，那双漂亮的眼睛里纵横交错着无比复杂的情绪，看得钱多多愣住。

"不要吗？"依依讪讪一笑，转过头不再看着她，"也是，这样千疮百孔的生活，如果我是你，一定不想要。"

猛然惊醒过来，钱多多瞪大眼睛看着依依不说话。

"多多，牛振声和我谈过了，就在今天早上。"依依仍旧没有回头，靠枕在手里抱得很紧，手指用力，一根根陷在柔软的布料里。

不知道说什么好了，钱多多沉默良久，最后轻轻把手放在她的肩膀上低声开口："没事的。"

依依回头的时候牵动嘴角，好像想笑，但是很不成功："多多，我真该谢谢你，如果不是你，我看他一辈子都不会把这件事说出来。"

钱多多叹气："他不了解我，其实我不会说，我只会劝你小心财产转移，未雨绸缪。"

依依一笑落泪，回头抓住她的手。

事情的经过和钱多多预想的并不相同，就在今天清早，牛振声在卧室里与依依对坐而谈，他所谓的坦白最开始并没有对依依造成太大的冲击，她甚至不觉得吃惊，听得非常平静。

夫妻之间有一种微妙的透视力，对方的心是否已有杂念，只要坦白地问问自己的感觉便知道，用不着任何人的提醒。

所以当牛振声有些艰难地说出对不起那三个字的时候，她竟觉得他可怜。

其实可以理解，就算是一个天仙，不眨眼地看了那么多年，也会腻，更何况是一个女人？

但他接下来说的话，让她整个跌入冰窖里，他说："对不起，依依，你让我说完，你也知道这些年来我多想要个孩子，我没想过要离婚再娶，今时今日的我也不可能和你离婚，但是我真的想要一个孩子，她怀孕了，可能是我的，我就是想让她生下来。"

"那以后呢？"一瞬间浑身冷得发抖，话都说不清，她咬着舌尖让自己别再抖了，一直到满嘴血腥味，终于吐出一句话来。

"我想过了，她还是个小姑娘，不会想跟我们抢孩子的。等她生下来以后我就给她一笔钱送她国外定居，那孩子就当我们收养的，你，我还有孩子，以后我们的家就完整了，你说好不好？"

他说得理所当然，但她眼前模糊，熟悉的面孔在面前扭曲变形。这是牛振声吗？她认识了十多年的男人，她的丈夫，是他吗？怎么她不认识了？

他还在那里滔滔不绝，她沉默地立起来往外走，他追上来，她在楼梯末端立定脚步回望了他一眼，面无表情，然后伸手将转角处的水晶花瓶扫到了地上。

那花瓶沉重，盛满了水，还插着大捧百合，这时整个地跌碎在大理石的阶梯上，水花四溅，花瓣凋零，千百片尖锐的水晶棱角折射出冰冷的光，和她的眼神一样。

被那巨大的响声震住，牛振声猛地收住脚步。

隔着四处横流的水和一地碎片，对面就是他的小妻子，他爱的女人，他在她身上用了最大的热情，等她长大，给她婚姻，供她奢华生活，他至今都不觉得自己的爱已经消失，他仍觉得她是当年的那个小女孩，愿意照顾她一生一世。

但他老了，真的想要一个孩子，认识青青是在生意场上，他那时已经半醉，对她说的第一句话是"你长得有点像我太太的好朋友。"原以为只是酒后一场荒唐，没想到一个月之后，她对他说自己有了。

他只想等孩子出生，确定是自己的之后便收养下来，但是钱多多的出现让他措手不及。思前想后，与其让第三个人告诉依依，还不如自己说了，没想到她现在用看陌生人的眼神看自己，眼底甚至还有厌恶和抗拒，突然感觉颓败，再不想解释，牛振声转身便往外走。

看着他的背影消失在大门外，然后是车子发动和离开的声音，她独自立在原地，感觉自己身边一切的华丽背景全是一片废墟。

再不想在这个地方多待一秒钟，她抓起车钥匙就往外走，张阿姨追出来的时候，她已经用力踩下油门，转眼就把那熟悉的大宅远远抛到脑后。

一路疾驰到那栋大厦，笔直冲到那个她仅仅到过一次的顶层办公室，也许是她的表情太可怕，一路上居然没有人阻拦，敲门的时候里面应声而开，他正在与人谈话，许是已经接到通报，表情并不诧异，只是让办公室里目瞪口呆的其他人出去，然后带着她离开。

耳边只有自己丈夫离去前最后的声音："她怀孕了，我就是想让她生下来，生下来，生下来……"

感觉自己快要爆炸，她想的并不是接下来该做些什么，她只想抓住任何一个可以伤害他的理由。这么多年来，她与寂寞同行，坚持自己的选择，扮演好自己的角色，她甚至不期待自己的丈夫会永远像最初那样爱着自己，她要的只是能够维持现在的生活，衣食无忧地过下去，过下去，就已经心满意足。没想到一步一步，不知不觉，一转眼之间，这条路竟然已经走到山穷水尽！

一个孩子，完整的家庭，什么是完整的家庭？他，她，还有他和别人生下的骨肉？太荒谬了，如果这件事发生在别人的身上，她一定会笑得前俯后仰，但这一次不是别人，是她自己！

最好的酒店，最好的房间，一进房就被他用力拥抱，记忆中的蜜糖香铺天盖地。而她用力回应，主动撕扯他的衣服，一直到他意乱情迷地叫着她的名字，俯下身来，最后亲吻到的是她疯狂涌出的泪水。

她哭了，在决心要报复自己丈夫的最后一秒钟，在心心念念等待了她多年的男人的身体下，在她自以为这辈子唯一近似爱过的男人怀里，号啕大哭，心碎的样子好像一个知道自己永远都不能再回家的小女孩。

一切动作终止在她的哭声里，无以为继，后来他们在宽大无边的床上静静躺了许久，她不说话，他也不催促，最后结束这一切的是钱多多的来电。

"依依？你还好吗？"看着自己最好的朋友在面前沉默垂泪，钱多多一脸担忧。

想忘记，不想重复那一切，有些话，有些事情，适合烂在心底，掩盖起来，就连自己都再不想起。

她用双手合住脸轻轻摇头："多多，我就是想哭一下，哭一下就好了。"

6

这一夜她们俩谁都没有去动桌上的食物，时间过得点滴漫长，依依的手机铃声响了又响，她无动于衷，钱多多也不敢去接，最后响起来的是她自己的电话，迟疑了一下她最后拿起来接听，妈妈的声音很奇怪："多多啊，刚才依依家的司机打电话来啊，说联系不到依依，又问我你在哪里？"

"啊？他不是知道地方？"钱多多一愣，转脸看到依依已经走到阳台上，吓了一跳，她匆匆搁下电话跟过去，顺着依依的眼光低头，正看到牛振声从车里下来，仰起头朝上。

钱多多买的公寓在第九层，隔着这么远的距离，牛振声显得很渺小，不知道他看到了什么，就是那样立着不动弹。

依依也不动，钱多多不知道说什么才好，半晌突然听到她问自己："多多，我要下去吗？"

这叫她怎么回答？钱多多沉默了几秒钟。

依依并没有看她，仍是直直盯着楼下的那一点，眼眶突然被泪水笼罩，声音颤抖："你说，我怎么下去？"

被吓到了，钱多多一把抓住她的手："依依，别乱来。"

她不回答，楼下的那一点开始移动，迈步往楼里走，而依依终于收回目光望向她，慢慢用手背去擦眼泪，孩子气的动作，好像回到了小时候。

擦完她又一笑，脸上表情奇迹般地恢复了镇定，抽出被钱多多抓住的另一只手，自己往大门走去。

"依依，你……"吓得不轻，钱多多亦步亦随。

她已经走到门边，路过沙发的时候还不忘记提起自己的包，手放在门把手上回头一笑："谢谢，多多，我知道该怎么办。"

想问她"那你要怎么办？"来不及说话，门已经被她打开，依依走出去的时候背影决然，电梯门开了，灯光苍白一片，照得依依好像雪雕一样，想冲过去拉住她，又不知道拉住她自己又能做什么，钱多多立在门口全身僵硬，眼睁睁地看着电梯门缓缓合上，数字跳动，一路往下去了。

第一次被那红色跳动的数字刺痛眼睛，钱多多退步进屋里，站不住，她一转身又跑到阳台上。

　　九楼，夜色沉沉，她视线模糊，但仍是看到依依，正与牛振声一同走出大楼。上车的时候牛振声去拉门，她定了定身子，终于一低头坐了进去。

　　从未像这一刻那样感觉无力，仿佛有一桶凉水从头浇了下来，钱多多牙关打战，怎么都动不了，眼睁睁看着那黑色的大车消失在小区门外，她最后双肩颓然一落，慢慢闭上了眼睛。

|12|

于深井里，望见星光

钱多多启示录 No.12

掉落深井，我大声呼喊，等待救援……天黑了，黯然低头，才发现水面满是闪烁的星光，我总在最深的绝望里，遇见最美丽的惊喜。

——摘自《听几米唱歌》

1

　　这一晚钱多多独自在阳台上待了许久，回到床上之后头疼欲裂，浑身沉重，许飞的电话在半夜里打来，她根本没有合过眼，铃声一响便接了起来，但喉头干哑，一声"喂"竟然没有发出声音。

　　"多多？"

　　"嗯，我在听。"咳嗽了一声，她终于说出话来，很习惯在黑暗中与他说话，以往再忙再累，总是答得愉快，但这一天过得艰难，忍不住想寻求安慰，又不知道从何说起，她最后只是轻轻叹了口气。

　　"怎么了？"只说了一句身边的电话铃又响，许飞有点无奈，"多多，我接个电话，很快，你不要挂断。"

　　耳边响起他用英语回答电话的声音，她在黑暗里看了一眼枕边的液晶钟，12点都过了，早上才听到他说刚从伦敦回到香港，每天忙到半夜三更，这个男人真可以参加铁人三项。

　　"好了，多多，你今天过得如何？"他的电话结束得很快，一分钟后又回来说话。

　　"Kerry，你什么时候回来？我很想念你。"不想回答那个问题，她仰面在床上，手肘遮住眼，缓缓吐出这句话。

　　那头安静下来，他许久之后才回答："多多，我很快回来，好吗？"

　　"好。"她在黑暗中点头，肘间阴冷，不知道怎么表达想要拥抱一个人的渴望，最后只说了一个字。

　　他在那头不语，最后轻轻说了两个字："睡吧。"

　　酒店套房宽敞豪华，窗外就是月下海景。夏夜碧波平静，海面上薄雾笼罩，电话还在手里，单调的断线声嘟嘟作响，而他面对这样的美景眉头紧锁，心里很不好受。

她刚才在电话里声音软弱，问他什么时候回来，又说很想念他。多多性格直接，很少说出这样的话来，但他听着竟不觉甜蜜，只有心酸。

最后几天了，成败在此一举，他不可能在此时离开。和她隔着上千公里的距离，他又没有肋生双翅，再怎么赶都不可能彻夜来回。

想念她，这些天无论如何忙碌，眼前都会时不时出现她笑着看着自己的样子，孩子一样撒娇的小动作，担心时微微皱起的眉头，渴望她在身边的念头，反复折磨着自己。

她也是吗？思念一个人，不能控制自己，脑子里整日整夜都是对方。

电话又响，他看了一眼号码之后立刻接起来，那头是张千，冲口就是一句："结果出来了，你们还没签吧？"

电话里说很快回来的许飞，第二天却音讯全无，钱多多行程排得满，又头疼，回到家已经是深夜，终于感觉不对，她拨电话给他。

那头是关机，她拨了两次之后终于放弃，倒在床上闭上眼睛。

第二天钱多多起床的时候很是艰难，浑身疼痛，好像被压路机反复碾过千万遍，坐起来的时候寸寸骨节都在响，但想起行事历上堆积如山的工作，她吸了口气咬牙下了床。

镜子里看到自己一脸憔悴，用冷水扑脸的时候钱多多自我鄙视了一下——还没轮上失恋失婚山崩地裂呢，就这么没用。

因为实在很难见人，上粉底的时候她很是花了些功夫，好歹掩饰一下自己今天倩女幽魂的底子，在镜子前面消磨时间太长，上班的时间就很紧张，她一路赶到公司，停车的时候心中庆幸居然没有在路上撞飞消防栓。

走近市场部的时候感觉气氛怪异，就连小榄与她打招呼的时候都笑得勉强，不知道发生了什么事，她唯有回报一笑。

坐进办公室之后内线电话即刻就响，拿起来是李卫立的声音，语气与以往听到的任何一次都不同，非常严肃："钱总监，能否请你立即到我的办公室来一下？"

她在电梯里深呼吸，反复思索最近所作的每一项工作，自觉毫无纰漏，但又实在无法解释为什么上头突然要召见自己，禁不住眉头紧锁。

总经理办公室在30层，电梯里除她以外空无一人，一路上去毫不停顿，错觉这世界突然只剩她一个，电梯门终于打开的时候她一步就跨了出去。

敲门，里面传出李卫立的声音："进来。"

门只是虚掩，她一推而入，里面不止李卫立一个人，还有另一张熟悉的面孔，正坐在李卫立的桌上翻看文件，眉头紧蹙。

竟然是凯洛斯，他最近都在伦敦与董事会交涉，现在突然回到亚太总部，又在李卫立的办公室单独召见自己，立刻就感觉不妙，钱多多心里一个咯噔。

但是人已经站在这里，事已至此，再也没有进退的余地，她反而镇定下来，开口招呼了一声："Willie，我来了，凯洛斯，好久不见。"

"Dora，好久不见。"凯洛斯抬头看着她说话，表情却仍旧严肃。

"谢谢。请问今天让我上来，是有什么问题要问我吗？"实在难以猜测他们的意图，她索性直接开口。

"Willie，你出去一下，我跟 Dora 单独谈谈。"他第一句话并不是对她说的。

李卫立与她擦肩而过，错身时看了她一眼，表情很精彩。

奇怪一个人脸上怎么能如此千变万化，钱多多心中无语。

"Dora，这里坐。"办公桌前有会谈用的椅子，钱多多走过去坐下，看着他不说话。

"Dora，和田收购的项目，最近遇到一些麻烦，你听说了吗？"

"是涉及市场垄断的问题吗？听说了一点。"这件事已经公司上下尽人皆知，虽然如此，但钱多多仍旧斟字酌句。

"除此之外呢？"

凯洛斯五十不到，能够在一片腥风血雨中坐上亚洲区首席执行官这个位置，当然是很有手段的人物。上一次在香港共餐一次，钱多多已经感觉他性格深沉，这时面对面说话，他问得简短，但模棱两可，压迫感巨大，不知他的意图何在，钱多多双肩不知不觉往后夹紧，整个人都感觉僵硬。

思索了一下，她慢慢开口："您是说 M&C 要与我们竞购和田的传闻？"

"今天以前，这的确是传闻，不过我们刚刚得到确定消息，M&C 已经正式向商务部提出申请，要参与竞购，所以现在这已经不是传闻，是事实了。"

钱多多吃了一惊："但我们与和田在前期接洽和收购方案确定方面都已经初步达成共识，这样规模的收购案需要长时间的准备和计划，在这方面 M&C 不可能赶上我们，这样突然提出申请，很可能只是在争取时间。"

"说得很好。"他点头，但眼里流露的却并不是赞许的眼光，"还有一种假设，如果说他们拿到了我们的整套方案，甚至包括溢价范围和底价，那么在这个基础上再与和田接触，那就很有把握，根本不需要争取什么时间了。"

凯洛斯虽然是法国人，但英文说得很好，咬字清楚，速度又不快，但钱多多一路听下来竟然完全难以理解，脑子里将这段话翻来滚去好一会儿，她最后眼底流露的全是迟疑："您是指，有人从内部泄漏了我们的方案？"

"你也有这种感觉吗？"他面无表情，然后把一份文件推到她的面前。

被动地接过来翻开，才看了一眼钱多多就猛地抬头望向凯洛斯。这份东西她很熟悉，正是之前她接到过的那份M&C所发的offer，震惊了，她再开口时声音很干："为什么这个会……"

"Dora，能够被M&C慧眼识中，首先，我要肯定你的能力。"他站起来看着她说话，灰蓝色的眼睛如同利刃，"但是如果这是用出卖公司利益换来的，公司将会要求你承担相应的责任。"

手指克制不住地收紧，光滑的纸张在用力下折皱，那些黑色的字母一个一个在眼前骚动，害怕自己一开口就会说出让自己后悔的话来，钱多多咬紧牙关沉默了许久才抬起头，语速缓慢："凯洛斯，M&C的确通过猎头公司与我联系过，但是我已经单方面拒绝。况且我刚刚接受了市场部总监的职位，在UVL发展空间并不小，于情于理，你觉得我会做出这样对自己毫无益处的事情吗？"

这番话很长，句句都是情理之间，她思索良久才说出来，凯洛斯听完后倒是一笑："Dora，若论发展空间，这份offer上所提供的职位，岂不是更吸引人？"

脑海中闪过模糊片段，钱多多又开口，语速慢慢加快："好，那么我换一个角度来说，收购计划与方案庞大复杂，市场部不过是执行部门，我有什么能力将溢价底价这样的关键部分泄露？"

"所有关键部分只掌握在几个人的手中，难道你想提示我，泄密的是我？董事会？或者Kerry本人？"

"您也说了，所有关键部分都掌握在少数几个人的手中，属于商业机密，以我在公司中的级别而论，不可能包括在这个范围内吧？"

"当然，但是鉴于你与Kerry的特殊关系，再加上这份offer，我不得不对你产生怀疑。"

倒吸了一口气，钱多多猛地站了起来："我明白了，如果公司如果对我的忠诚度表示怀疑，我很遗憾，但是任何指控都需要真凭实据，尤其您刚才的指控中已经毫无理由地涉及到我的私人生活，我个人不能接受。"

他坐在原地看着她说话，这时眉头紧皱，双手在桌面上合在一起，声音很冷："事情还在调查当中，没有结果之前，我们也不会对你下定论，不过在此期间，公司要求你暂时休息，等候通知，现在你可以出去了。"

钱多多沉默了几秒钟，然后点头，转身便走，走到门口突然回身，看着他慢慢问出最后一句："凯洛斯，你找我谈的这些内容，Kerry 知道了吗？"

办公桌后的男人也正看着她，这时目光冷淡，一句话说得缓慢清晰："当然，这样重大的泄密事件，如果不是他的提醒，你觉得我们会这么快就找到你吗？"

她没有回答，脚步一动，退出了这个房间。电梯里空无一人，牙关咬得发痛，嘴里有血腥味，电梯下坠的时候有心脏倒悬的感觉。密闭的空间却仿佛有无数疯狂怪异的声音呼啸来去。

"多多，你要留下我孤军奋战吗？"

原来如此，Kerry，原来如此。

既然总有人要牺牲，既然总有一个人要站出来让这一切有所解释，那么她是不是该觉得荣幸，原来这个人就是自己？

害怕自己会失控，她习惯性地伸出右手去掐左腕，指甲深深陷进了皮肤里，刺痛让她维持清醒，眼眶痛到像要爆裂，不想看到镜门上自己现在的样子，她最后侧过脸去，紧紧闭上了眼睛。

2

再次走进市场部的时候其他人都做无比忙碌状，气氛怪异，小榄看着她满脸担忧，但又不敢出声，心里了然，钱多多对她勉强露出一个笑容，也不做任何解释，独自进了办公室。

敲门声，任志强走进来，她正伸手拿包，这时回头看着他不说话。

"Dora，要走了吗？我是来通知你一声的，刚才李副总过来宣布，在你休息期间，由我暂代总监的位置，没问题吧？"

钱多多沉默，他也不坐下，就站在她面前说话，脸上突然做出关切的表情："你怎么了？脸色这么难看？是不是病了？病了就在家好好休息，身体比什么都重要。"

早晨已经开始的头疼越来越激烈，太阳穴突突地跳，不用照镜子她都知道自己的状态有多差，但都已经坚持到了这个时候，又怎能在这个男人面前功亏一篑，被他看了笑话去？

"任经理，多谢你的关心，我不会忘记的。"笑了一下，钱多多指了指门，"我还有几份交接文件要做，出去时替我带上门，谢谢。"

他合门的声音稍响了一点，砰的一声，电脑屏幕都仿佛一震，办公室里一片死寂，自己的包还搁在手边，她伸手把电话取出来，低头看到那上面数通未接电话，都是许飞的。

昨晚她睡得如同晕厥，早上又直奔30层，这些电话竟然一通都没有接到。不想再看，钱多多手指一动，直接切断了电源。

夏天，气温上来得早，钱多多走出公司大楼的时候迎面暑气蒸腾，不是上下班时间，这条街两边都是顶级商厦，提着大小购物袋的精致女子悠闲而过，而她立在街角茫然伸手，眼前模糊，头仍是疼，但已经麻木了，反而不觉得难以忍耐。

只想见到他，亲自见到他，面对面，眼对眼，只问一句为什么。面前有出租车停下，司机开口问："小姐，去哪里？"

她答得简短："机场，谢谢。"

上车的小姐手里只拿着一个公事包，一看就是从公司刚刚走出来，行李都没有就要去机场，他倒是很少见到这种客人，想再问一句："接朋友？"但后视镜匆匆一瞥，突然看到她一脸惨白，阳光下都触目惊心，吓了一跳，他埋头开车，再也不敢多说一句。

距离最近一班航班起飞时间仍有一个多小时，机场候机厅到处都是拖着大小行李的游客和商旅，嘈杂熙攘。

钱多多独自在座椅的末端坐下，身边人人兴高采烈，而她手中只有一个小小的公文包，沉默不语，更显得突兀。

广播里有机械的女声开始报出可以登机的信息，身边人群开始往那个窄小的通道聚集，她也站起来，但脚步沉重，迈出第一步，接着又往后退了一步。

有人从后头急匆匆跑过来，闪避不及，肩膀被撞得一歪。

是一个拖着行李箱的中年男人，一边看表一边回头看了她一眼，嘴里不耐烦地补了一句："要发呆去角落，别挡着通道。"

差点跌坐在地上，钱多多一手扶住身边椅背，看着他说不出话来。掌心下是冰凉的金属，这才觉得自己的身体有多滚烫发热，头越来越沉重，身边的一切都仿佛在扭曲旋转。

开始思考自己是病了吧？日夜忙碌，睡眠差，忙着搬入新居，昨晚又吹了太久的夜风……

彻底清空脑海中今天所发生的一切，她强迫自己把注意力集中到任何与之不相关的事情上。

病了就该回家躺着，跑到机场来做什么？身体那么烫，那就是发烧了，是了，她一定是烧糊涂了才会作出这么荒谬的事情。

举步往外走，脚下虚浮，眼前模糊一片，什么都看不清，但她执着一个方向，竟然也走到了天光下。笔直走到第一辆车前拉开门坐进去，耳边有人叫："喂，你干什么？要车到后面排队去。"

她恍若未闻，对着前座的司机开口说地址，耳里听不清自己的声音，她还努力重复了一遍。

车子起步，钱多多靠在门上闭起眼睛，心里只剩下一个念头。回家吧，家里有爸爸妈妈，回家就好了。

退休以后，钱多多父母的每一天早晨都是从一同晨练开始的，钱妈妈这天一早边扭腰边絮叨："老钱，你说我们多多是不是铁了心不打算结婚了啊？不声不响自己买了房子也不告诉我们，现在又搬出去住，眼看她就要生日了，这样下去可怎么办啊？"

钱爸爸这两年听老伴同样的唠叨已经很习惯了，这时第一万零一次劝："好了，女儿有能力自己买房买车你该觉得骄傲才对，现在有多少啃老的？把家里老本吃完了还伸手要。她大了有自己的想法，结婚这个事情，你硬逼她也不是办法。"

"什么大了，她都快三十了。我要是生个儿子，三十有房有车倒是好事，可多多是个女孩子啊。"

"都什么时代了，男女平等嘛。"

"平等什么，女孩子三十有房有车，人家一看你就是不打算奔结婚去了，我开口托人找相亲对象的时候都不敢说她现在的情况。"

老伴眉头紧皱，一脸忧心忡忡的样子，钱爸爸看得好笑，想想又觉得心酸。叹了口气继续打他的太极拳。

早餐之后两个人一起去社区中心参加活动，钱妈妈是活动积极分子，还兼任了社区老年健身队的队长，今天有表演任务，钱爸爸当然捧场。

跳完跟老邻居们闲聊了一会儿，悠闲时间总是消磨得快，等他们到家的时候都已经过了下午三点。

家里是老式的二层宅子，门前空地大，斜斜停着一辆陌生的车子，车身上薄薄一层灰，阳光下风尘仆仆的样子。

楼下老吴正带着他的大金毛出来遛弯，老远看到他们就招手："老钱，你家有客人，等了一会儿了，快上去看看。"

谁啊？老夫妻两个对望了一眼，钱妈妈性子急，一提菜篮子就加快步子往楼道里走。上楼就看到一个年轻男人立在自家门口，听到脚步声猛地回过头来。

钱爸钱妈又对望了一眼，不认识啊？长得这么好，如果见过面，他们不可能没印象，迟疑了一下开口问："你找谁？"

"伯父，伯母，有没有看到多多？她回来过吗？"说话的是许飞，语气很急。

这两天计划之外的变故接踵而至，首先是和田高层突然宣布 M&C 所出的底价优于 UVL，并且就是在他们底价基础上浮动了几个百分点，显而易见，M&C 对于他们的数据了如指掌。正在伦敦与董事会交涉的凯洛斯大为震惊，而他连夜飞了过去，将张千所在的生物研究所确定的检验报告内容放在他的桌面上。

和田的产品原料中检测出的化学元素含有致毒的可能，中国已经收到其他地区的警告，要求将这一类元素的使用标准将提高到零含量，虽然这个消息还未披露，但这一标准一旦实施，那和田绝对首当其冲。这样的话，现在进行收购计划就变得不切实际，很可能会给公司带来巨大损失。

问题是，如果他们暂停这一计划，凯洛斯在亚洲区的第一个大动作就将以非常失败的结果作为终结，这是他绝对不愿意看到的。

几乎是同一时间，凯洛斯收到了匿名的mail，内容直指钱多多泄漏公司机密，甚至还包括了M&C人事部门与她接触的纪录和offer内容。

凯洛斯将这些东西放在他的面前，和他所递交的报告并列，然后表情冷硬地开口："Kerry，你看如何？"

而他翻看良久之后才回答："首先，我确定公司内部一定有人将部分方案泄漏，并且这个人与M&C有着直接的利益关系，对他们赢得收购乐见其成，但是，这个人绝对不是钱多多，她从未试图接触核心方案，也没有机会，这些纪录和offer只可能是从M&C内部传出来的，有人想在我们公司找一个替罪羊。"

"是吗？但是我听说Dora现在跟你在一起。"

他点头一笑，眼光毫不退让："是，我没有瞒过你，你也应该相信我。"

"Kerry。"凯洛斯将手放在他的肩膀上，"我知道你指的是谁，之前你的报告中提到M&C与山田集团的资金异动，我也请投行里的朋友在注意，对于这个局面，我只能说，我真的低估了有些人对于金钱的贪婪程度，现在亚洲热钱流动已经到了强弩之末，竟然还有人敢在这里玩资本游戏。"

知道他相信了自己，许飞再说话的时候就松了一口气："其实他也有UVL的股份，但是失去这个项目，并不会让UVL伤筋动骨，但把宝押在M&C上，冒一次险就可能有超过百分之三百的利润，两相权衡，谁都会把天平偏向另一边。"

"UVL是不会伤筋动骨，但是对我来说可就不一样了。山田那个老家伙，这次算得可真够精的。"凯洛斯眉眼一沉，终于把话说得透亮，"既然他不仁在先，那就不要怪我不义在后，这份报告先压下来，不要交给董事会，让M&C收购和田吧，我倒要看看他们怎么收场。"

"那么公司里那几双眼睛要怎么瞒？"

"我来吧。"凯洛斯看着他说话，然后将桌上的东西收起来，转身走了出去。

凯洛斯连夜赶回国内，而他被留在伦敦与董事会周旋，他离开时最后的一句话反复在脑中盘旋，总觉得不对劲，他离开会议室之后便直奔机场，拨电话给钱多多没有人接听，想她可能睡得糊涂，下飞机之后他又拨，但仍是无人接听。

心里感觉不妙，他先赶到公司，钱多多已经不在了，倒是凯洛斯正在等他，看着他一笑："Kerry，如果你心疼了，回头好好补偿她，我无条件批准。等一切过去了，我也会补偿她的，放心吧。"

没时间多说，他又离开公司。遍寻不着钱多多，拨电话她又关机，赶到她家空无一人，现在眼前出现的这对老人一看便知是多多的父母，到这个时候他已经满心焦躁，讲话技巧都顾不上了，开口就直接问了她的去向。

"你是谁？找我们家多多干什么？"钱爸爸很是奇怪地开口。

他张口要答，楼下突然传来叫声："老钱，快下来看看你们家多多……"

是老吴，叫得挺急，他们还来不及反应，眼前一花，原本站在楼梯顶端的男人竟然已经奔到了楼下，转眼消失。

"吴叔叔，我没事，你别叫……"头晕，钱多多下车的时候跟跄了一下，差点跌在地上，正好被邻居吴叔叔扶住，接着就在她耳边大声叫人，感觉那声音像是大锤敲在太阳穴上，钱多多呻吟着求饶。

受不了，她往后退了一步，没想到一步便撞进另一个人的怀里，仓促间想回头，但身体突然被从后紧紧拥抱住，那双手臂用力太大了，她禁不住一声尖叫。

"多多，是我。"耳边有声音，身体被反转过来，是许飞，双眼上下检视她，脸上的表情全然陌生，仿佛惊魂甫定，看完一遍之后才长吐了一口气，又一把把她按到怀里。

就在刚才，她还不惜飞跃千里，一心想要见到这个男人，当面问他一句为什么，但是现在真的看到了他本人，她却浑身软弱，喉咙口疼痛难忍，一句话到了嘴边又吐不出来，接着便剧烈咳嗽起来。

又有手伸过来拉她，耳边是妈妈的叫声："多多，你怎么了？"

爸爸的声音也加进来："你先放开我女儿，到底怎么回事？"

身体被拉扯，一整天硬撑到现在，眼前错乱着他和自己父母的脸，爸爸妈妈声音急切，但他紧紧抱着她不放手。应该抗拒的，却在他急切的眼神与熟悉的木香里突然感觉安定，好像惊涛骇浪里茫然失措了很久，终于回到了安全的地方。

那么多挣扎，竟然抵不过一个拥抱。爱情让女人愚蠢，果然如此，嘴角露出嘲讽的笑容，嘈杂声音渐渐变得遥远，再也坚持不下去，钱多多身体一软，晕倒了。

3

这一次的晕厥对于钱多多来说真是一种解脱，那些头痛晕眩浑身不适都暂时远离，堪比她最近久求不得的深度睡眠。因此当她慢慢恢复意识，耳边听到医生与自己父母的对答，再次感觉到一身沉重的时候，真想请身边任何一个人再给她来一拳一脚，让她再度晕过去算了。

可惜身边没人有读心术，倒是妈妈的声音凑近了响起来："好了好了，多多醒了，老钱，快过来。"

睁开眼睛看到爸爸妈妈都凑在病床前，头顶就是透明的吊瓶，单调点滴声连绵不断，妈妈表情紧张，看她不说话，还追问了一句："多多，多多？你怎么不说话，是妈妈呀。"

医生在旁边看得好笑，一边翻病历一边补了一句："阿姨，你女儿就是发烧，放心吧，肯定不会失忆的。"

"爸，妈，我没事。"她说出第一个字的时候声音嘶哑，不过感觉比之前刚醒来的时候好了许多，钱多多勉强笑了一下，眼睛控制不住看左右。

医生说没有大碍，现在看到女儿醒了，钱妈妈一颗心终于落回原处，这时倒笑了："别看啦，他早就走了，一阵风似的，喏，这字条他留给你的。"

侧头看到枕边露出的一角白色纸张，右手扎着点滴，她左手一动，刚刚触到光滑的纸面又停住了。

钱妈妈还想开口，爸爸在旁边阻止："女儿刚刚醒，让她休息一下吧，我们去旁边超市买点水果过来。"说完拉着老伴就往外走。

病房里安静下来，钱多多沉默了几秒钟，吸气，又鼓起勇气伸出手，把那张纸打开。

信纸上印着航空公司的LOGO，字写得有些草，一看便知是在飞机上仓促写就的。内容很长，已经是晚上，病房里没有开大灯，就着床头的黄色夜灯，她仔仔细细地将它从头到底看了两遍。

最后一句话写得很短，但她注目良久，反复地看，最后还伸出手，慢慢抚摸了一遍，手指擦过黑色的墨迹，平滑纸面，没有温度的一个个文字，这时却好像活了过来，柔软地擦过她的心尖。

钱多多这一次的悠长假期，足足延续了三个月。

　　三个月，外面的世界已经有了翻天覆地的变化，首先UVL突然宣布退出和田收购的项目，然后M&C在没有任何竞争对手的前提下，以高于股价三倍的高溢价宣布收购和田百分之五十一的股份，成为和田实际的控股人。

　　但是就在一个星期之后，尚未完成交接手续的和田突然爆出原料中含有致毒物质的消息，破坏性的消息一起，和田股票变得一文不值，所有股东疯狂抛售，而原和田掌门人套现之后已经消失得无影无踪，政府媒体和各部门都将矛头指向刚刚接手和田的外资，转眼间这桩年度最大的外资收购交易变成了最大的笑话，M&C损失惨重，在这一役中元气大伤，至少在未来的五年中都无力与UVL争夺市场龙头老大的位置。

　　不费吹灰之力就国内市场铲除了最大的敌人，凯洛斯上任的第一炮打得漂亮无比，从此地位空前稳固，而许飞也从亚洲区首席执行官的特别助理这一暂时位置上，凭此功劳，顺利升任大中华区首席执行官。

　　一切的翻天覆地都与她无关，钱多多在家休息得好，每天得闲就和爸爸一起学养花，要不就在厨房和妈妈一起研究厨艺，一个月下来养得脸色红润，要不是她注意控制，每日晨跑，恐怕那些贴身剪裁职业装都要套不上去了。

　　夏天已经要过去，她早起跑步，六点刚过，绿地里没什么人，昨晚刚下过雨，空气湿润清凉，耳机内音乐环绕，她一个人跑得享受，身后突然有人跟上来，速度很快，跑到她身边却放慢脚步，并肩时对她侧头一笑，右侧嘴角提得高，略尖的虎牙都露了出来。

　　想笑，但是憋住了，她加快步子甩开他，用力往前奔。

　　这样的尝试当然是徒劳无功，他轻轻松松便又与她并肩。

　　不理他，再跑，这次她用了全力，没想到才跨出两步就被人从后拦腰抱住，收势不及，她一个前倾，差点栽倒在地上。

　　不过腰里被抱得紧，前倾的身体被他顺势反过来，来不及说话，嘴唇便被压住，深长扎实的一个吻。

　　耳机早已落下来，耳边传来晨练老人的笑声，这地方都是自己家的老邻居，不好意思了，四唇分开以后钱多多脸涨得通红，埋头在他肩窝里，鸵鸟一样不想抬头。

　　"你来干什么？谁告诉你我在这里的？"

"伯父伯母说的，我来接你回公司，多多，你休息得还不够吗？"

这三个月他常来常往，妈妈对他的满意度和热情很快升温，整天嘴里都是小许小许，出卖女儿动向这点小事，简直不足挂齿，钱多多听完一叹："不够，我要养足了精神才能有力气问你们讨精神损失费，现在我还没养完呢。"

他大笑："精神损失费？不用问公司讨了，要多少？我给。"

"这次我受刺激可大了，就怕你赔不起。"终于笑了，钱多多眼角弯起，笑容灿烂，阳光下光芒闪烁。

而他凝视这个笑容良久，正色下来，慢慢补了一句："赔不起，那我就以身相许吧。"

没料到他说出这句话来，钱多多反而愣住，看着他不知如何反应，半晌才吐出几个字来："你开玩笑的。"

他微笑，抱着她的手紧了紧，句子简短清楚："没开玩笑，我是认真的。多多，你愿意吗？"

"可是我，我……"自家门口，走过千万次的小道，身边一切熟悉到极点，但钱多多却突然感觉自己到了外太空，心跳得剧烈，瞬间结巴，话都说不完整了。

身边突然有声音插入，自己妈妈，语气急切，比她激动一万倍："好！多多，快说话呀。"

啊？钱多多猛地转过头去，看到自己的爸爸妈妈正满脸笑容地站在小路尽头，不知道多久了。

脸颊"轰"的一声变得滚烫赤红，无地自容了，她呻吟了一声，再次把头埋进了他的怀里。

后来——

山田集团在这次投资中损失惨重，当然的，山田惠子也从 UVL 彻底消失了，许飞上任之后李卫立提前退休，这世上每一分钟都有人出生，有人死去，不过是公司内的新旧交替，一天之后这些名字便成为历史，再也没人提起。

钱多多养足精神后从公司讨来的精神赔偿令她非常满意，好好研究了一番那个数字绝对足够她接下来数年生活无忧之后她立刻递交了辞呈，理由很简单，并且立刻得到了许飞的证实。

　　这个消息一传出便伤透了许多UVL女性员工的梦幻少女心，以至于她最后走出公司的时候，感觉自己的背后已经被她们用目光瞪得千疮百孔。

　　没办法——瞪回去，她最后只能用眼睛瞪走在身边的男人，许飞腿长，这时已经走到车边，开门的时候回头看她，为她的表情莞尔一笑，虎牙又露出来了："怎么了？多多？"

　　"祸水。"她言简意赅。

　　他笑得更灿烂，然后一偏头吻了她。

　　车子开始前行的时候钱多多微笑着望着前方，习惯了坐在驾驶位上，难得换了个角度，竟觉得眼前风景全不相同。

　　剩女这条路，最后可以通往千万个结局，但她最终选择的，仍是最俗的那一条。又怎么样呢？她原来也就只是个俗人罢了。

（全文完）

后
续

婚礼很盛大，许飞的父母也从南美洲赶了回来，对儿子的选择很肯定，两家相谈甚欢。

钱妈妈得此佳婿，过去几年的阴霾一扫而光，整日里笑得好像摔跤捡到金元宝，逢人便说自己福气好。

婚礼之后钱多多很是休息了一段时间，期间猎头公司找了她无数次，她反复挑选终于给自己找到了满意的公司，但是 offer 还没签就意外怀孕，这下连她都傻了眼。

所以，很有能力，很有前途，很希望能够在休息一阵以后再战江湖的女强人钱多多，在职场上一口气消失了足足两年。

两年后的一天，浦东国际机场——

"Kerry，放下他，那是你儿子，不是动物，你这样颠，他要脑震荡的。"钱多多气势十足的声音，仍有当年高级女主管的味道，可惜一身休闲运动服，手里推着婴儿车，把手上还挂着尿片奶瓶袋，这些装备彻底毁了她的专业形象。

眼前那对父子玩得正疯，许一多才一岁多，当然听不懂妈妈在吼些什么，这时被自己的老爸抛上抛下，咯咯笑得好大声。

这两年许飞工作上一帆风顺，虽然忙碌，但结婚后他任何商旅出差都带着钱多多一起飞，就连她怀孕的前几个月都不例外。

多多生下儿子许一多之后，他更是将他们一大一小都拖在身边，一开始钱妈妈不同意，但是这男人从小被散养大的，理所当然认为自己的孩子也跟野生动物一样，适应能力超群，在他的坚持下，许一多小小年纪就已经很熟悉机场，在这个地方玩得兴高采烈。

"Kerry！"正走在通往候机楼的通道中，其他游客却时不时投来诧异的目光，受不了了，钱多多一声断喝。

"停，妈妈生气啦。"停止和儿子的游戏，许飞抱着他走过来，钱多多板起脸，他腾出一只手揽住她的肩膀笑，虎牙尖尖的，还把脸藏在儿子后面讲话，"妈妈别生气，下次不敢了。"

哭笑不得，钱多多最后习惯性地给了他一巴掌。

跟在他们身后的司机老孟低下头，许总的家庭生活……习惯了习惯了。

儿子玩累了，趴在他肩膀上睡着，手指含在嘴巴里，口水亮晶晶的，看得好笑，她气完伸手去抱。

他摇手，一手托着儿子的小屁股将他放进婴儿车里，手势熟练。直起身看到钱多多笑容温柔，觉得幸福，忍不住低头亲吻了一下她的头发。

快乐来得简单，钱多多仰头一笑，没有生下许一多之前，她对于这种整日和孩子在一起的生活曾经满怀恐惧，又害怕自己很难再回到工作中。但是时间推移，她越来越享受三个人在一起的每一分钟，许飞整日奔波忙碌，如果她也埋首事业，那一多的童年估计就会和他爸爸的一样，根本看不到自己的父母。

过去她把所有的时间花在事业上，一心想着事业不会让自己失望，但是到后来却越来越不快乐。现在的生活并不一定完美，她也想好等一多长大一些，她总会回到工作中去，但不是现在，不是孩子和这个家庭最需要她的时候。

通道已经走到尽头，有一对夫妻从那头走过来，也推着婴儿车，身后还跟着两个保姆，一位司机，声势浩大。擦身而过的时候两边两个家庭突然一同驻足，然后钱多多惊喜地叫出声，"依依！"

"多多，好久不见。"依依手里推着婴儿车，这时走过来握住钱多多的手笑，她穿着孕妇装，体态明显，一看便知怀孕至少三四个月了。

两年多没有见过这个最好的朋友了，依依自那天之后便与牛振声一同去了国外，说是移民。牛振声在国内有生意，两头跑，她也不跟，留在那里很久，就连钱多多的婚礼都没有赶上参加，只在电话里恭喜了她。

牛振声也出声招呼他们，手搭在依依的腰上，额角隐约有汗，好像有点紧张。

有点好笑，钱多多对依依眨眼睛，然后开口，"依依，我们赶飞机，等回来找你聊，不许再逃了啊。"

依依笑着点头，"放心吧，回来了就不打算走了。"又回头看丈夫，"史蒂夫，你说是吗？"

"当然，当然。"牛振声点头，然后与他们道别。

错身之后许飞才开口，"多多，你输了哦，你最好的朋友都有两个孩子了。"

　　回头望了一眼，那一大家子已经走远，快要消失在通道的另一头，钱多多回过头来，表情有些感慨，但最终笑着摇了摇头，"不行，我做不到。"

　　她做不到，做不到像依依那样，最终接受另一个人的孩子，还费尽心思，为了做一个名正言顺的母亲，在国外一待就是数年。不过现在好了，峰回路转，她也有了自己和牛振声的孩子，有了斩不断的血脉相连。

　　"走吧。"许飞在她耳边开口，钱多多声音轻，没听清她刚才所说的话，他也不在意，拉着她继续往前走。

　　身体贴得近，一侧脸看到他肩膀上那一小块被口水濡湿的印迹，突然感觉愉快与安定，钱多多微微一笑，再不回首，步子一动，与他并肩往前。

番外

钱多多与许飞之平行空间的另一个故事——乔其与卫行

乔其觉得，一个女人最悲哀的莫过于在三十以后被年轻而美丽的同性抢走了自己的男人。

卫行觉得，一个男人最悲哀的莫过于在二十出头被年长而成功的同性抢走了自己的女人。

他们的相逢是注定的。

乔 其

九月九日，乔其有记忆以来最悲惨的一天，她从顶头上司的办公室里拍桌而去，又在去地下车库的最后一级台阶上摔断了六厘米的鞋跟。

还不能哭。

乔其三十岁，职场多年，信奉流血不流泪的办公室原则。再说哭给谁看呢？得不到丝毫帮助，又徒增笑柄。

她绝对不会哭出来，即使是这一天。

时钟再向前拨十个小时，乔其与相恋十年的男友董家正分手了。

乔其二十岁与董家正在一起，他大四，她大二。

二十二岁的董家正是个充满理想的激进青年，乔其曾与他一同上街徒步十几公里游行抗议北约轰炸南斯拉夫中国使馆，两人手挽手走在队伍最前头，就在那巨大的白色横幅下面。在美领馆门口僵持的时候，是董家正第一个上去递交了抗议书。抗议书是学生会几个人一同写的，董家正和乔其都在上面签了名。乔其至今记得那抗议书的内容——"北约军队悍然轰炸中国驻南斯拉夫大使馆就是对中国人民的最大挑衅！是对中国人民的公然侵略！具有五千年文明历史、有抗击外敌侵略传统的中国人民决不答应！中国人民是不可欺侮的，更是不可战胜的！"

事实上乔其记得那天的每一个细节，包括董家正在之后的混乱中被撕碎的一角袖口，还有那天半夜被冲散的两人终于找到彼此后他差一点让她窒息的拥抱。

那一年的董家正风华正茂，永远穿白衬衫、蓝色长裤，乌眉大眼，情动的时候将乔其抱在怀里喃喃，说乔其我爱你，我真爱你！我没有你是不行的，我永不会离开你。

毕业那年乔其为了董家正放弃了父母在家乡安排的优厚闲职，一心一意留在上海与他一同打拼。两人曾经翻遍口袋都凑不出一份盒饭钱，也曾在漆黑的雨夜里一同被房东赶到街上。

他们在冰冷的雨水中互相拥抱取暖，董家正说："乔其，你等着，我要给你这世上最好的一切。"

十年以后的今天，董家正已做到知名外资律所合伙人位置，年薪百万，年初才上过 GQ 的精英专访。

当年的热血青年成了一个冷静自制的新中年，不再年轻的面孔仍旧英俊，让无数女子竞折腰。

只有乔其见过董家正最糟糕的时候，她相信他，所以到今天也不意外他的成功。

但是乔其爱他，十年如一。

只是董家正那些年少时的爱的誓言，却如同永无之乡里的彼得潘，最终都成为永无。

分手是乔其提出的。在叶秀秀找到她与她摊牌之前乔其就已发现董家正对她有所隐瞒。女人对感情天生有敏锐的直觉，一个男人的变化有时无需证据，她能够感觉得到。

见过叶秀秀的当晚，乔其将家里董家正所有的东西打包推出门外，打电话叫锁匠来换锁，然后蒙头睡觉。

半夜里董家正拍门不止，乔其听到他在门外叫自己的名字。

"乔其，乔其。"

乔其闭上眼睛，那声音与十年前宿舍楼下传来的一无二致。

乔其坐起身，用颤抖的手指喂了自己一颗安眠药。

她不自杀，她只是要睡觉，明天还要上班。

董家正不知何时离去，早晨乔其开门，门前已经空空如也，仿佛什么都没有发生过。

乔其照常上班，然后搞砸了自己主持的项目选题会，又与顶头上司大吵了一架。

等乔其将车开到自己住的公寓时，受伤的左脚已经肿成了馒头，她下车，一瘸一拐地走了两步，下一秒就被一辆突如其来的山地自行车撞倒了。

乔其觉得自己受够了。

她坐倒在地上，张开嘴，在那仓皇跳下山地车的年轻男孩面前，孩子一样号啕大哭起来。

卫 行

卫行满头大汗地将乔其送到医院里，因为出租车只肯停在医院大门口，他还是将她一路背到了急诊室的。

乔其在伤心欲绝的时候都得暗夸他身手矫健，这么长一段路，期间还蹬蹬地上了许多级台阶，把她放下的时候，这男孩硬是连喘气都没有乱。

片子出来了，轻度骨裂，卫行拿着片子蹲在乔其身边，可怜巴巴地看着她，如同一只大狗。

还是一只相貌十分英俊的大狗，年轻男孩乌黑的眉毛，让乔其想起十年前的董家正。

乔其心痛得，连脚伤都感觉不到了。

她揉了揉脸，从包里拿出皮夹来，开口问卫行。

"花了多少钱？"

男孩仰着头，带一点困惑，乔其心里叹气，还要解释："这伤是我之前在公司摔的，跟你没关系，你花了多少钱？我给你。"

要不是实在太伤心，乔其都要被卫行惊讶的表情逗笑了。

收款窗口排着长队，卫行站在队伍里，一直低头看着手里的钱。

他想，原来董家正的女人，是这样的。

时钟拨到二十个小时前，卫行与相恋两年的女友叶秀秀分手了。

他们是同校，叶秀秀大二，他大四。

卫行念生物，十分优秀，还没毕业就开始在生物研究所实习，也有知名药厂对他抛出橄榄枝，但他一心想读研，顺便攻克博士学位。

至于叶秀秀，秀秀是校花。

　　他和叶秀秀在新生会上相遇，之后与所有的校园情侣那样，如胶似漆地爱了两年。

　　他甚至已经想好了他们的将来。

　　卫行没想到秀秀会不赞成他继续学业，更想不到秀秀会闪电一样爱上一个老男人，然后与他分手。

　　他知道那个老男人的名字，秀秀将他的 GQ 专访放在自己的 QQ 空间里，他还知道董家正有一个相恋十年的女友，正准备结婚。

　　卫行知道董家正有钱，他也早就发现了叶秀秀的异样。一个女学生身上出现的越来越多的奢侈品牌，当然不可能是她仍在外地工作的父母给她添置的。

　　叶秀秀与他摊牌，说当她遇到董家正之后，才发现与他之间的感情根本不是爱情。

　　卫行红着眼睛反问她："那是什么？"

　　叶秀秀冷漠地板着脸，回答他。

　　"年少无知。"

　　他无法接受这样的理由，当天晚上他跟着叶秀秀离开学校，跟着她去了董家正的家，还看到了推门而出的乔其。

　　夜色里门灯下的叶秀秀仍旧美丽，但他在那一刹那，知道自己爱错了人。

　　卫行觉得，一个男人最悲哀的莫过于在二十出头被年长而成功的同性抢走了自己的女人。

　　他知道自己没有输给爱情，他只是输给了时间和金钱。

　　但这两样都是他现在没有的，或许再过十年他也会有董家正所拥有的一切，可现在的他根本没有上战场的资格。

　　回到学校卫行喝了一晚上的酒，宿舍里的兄弟陪他在遍地狼藉里寻找还没打开的啤酒罐，还有人扯着嗓子说我们去堵那个王八蛋，狠狠揍他一顿出气。

　　卫行没有回应，他知道自己想做什么。

　　这里不是非洲大草原，一个雄性不需要用牙齿和爪子来进行对另一个雄性的报复。

　　董家正抢走了他的女人，给他带来了耻辱，他也要抢走董家正的女人，让他知道这究竟是什么滋味。

董家正

卫行把乔其送回公寓，还一口气将她背上了楼。

乔其都不好意思了，卫行却说："不管你有没有在公司摔过，我确实撞到你了，我会负责的。"

这年头交通意外都没人下车看一眼伤者了，居然还有这样的好青年，乔其顿时在心里给卫行加了个"中国有良心"的标签。

她有心再拿钱给他，又觉得拿不出手，想来想去问他："你还是学生吧？什么学校？我给你写表扬信。"

卫行噗地一声，笑了出来。

乔其也觉得自己傻，都什么时代了，还来这一套。

电梯门打开，左转就是房门，乔其下地，一只脚站着摸钥匙，卫行扶着她，开口。

"医生说还要复诊的，我把电话留给你，需要就找我，我大四，没课了，有时间。"

乔其还没回答，门就突然从里面被打开了。

门里站着董家正，正正与他们打了个照面。

乔其心口一紧，就没有注意卫行突然涨红的脸。

董家正拽住乔其，也不看卫行，只盯着她问："他是谁？"

这是什么？贼喊捉贼？

乔其耳朵里嗡嗡作响，只想给他一巴掌。

但乔其要自己冷静，她客气地请卫行离开，卫行瞪着董家正，他知道他不认识他，但他无法控制自己心中的恶意。

他站在乔其身边说话："如果你需要，我可以留下来……"

董家正铁青的面孔扭曲了，乔其了解他，赶在他挥出拳头之前一把抓住他的手臂，那上面已经青筋凸起。

乔其对卫行说了声："请你走吧。"然后将董家正推进屋里。

两人在关上的门后对视，乔其能够听到董家正沉重的呼吸声。

"你怎么进来的？"

董家正的声音如同从冰缝里迸裂出来："我也是这间屋子的主人。"

他说的对，这间屋子由他们共同出资买下，她无权赶走他。

她突然有一种悲凉的感觉，但这感觉并未导致她哭泣，只让她再短暂的沉默之后笑了一下。

那是个吞食苦果以后的笑容，令董家正遍体生寒。

那不是乔其，他不认得她。

乔其与他相恋十年，她性子急，对旁人很少假以辞色，但对他永远微笑。

那是对心爱人才有的微笑，一张脸上线条全都软化，唇角湿润，目光温柔，如沐春日阳光。

现在她对他苦笑，目光惨痛。

他知道自己正在失去她。

但这不是他想要的吗？

十年了，他们彼此成长，他看着乔其从一个娇嫩少女成为职场有名的铁娘子，他在她身上早已找不到当年那个挽住他臂弯娇憨嬉笑的少女的影子。

他们曾经那样相爱过，最爱的时候，他希望她能够被揉成小小的一团，让他可以放在口袋里，带到每一个地方。

那时候乔其也愿意与他到任何一个地方，他还记得她毕业那年，他们用两天的时间骑着自行车去杭州看西湖，没有钱住宾馆，就在招待所里凑合了一晚上，房间还是漏水的。回来路上乔其大腿都磨破了，他心疼得不知如何是好，她还是笑嘻嘻的，搂着他的脖子说不疼，一点都不疼。

她是陪了他十年的女人，他们是想好了要共度一生的，他在二十出头的时候就发誓要为了她奋斗，给她最好的一切，乔其因为他与父母多年决裂，他对她说他一定要出人头地，让他们刮目相看之后才正大光明地娶她做妻子，没想到等他终于有了一切的时候，他却爱上了另一个女人。

那甚至称不上是个女人，十九岁的叶秀秀还是个孩子。

他知道自己不应该，乔其与他在一起十年，那是一个女人最好的十年，他们走过的是最艰苦的十年，现在婚期已定，一切准备就绪，他知道乔其已经选好了自己的婚纱。

他对乔其的愧疚，在每一次的偷来的欢乐以后，都如同啮齿，加倍地啃咬他的心。

而他在摇摆与软弱的悬崖边上，还曾经痴心妄想将一切隐瞒在看不到的地方，让生活平静地继续下去。

但那青春融化了他的心，他带着叶秀秀去杭州，去海南，去香港，去他曾和乔其去过的所有地方，她会因为一件小小的礼物喜极而泣，也会在海边的星空豪放而热烈地与他激吻，他做的任何一件事都能取悦她，她仰慕的眼神是男人最好的催情剂。

而乔其早已是他无法取悦的了。

他送她礼物，多贵也只能博她淡淡一笑，乔其高薪高职，对自己也不吝啬，上一次项目完成后她给自己的奖赏是一枚那不勒斯皇后。

至于旅行，乔其这些年频繁出差，足迹遍及五大洲四大洋，护照签证页都不够用，好不容易有休息时间，照她的原话——只想在家蒙头大睡三天三夜。

至于他那些成功，乔其只会说："这是一定的，当年我就知道。"

她不明白他多么需要爱人的欢呼雀跃，那些艰难困苦，那些挣扎死斗，最后只得她一句轻描淡写，他的失望是阴影里的苔藓，日积月累，永远无法消失。

她给不了他的，他从另一个女人身上得到了。

董家正盯着乔其雪白的脸，但他也不是不爱她了。

刚才的那一幕，令他怒不可遏。

叶秀秀

董家正还是走了，他们的对话并不长，董家正追问那个男人，乔其则反问他。

"这问题比叶秀秀更重要？"

他就沉默了，半响才道："乔其，那不是我的本意。"

乔其看着他，感觉心里在滴血。

她多想像一个泼妇那样冲上去，撕扯他的头发和面孔，咬碎他的骨肉，摇晃他的身体直到他能够感受到她现在所经历的撕心裂肺的痛苦，直到他也与她一样，回想起过去十年里的每一个画面。

而她在地狱一样的幻想中，已经将这些动作重复了无数遍。

但她最终只是说："好，那我们走，拿上你的证件，我们去结婚。"

他豁然抬头，纵有满腹言语，但是双唇却像是被什么东西锁住，挣扎不开。

乔其等着他的回答，她痛恨董家正的沉默，她的牙齿根部发酸发疼，牙关僵硬，唾液不停地分泌出来，硫酸一样腐蚀流经的地方，又无处可去。

董家正终于开口，这一刻，辩才无碍的董大律师声音颤抖。

他说："对不起，乔其，不是现在。"

乔其听到一个细微的声音，像是身体里有个地方碎了。

董家正看着她犯了牙疼那样做了个吞咽的动作，脸上没有一点血色。

将要发疯的女人是可怕的，他那样一个自诩镇定的大男人，也情不自禁后退了一步。

他觉得乔其要杀了他。

但在百年那样长的十几秒以后，乔其只是开口，说："那我走。"

她这样说完，真的转身就走了。

董家正在这个时候，才发现乔其脚上的异样。

他拉住摇摇欲坠的她，突然想流泪。

不用乔其斥责，他都知道自己残酷。

但他只有一颗心，一切覆水难收。

董家正在这刹那间的软弱里，兵败如山倒那样脱口而出："不，你不要走，我走，一切都是你的，我什么都不要。"

两小时以后，叶秀秀小跑着进了五星级酒店的大门。

她如同过去每一次一样，对即将到来的相见迫不及待，但在电梯里，她仍是对着合起的镜门整理了一下自己的头发，又从手包里拿出唇蜜来，抿了抿自己的嘴唇。

她有一双丰厚的嘴唇，总像是微微嘟起着，董家正说过，像一颗蜜桃。

她整个人都像一颗蜜桃，青春的气息甜蜜芬芳，脸颊上还有只有青春女孩才有的细密绒毛。

电梯里的异性有意无意地将目光投向她，她再看一眼镜中的自己，骄傲地挺了挺胸。

叶秀秀念传媒系，在颁奖会场打工时遇见董家正，她被人纠缠，他伸出援手，叶秀秀为这个比她大了十多岁的英俊大叔倾倒。

董家正身上有她梦想的一切，成熟、稳重、温柔、慷慨，疼爱她的时候他像她的父亲，进入她的时候他又像一头勇猛的野兽。遇见他之后，她才知道自己与卫行的爱情有多么幼稚。

她全心全意地爱着他，并且毫不介意他那个相恋十年的女友。

她上门去见乔其，让这件事有一个结果，看到乔其第一眼她就知道自己会得到胜利。乔其浑身散发着那种过时的将自尊自立放在头顶上恨不能让全天下人都看到的气息，她料定她是那种被人伤害后只会冷笑一声拂袖而去的女人。

乔其比她大了十岁，叶秀秀笃定地想，她不明白这已经是一个只你要想要就得大声喊出来，拼命去抢去夺的时代，乔其过时了，这是属于她的时代。

单眼皮

酒店房间的门虚掩着，叶秀秀一推而入，迎接她的是满室烟雾。

董家正坐在窗边上，手边的水晶烟缸堆满了烟蒂。

她扑向他，如同一只投林小鸟。

董家正扔掉燃烧到一半的烟蒂，将叶秀秀接了个满怀。

下一秒，他把脸深深埋进她的脖颈里。

多么芬芳，年轻女孩馥郁的肉香是上帝赐给人间的礼物。

乔其的面目在烟雾里模糊了，在叶秀秀的青春面前，三十三岁的董家正丢盔卸甲。

半小时以后，董家正在赤裸的、柔软如一滩稀泥的叶秀秀身边点燃了又一根烟。

犹自喘息的叶秀秀在凌乱的被褥中望向他，烟雾模糊了董家正眼角的细纹，这是一个男人最好的年华，她仰望他，如同仰望一座大山。

董家正低头，高潮后两颊嫣红的叶秀秀像一个美丽的妖精。

他深吸一口烟，声音沙哑："秀秀，我和乔其分手了。"

　　她翻身坐起来，张开手，抱住他的后背，现在她得到这个男人了，完完全全的。胜利的喜悦是如此强烈，竟是令她泪盈于睫。

　　而后她听到董家正说："十年了，我对不起她，我把一切都留给了乔其，秀秀，我现在一无所有了。"

　　乔其请了假，十天。

　　老板在那头急眼："乔其！你不要把个人情绪带到公司里来！"

　　乔其坐在病床上，看着自己肿胀可怕的左脚，声音十分平静。

　　"我知道，所以我才请假。"

　　老板冷下声音："公司也不是没有你不行。"

　　乔其极温和地赞同："是，地球一定会继续转动，所以让我请完积压的年假可好？"

　　电话被"啪"地挂断，连那单调的嘟嘟声都充满了怒气。

　　乔其放下手机，耸了耸肩。

　　她是真的不在乎了，有些女人被抛弃以后会突然奋发图强，立志成为一个女强人，但乔其已经这样做了十年——在她还有男友的时候。

　　董家正总以为乔其是个天生工作狂，其实她不是，她从没有对他说过，她那样拼命，只是因为她想与他一同分担创造一个属于他们的幸福未来的辛苦，她也从没有告诉他，她有多么渴望穿上那件白色礼服。

　　她总以为只要自己再努力一点，那个属于她和董家正的未来就会早一点到来。

　　现在她多年的等待，成了一个笑话！

　　她不需要再证明自己的成功，她累了，只想休息。

　　卫行走进病房，就看到乔其望向窗外的侧脸。

　　因为她在出神，就没有注意到他。

　　他也不出声，只站在门口，静静看了她一会儿。

　　他知道乔其三十岁了，相恋十年的男友劈腿，第一眼就在他面前号啕大哭，医院里龇牙咧嘴，后来还把自己搞成了二次伤害，骨裂变骨折，不得不再进医院等开刀，大概是实在找不到人照顾，最后只能把电话打给他。

没一件好事，但她居然还很平静。

这是个三十岁的女人呢，卫行想，不算太美，缺少让人眼前一亮的特点，大概是办公室里待得太多的关系，肤色有些苍白，长长的一双眼，单眼皮，远不如叶秀秀明媚动人。

与他同龄的女孩子个个嬉笑娇嗔，尤其是叶秀秀，因为美丽，无论何时的任性都理所当然。与之相比，乔其的冷静与自制尤其特别。

看久了，她那双细细的单眼皮，也有了特殊的味道。

卫行不知不觉，就看得出了神。

麻 醉

医生走到病房门口，叫乔其的床号，乔其一回头，这才看到卫行。

年轻的医生很不客气地问卫行怎么现在才来，手术前必须有家属签字，他八点来的时候病房里一个家属都没有，否则上午就能做掉了。

卫行也不辩解，只回答："不好意思，是我来晚了。"

医生拿出麻醉确认书，乔其示意卫行签字，医生问："你们是什么关系？"

乔其抢先答："我们是姐弟。"

卫行不做声，只低头签了字。

医生走后，乔其对卫行说："一个小时五十可好？你就当打工。"

卫行说："应该的，不用给钱。"

乔其看着他："六十？"

卫行皱起眉："你再谈钱我就走了。"

乔其无奈："那我如何报答你？"

卫行想一想："等你出院再说。"

乔其揉额角，疼痛令她疲惫，等自己恢复以后再来谈报答这个问题吧，她刚才被最熟悉的人伤害，此时此刻，她宁愿相信这个陌生人。

手术室护工推着推车进病房，护工要乔其自己从床上挪到推车上，卫行抢上前一步，说："我来。"

年轻男孩子强壮双臂在这时候派上最大的用处，乔其像一根羽毛那样被平托起来，落下时涨红了整张脸。

乔其从未被董家正以外的男人拥抱过，董家正是她的初恋，年轻人身上陌生的气味令她不安。

但她不得不向他求助。

乔其在这个城市举目无亲，最好的朋友又都远嫁异乡，除了程君。

可是结婚十年的程君这几个月正自顾不暇，乔其上一次见她，她挺着六个月的肚子痛哭流涕，口齿不清地握着乔其的手反复地问她"为什么？"

乔其无法回答。

程君是她大学同学中嫁得最早也是嫁得最好的一个，当年二十岁的程君与一个比她大十五岁的男人热恋，休学一年结婚生子，在她们那一届里真是个石破天惊的大事件。

但他们是相爱的，那三十多岁的男人风度翩翩，一双眼永远落在小娇妻的身上，谁都看得出她是他的至宝。

可惜他们的头胎没能保住，程君意外小产，之后一拖再拖，转眼就是十年。

十年来程君过着令人艳羡的生活，她的丈夫十年前便事业有成，之后也是一路顺风顺水。乔其与董家正穷得一居室都租不起的时候，程君已经住进了古北外销公寓，一年至少出国旅行两次，乔其不想承认，但当她为了下一个月的房租烦恼的时候，看到程君发来的蓝天白云椰林树影的照片，免不了心里泛出些酸意来。

但他们仍是好友，多年来从未中断友谊。

年初程君终于有孕，乔其与董家正还特地登门道贺，没想到半年之后程君的丈夫就出轨了。

与一个二十出头的小模特，被她捉奸在酒店，男人还十分坦然，对她说这只是逢场作戏，你何必小题大做。

程君歇斯底里，哭诉时将乔其的手都握出数道淤青。

乔其回去给董家正看，不胜唏嘘，对他说："当年我也羡慕过她。"

她记得董家正当时只是握了握她的手，并未回答。

乔其只道董家正为程君难过，没想到那亦是她的丧钟。

手术室的白炽灯十分明亮，麻醉做得很到位，乔其睁眼看上方，脚上毫无感觉。

她还是睡过去了，梦里大概流了眼泪，因为隐约听到有人说拿块纱布过来，替她擦一擦脸。

护士让家属等着，卫行就没走，乔其住的是单人病房，条件不错，卫行随身带着笔记本电脑，索性坐下来继续改他的论文。

三个小时以后，乔其被送回病房，看了他一眼，闭上眼睛又睡了。护士说看好时间，两个小时以后病人才能进食。卫行点头，护士就走了。

乔其再次醒来的时候，睁开眼就发现身边有人，麻药还没过去，她的脑筋一时有些转不过来，开口声音含糊。

她说："家正，你总算来了，我等你那么久。"

纠　缠

乔其因为这句话，悔得几乎要跳楼。

她怎么会把卫行认错，他和董家正分明是两个人。

幸好卫行不多话，乔其觉得他特别，不像一个二十出头的年轻人。乔其公司里也有大学刚毕业的新人，一点小事就足够他们喧嚣整天，情绪大起大落，高兴时摘星揽月不在话下，沮丧的时候，也一定要全世界都知道他们情绪低落。

乔其对董家正抱怨过无数次，现在她开始反省自己。

那些年轻人身上所有的，十年前她也曾有过。她也曾疯狂直接，不切实际，后来她学会怀疑每件事每个人，一切行为都要经过缜密的价值判断。

谁要爱这样的女人？乔其自问，但她早已变不回去了。

乔其要在医院里待三天，百无聊赖，卫行天天都来，她与卫行聊天，问他："你喜欢什么样的女人？"

卫行想一想："我喜欢能够让我折服的女人。"

乔其失笑："Bullshit，男人永远喜欢年轻女孩。"

卫行辩解："不是每个人，至少我不是。"

乔其摇头，嘴角带一个笑："你的同龄女友呢？"

卫行掌心出汗，他差一点就以为乔其已经知道一切。

但乔其下一句就是："别跟我说自己无人问津，你在的时候，护士们都多来几趟。"

卫行低头，松了口气。

他也没有撒谎，乔其是个有趣的女人，时有妙语，他喜欢她时不时的冷幽默，他一点都不觉得来医院看她是一件苦差，他甚至期待与她见面的时光。

况且她还是董家正的未婚妻，只是这一点，就令他热血沸腾。

董家正带走了叶秀秀，而他则坐在乔其面前。

他也是有机会得到她的——卫行对自己说——为什么不呢？

乔其出院第一晚就失眠了，没有董家正，一张床真是太过空荡。

她已经习惯了睡觉时身边有一具温暖肉体，现在屋里再也没有董家正身上的气味，也没有他呼吸的声音，她想念把头放在他的厚实肩膀上的感觉，还有睡前漫无目的的闲聊。那些过去她从不放在心上的细微片段，现在回想起来，全都万箭穿心。

乔其不知道其他人是怎样度过空窗期的，在她看来，这世上最难戒掉的就是另一个人的陪伴，突然单身简直惨过戒毒。

床头的电子钟跳向四点，乔其起身，又吞了一颗安眠药。

乔其醒来的时候，钟点工阿姨已将屋子打扫过，还按照她字条的要求留了四菜一汤。

她独自坐在餐桌前吃饭，一口汤一口饭，夹蔬菜的时候突然落下泪来，她觉得恐惧，莫不是从今以后她就要这样孤独到老？

幸好门铃响，将她从寂静岭一样的恐怖气氛里拯救出来。

门外站着卫行，年轻男孩子一脸委屈，开口就是指责。

"你出院都没有通知我！"

卫行早上到医院才发现乔其已经离开，他紧张得跑到护士台去问，小护士给了他一个乔其留下的信封，信封不厚也不薄，卫行不用打开都知道里面是什么。他转头就走，小护士同情的目光简直让他无地自容。

他是憋着一口气来找乔其的，难以言说的委屈在看到乔其的一刹那简直要爆炸开来。

这几天他与乔其聊得愉快，他还以为对她来说，他总是有些特别的。

乔其原本觉得自己把问题处理得干净利落，现在面对卫行这样的表情，顿时觉得自己做错了。

愧疚心一起，她刚才的自怜自哀就全没了，赶紧开口。

"先进来再说。"

乔其从医院带了一副拐杖回来，在家走动就靠两手撑着，绑着石膏的那只脚微微弯着，重量全落在另一只脚上，等卫行进门以后还一定要给他倒水。厨房地砖太滑，她又操纵不熟练那副拐杖，只一转身就像是要摔飞出去。

幸好卫行眼疾手快，冲过去一把将她抱住。

乔其再次脸红。

卫行的愤怒已经平息，他只觉得这三十岁的女人比他身边任何一个同龄人都保守。

他一低头，就能看到乔其涨红的额角。

卫行如同被电流击中，陌生的感觉令他呼吸困难。

乔其轻推他，卫行慢慢放开手，又突然收拢双臂。

乔其再迟钝都明白这意味着什么，这世上没有无缘无故的热情，卫行对她有企图。

她想给他一巴掌，但那具年轻而强硬的身体令她软弱。

或许不是因为肉体，她的灵魂脆弱，急需一点抚慰。

男欢女爱，人之根本。

如果董家正可以，为什么她不可以呢？

爱

乔其回到公司，受到热烈欢迎。

顶头上司甚至在会议室里为她开了一个欢迎会，乔其推门进去，收获拥抱无数。

老板像是患了失忆症，召她进办公室不但毫无怒容，且开口就是慰问伤情。

乔其差一点就要以为自己患的是绝症，一切都是善意的默哀。

幸好老板立刻就谈到重点，原来乔其主攻了两个多月的项目终于得到客户方认可，对方已经敲定合同，条件是要乔其负责项目运作，尽快开始。

乔其只得半天时间回家整理材料准备行李，晚上就得上飞机。

乔其思前想后，还是给卫行打了个电话。

卫行吃惊："今天就要走？"

"是，项目重要，已经因为我拖了三天。"

"可你还没有好完全。"

年轻人的担心也是真心实意的，乔其很感动。

"到机场就有人接，走不了多少路。"

这样一问一答的，居然也说了五分钟。

乔其按了电话，明知道时间紧迫，还是看着那通话时间发了一会儿呆。

她很奇怪自己能与卫行说这么多话，这两年她与董家正讲电话都是言简意赅的，"今晚不回来。""好的。"或者"明天有个商务宴请，能不能安排出时间一起参加？"

刚恋爱的时候不是这样的，乔其记得当时男女生宿舍都要排队打电话，轮到时话筒都是滚烫的，后面的人急不可待，就这样她和董家正还能讲上二十分钟。

现在想想，都不知道说了些什么。

同居消除一切时间和空间的顾虑，后来他们有足够的时间喃喃絮语，反而渐渐无话可说。

飞机是晚上九点的，乔其上了飞机，公司大手笔，居然定了商务舱，她只喝了杯橙汁就一觉睡到厦门，路上还做了梦。

梦里只听见水声，她四下寻找，终于推开那扇门，就被一双强劲手臂牢牢抱住。

那年轻的身体与她紧紧相贴，乔其根本无法抗拒从心底涌出的热情。

醒来的时候，乔其只觉得浑身潮热，双膝发软，空乘过来要每个人把遮光板打开，她都不敢抬头看玻璃上自己的倒影。

怎么会这样就梦到卫行？乔其耻于承认，但她现在一闭上眼睛，就只能看到那双火热的眼睛。

乔其不知该如何定义她与卫行的关系，一段感情？她才与董家正分手，还来不及打开下一扇心门。仅止于肉体？乔其与初恋一走十年，卫行是她第二个男人。十年来她与董家正的性生活不好也不坏，她不会排斥，但也从没有极度渴望过。

但是年轻的卫行，让她得见天堂。

她在那一次次让她浑身颤抖几乎失禁的快感中，简直要认为那才是男人与女人走到一起的源头本身以及全部了。

清醒以后乔其只想给自己掌嘴，太可怕了，卫行让她失去控制。

可是对一个三十岁的女人来说，所有让她失去控制的关系都是不健康的，有害的。

乔其出机场上车，入住酒店，时间已近凌晨，她走进浴室洗澡，五分钟后听到门铃响。

她裹着浴袍去应门，门外传来卫行的声音。

乔其第一反应是咬住了自己的舌头。

疼！

门开了，卫行将背包丢在地上，反手关了门。

乔其来不及说话就被他压在门板上，浴袍松垮，一秒钟就落到地上，乔其赤裸身体上还有未擦干的水珠，卫行火热的双手与强迫的亲吻让她情不自禁地呻吟出声，他的舌头越发用力，乔其再也站不稳身体，她整个地软了下来，觉得自己就快被他吃进身体里去。

但这样卫行还是觉得不够，他抬起头，在乔其终于寻找到空气的深呼吸里猛地将她抱了起来，几步扔在床上。突如其来的空虚感让乔其主动伸出双手拉扯他的T恤。屋子里的温度变得令人难以忍耐，年轻男人身上的汗味也是催情的，两人的动作都变得急不可耐，纠缠里乔其所有的理智都成了泡沫，最终她的手被拉到那坚硬的地方，虽然她已经一次又一次地看过，但它再一次令她涨红了整张脸。

卫行挺身，进入乔其的身体。

那火热，湿润，紧室之地让他觉得的灵魂刹那间去了一个充满眩光的极乐之境，身体一切感官都集中到那一点，让他再看不到听不到感受不到其他。

乔其浑身紧绷，就连脚趾都不自觉地蜷缩起来，她紧闭双眼，不敢想象自己是以怎样的姿势让卫行进入身体的，一切对她来说都太过刺激了，她在卫行如同疾风骤雨般的动作里简直要发作心脏病。

但就算是这样死了，她也是愿意的。

时间失去了意义，卫行太年轻了，长途旅行完全没有起到任何影响，异地陌生的空间令他更加兴奋，他不知道这一场狂欢进行了多久，当他最后挺身的时候，他大声呻吟，并且浑身颤抖。

他俯下身，用剩余的所有力气紧紧抱住乔其，在她耳边反复。

"乔其，我爱你，我爱你，你是我的了。"

新　人

董家正从同事口中得知乔其有了新人。

律所里从上至下都认识乔其，许多人公开对他们的十年恋情表示过羡慕。甚至连那位不苟言笑的德国洋boss都知道他即将与乔其结婚的消息，董家正记得那德国人对他说的是，一个尊重自己选择的男人永远值得信任。

所以当他身边人换成叶秀秀之后，其他人个个难掩惊讶之色，有几个女同事立刻对他改变态度。

董家正觉得好笑，自由选择伴侣是天赋人权，更何况他和乔其根本就没有走进礼堂。

从法律上来说，他是个自由人。

至于道义，人生只有一世，事事追求道义，哪里还有快乐的容身之处。更何况他已经把一切都留给了乔其，在上海市中心拥有一套房产并不是每个外来打拼者都能做到的，那也是他的十年心血。

他还以为身边的同性能够理解他，没想到同事对他提起乔其时，脸上分明带着嘲讽的笑容。

"年轻英俊，对，想不到吧？原来她比你更懂得享受。"

董家正当时耸肩，之后每一分钟都在想这句话。

她是与他在一起十年的女人，他在潜意识里，总觉得她是永远属于他的。

——即使他已经离开她了。

年轻英俊——乔其又是在哪里认识的新人？

他随即想起那天站在乔其身边的年轻人，不！那时候他甚至还没有与她彻底分手。

董家正知道自己应该不在乎乔其了，但他整个脑袋都被这件事占满，他的失常连叶秀秀都能感觉到。

叶秀秀感到极度的失望。

董家正在她学校附近租了一套两居室，小区倒是不错的，但是因为时间仓促，也没有太多的挑选余地，租屋装修十分简单，连马桶都是坏的。

叶秀秀满怀欢喜地住进去，然后发现了另一个董家正。

过去他出现在她面前的时候永远风度翩翩，带她所去的全是她梦想中的地方。有时候他会突然给她电话，要她跟他去某个城市。她只需要带上身份证就足够，董家正出差如同家常便饭，行必公务舱住必五星级酒店；她曾有一天上午还在教室上课，晚上就已经与他在香港丽兹顶楼的酒吧俯瞰万千灯火，早上醒来的时候，早餐已经被推进房中，插在水晶花瓶里的玫瑰犹自带着露珠。

过去他们的时间全是偷来的，每一分钟都弥足珍贵，所以一切都是最好最华美的，而现在叶秀秀每天都能够看到董家正，却发现她梦想中的生活完全变了味。

她发现现在自己每天能见到的只是一个精疲力竭的中年男人，董家正最近接了一个大案子，日日迟归，到家时整个人都松散下来，面泛油光，领带一扯就只坐在沙发上，动都不想动。叶秀秀想拉他出去吃个饭都不可能，而她又是个不会下厨的，天天外卖吃到想吐。

一开始她的撒娇抱怨董家正还能耐心哄劝，直到这一天他突然爆发，说："秀秀，我很累！乔其就不会像你这样不懂事！"

叶秀秀如遭雷击，她再不懂事都知道，一个男人不会无缘无故提起他的前女友。

意 外

乔其坐在街边的咖啡店里，隔着一层玻璃看那高耸校门。

J 大也算百年老校，她记得当年自己读书的时候，周五晚上与程君携伴到这里来联谊，说是联谊，其实就是大礼堂里跳舞，进门才花五毛钱，还有一瓶汽水喝。

有个男孩子连着两周请她跳舞，第三周她把董家正也拉来，一定要他看看自己有多受欢迎。

转眼就十年了。

乔其轻轻叹了口气，白色校门下仍旧川流不息着年轻面孔，她却再也不属于他们中间的一个了。

她给卫行发了消息，说她就在校门口的咖啡店里，等他下课。

卫行与她约的是晚餐，他的保送研究生名额下来了，他一定要与她庆祝。

乔其在电话里说："我可能要加班。"

卫行就说："论文答辩到五点，我去你公司楼下等你。"

没想到乔其下午的客户会议临时取消，乔其看时间，回公司也没有意义，索性把车开到卫行大学门口。

卫行跑出学校，车流滚滚，他是闯了红灯过的街，乔其眼睁睁看着他与一辆公交车擦身而过，吓得脸都白了。

所以等卫行到她身边的时候，乔其第一句话就是：

"跑什么？你不要命了！"

卫行迫不及待地拉住她："你怎么会过来等我？"

乔其心还在跳，但是卫行的急切让她感动。

乔其也有百米之外飞奔扑向另一个人怀里的时候，但那已经久远到连她都怀疑是否曾经真实存在过。

她的声音软下来："会议取消了。"

卫行并不放开她的手："那我们走吧，我定了餐厅。"

咖啡馆里的人纷纷看过来，乔其开始感觉不自在，所以也并不反对这个提议。

他们牵手离去，乔其的车停在两百米外的小路上，卫行走得很快，乔其几乎跟不上他。

只是两百米的距离，就让她气喘吁吁。

乔其觉得卫行反常，但关上车门的一刹那，卫行紧紧抱住她，给了她一个深长热烈的吻。

乔其注重隐私，全车贴深色车膜，饶是如此，她也紧张到浑身冒汗，但是四唇分开时，她又觉得无比空虚。

她对卫行的热情简直没有任何抵抗力,乔其原以为自己分得清什么是理智与感情,但卫行的出现扰乱了她所有的既定思维,她终于明白什么叫做焚身如火,很多时候她哪里还有能力思考?她连脑浆都是沸腾的。

卫行终于放开乔其,开车。车子从小巷中退出,并入车流,消失在街道尽头。

校门口人流仍旧如织,只有十分钟前走出校园的叶秀秀一直站在街角,不言不动地看着那车消失的方向,仿佛要把自己站成一座雕像。

卫行把晚餐定在 K5,乔其是知道这里的价格的,坐下时还在暗想,她是该提议去另一个地方呢,还是等会儿不着痕迹地提出由她来买单。

没想到卫行开口就是:"乔其,晚餐我已经预付。"

她愣一下,卫行又道:"我一直想和你在这样的地方吃一顿饭,是有点贵,不过我也负担得起。"

他顿一顿,继续:"我想你知道我有多么爱你。"

乔其张开嘴又闭上,夏日的晚风无遮无拦地吹过露台,头顶白色布棚如有微浪,卫行说了许多话,说他会继续读研,但也会在生物研究所参与一些项目,当然是有报酬的。生物制药这一行前景无限,他一定会做出一番成就。

还有,他也有信心和她一起走下去。

他是那么认真,问她:"不会太久的,乔其,你会等我的是吗?"

乔其看着卫行乌黑的眼睛,突然想流泪。

她真想告诉他,我等过了,十年。但这句话太沉重了,不适合这样的一个夜晚。

卫行并没有失望,他知道乔其不会立刻回答这样一个问题。乔其是个冷静的女人,没有准备好的时候她不会说,但如果她说可以了,那就一定不会再改变。

卫行对乔其有把握,他知道她也对他有感觉。人的身体最诚实,不带一点欺骗,他一定能等到自己想要的答案,一切只是时间的问题。

到了第二天晚上,卫行又接到乔其的电话。

他打了车直奔乔其家,大步走进公寓大楼,就连心跳都迫不及待。

乔其住十二楼,电梯慢得令卫行后悔,他觉得如果是用自己的双腿,一定能够更快见到那扇白色大门。

发现相对论的应该是一个坠入爱河的男人，他与她在一起的时候，时间变得毫无意义，看不到她的时候，时间又变得无边无际。

电梯门打开，卫行最先走出去，乔其家的大门居然是开着的，门口浅色垫子上放着两双鞋。

他为这意外的画面愣了一下，不知不觉就停下了脚步。

回　家

乔其开门，意外地看到董家正。

她有一秒钟的恍惚，仿佛她只是做了个梦，梦醒以后董家正恰好按响门铃，回到属于他们两个人的小窝。

她曾经只听脚步声就能分辨门外是否是他，十年了，除了那张证书，她其实已经经历了一场婚姻。

但她很快清醒过来，这已经不是她的男人。

董家正开口："乔其，我有话要跟你说，可以进去吗？"

乔其没有动，她看了一眼墙上的挂钟，再过半个小时，卫行也该到了。

"你在等人吗？"

对门有响动，乔其想一想，让开一步："进来吧。"

董家正进屋，厨房里传出香味，他询问一样看着乔其。

"你在煮东西？"

乔其点头："炖汤。"

董家正不语，乔其会做饭，穷过的人都知道在外吃一顿的价格足够在菜场买够一星期的食材。

他过去也是享受温暖灯光下两人面对面的共进晚餐的，但这些年他应酬日多，到后来已经很少有机会在家吃一顿饭了。

他也不用乔其招呼，自然地就在沙发上坐下了，那里是他最熟悉的位置，四肢自动找到安放之处，身体彻底舒展。

触目所及仍是他离开时的那个家，米色墙纸白色家具，乔其爱干净，一件杂物也无，过去他嫌布置得太过简单，现在经历了租屋里的杂乱无章以后，他再走进这里，只觉得自己疲惫的灵魂都在叹出一口气。

他也不是没有吃过苦的人，当年大学才毕业的时候，与乔其挤在一个三十平的陋室里，屋子小得两人同时弯腰就碰到头，再怎么整理四处都塞满了东西，那么艰苦，他也没觉得太过难熬，至于这套公寓，说是三年前买的，光是等交房就花了一年半，之后又拖拖拉拉装修了半年，他与乔其真正住进来也就一年的时间。

然后就不能再忍受租屋了？简直不可思议。

但叶秀秀太年轻了，十指不沾阳春水，半点不谙家务，又没有时间观念。钟点工阿姨吃过几次闭门羹之后就开始闹罢工，问叶秀秀，她两手一摊，蜜桃样的嘴唇撅起来，拖长声音。

"我真的忘记了。再说几个小时就坐在屋里看她打扫，再闷都没有。"

乔其也没有时间，但这公寓里有做熟的家政工，乔其交钥匙给她，有要求就留一张纸条，很多时候只把人工放在桌上信封里，一个月不见面都没有关系。有人会说这不安全，但乔其知人善任，家里从来干净整洁，没丢过一张纸片。

他也没有拿叶秀秀与乔其相比的意思，但在操持一个生活空间这件事情上，叶秀秀明显不如乔其。

乔其开口，问："你想说什么？"

董家正与乔其对视，那双习惯了滔滔不绝的薄薄嘴唇突然失去了声音。

他是来与乔其谈房子的事情的，他在路上已经想好了要如何一步步让乔其说出她是何时认识那个年轻男人，又是何时与那个年轻男人在一起的，他将房子留给她是基于道义，如果她在他们的关系里也不是毫无亏欠的，那他放弃属于自己的所有权利实在不太公平。

可是再次回到这个让他无比熟悉的环境里，再一次与乔其四目相对，他的一切不满与说辞都不可思议地消失了，他又努力了一下，终于能够开口。

他听到自己说："乔其，让我回来。"

鞋

厨房里电锅响，乔其站起来，离开了五分钟。

回来的时候，她的手里拿着啤酒与手机。

她说："等一会儿吧，汤就快好了。"说完把那罐啤酒放在他面前。

董家正不明白乔其的意思，但她没再与他说话，只是开了电视。

他也不知道接下来说什么好，只好打开啤酒喝了一口。冰凉的啤酒缓解他的焦躁，熟悉的一切也令他放松，屏幕上主持人正大谈新经济政策上海的影响，董家正专攻跨国并购项目，对此不免多关心一点，看着电视再喝一口啤酒，他突然就觉得问题都解决了。

他知道乔其是个要面子的女人，或者她也在等他回来，只是她的自尊心让她无法开口。

主持人絮絮叨叨地将自贸区规则说到第十六条，董家正手里的一罐啤酒也只剩一半，

乔其也在看电视，那张雪白的面孔安静得如在沉思。

她在想什么呢？董家正看她一眼，或者他应该提议关掉电视再与她谈一谈。

但一切回到正轨的感觉太惬意了，这一刻董家正根本不想再考虑其他。

突然响起的拍门声击破屋里的平静，那声音太过急切，让猝不及防的董家正心里一惊。

乔其却是一切都在意料之中那样，不慌不忙地站起身来走到门边，伸手开了门。

门外站着满脸通红的叶秀秀，大门是正对客厅的，门一开就能看到坐在沙发上的董家正。

叶秀秀美丽的五官扭曲了，她没有想到乔其在电话里所说的一切是真的。

她觉得惊慌、挫败、愤怒、不可思议，这些感觉都太陌生了，以至于她突然间无法做出任何反应。

还是乔其冷静，提醒她："先脱鞋再进屋，谢谢。"

董家正已经站了起来，手里还拿着半罐啤酒，一撮头发因为站得太急奓在额头，说不出的滑稽与狼狈。

叶秀秀甩脱鞋子，冲进屋里。

乔其不急着进屋，先低头将叶秀秀一只飞在门里一只飞在门外的鞋子归整到门口铺着的浅色垫子上，与旁边那双她再熟悉不过的黑色男式皮鞋放在一起。

叶秀秀穿宝蓝色浅口芭蕾鞋，鞋口边还有一双水晶蝴蝶，说不出的美丽娇艳，

乔其直起身，低头看一看并排在一起的两双鞋，不由冷笑一声。

幸好董家正与叶秀秀听不到。

他们已经纠缠在一起，叶秀秀抹着雏菊的指甲差一点抓到董家正的眼睛。

她尖叫："你怎么可以！"

发了疯的叶秀秀简直像一只炸了毛的猫，董家正扔掉啤酒罐抓住她的双手，大吼了一声："疯了你！"

乔其走过去，她后悔了，这两个人会拆掉她的家。

屋子里安静下来，叶秀秀被吓呆了，她从没见过董家正这样凶神恶煞的脸，她觉得自己的手腕都要被他抓碎。

卫行在两秒之后，站到洞开的门前。

屋里的画面让他错乱，他第一个反应就是冲进去，把乔其拉走。

他不想让她看到那两个纠缠在一起的人中的任何一个，但奇怪的是，他内心深处又有一种突然轻松的感觉。

就像等待了许久的那把铡刀，终于落了下来。

关 门

最先离开的是董家正，拍门而去，最后一句话是对乔其说的，眼睛扫过她与卫行，气急败坏。

"做得好，乔其，你等我的律师信。"

乔其看着那门，微微地晃了一下。

她怎么不知道董家正的来意，董家正出身寒门，白手起家堪称艰难，一针一线尚且在意，更何况这套市值数百万的房产。

他也没有错，这里确实是他们两个人的十年心血。

至于他所说的"我什么都不要。"一个男人愧疚的时候所发感慨，就如同高潮时的山盟海誓，清醒的女人在早餐时就应该忘记。

乔其两周前已经将公寓挂牌出售，就算董家正不来找她，她也要联系他了。

只是让她没想到的是，他居然会说出"乔其，让我回来"这句话。

她听在耳里，只觉荒唐大过悲伤。

他以为这只是一场游戏？说来就来说走就走？

但她已经经历一场浩劫，仿佛被他生生斩落马下，外表尚能维持，内心满是疮痍，可能余生都不能再愈合。

他们曾经那样相爱，所以这伤口就格外惨烈，饶是乔其自诩坚强，都不能幸免。

卫行伸手，扶住了乔其的肩膀。

他对董家正的离去无动于衷，乔其的苍白面孔占满他的心，他早已忘记初衷，事实上这一刻他的眼里再也看不到其他人。

年轻男人身上的味道是熟悉的，在这种时候，再微小的力量和温度都弥足珍贵，乔其不知不觉，已经蜷缩在卫行的肩膀下。

乔其从未有过这样弱小姿态，卫行收紧臂膀，隔着一层血肉，他觉得自己的心都要跳出来抚慰她的哀伤。

谁都忘记了屋里还有另一个人，双目赤红的叶秀秀走到他们面前，也不言语，伸手就朝乔其的面孔挥去。

卫行肩膀一动，那巴掌就拍在他的胳膊上，天热，他穿短袖的 T 恤，一样一声脆响。

乔其如被惊醒，整个人都是一震。

叶秀秀却没有对她说话，只看着卫行，一个字一个字地："所以你用她来报复我？"

卫行皱眉："怎么可能？"他又转过头去看乔其："对不起，我还没有对你说……"

叶秀秀咬住牙："说什么？说你是我的前男友？说你被我甩了，所以也要给那个抢了你女朋友的男人戴一顶绿帽子？"

乔其退了一步，卫行臂弯一空，心就沉了下去。

他叫她："乔其。"

她看他一眼，然后再去看咬牙切齿的叶秀秀。

一个女人最能感受到另一个女人的痛苦，她也尝过那样的滋味，真是刻骨铭心。

但她还那样年轻，谁没在年轻的时候做过令自己后悔的事情呢？乔其曾以为自己是被幸免的那个，但时间会给出答案。

乔其再看一眼卫行，黑色的眼睛突然蒙了一层雾气。

而现在的她，连后悔的资格都没有了。

卫行还想拉住她，乔其说："你先把她送回去吧，有什么话等你回来再说。"

叶秀秀抢先开口："不用你假好心。"

乔其摇头："不是担心你，卫行，我怕她会对这里造成损害。"

这态度比撒泼扭打更令人受不了，叶秀秀尖叫了一声，随手抓起门边柜上的钥匙盘就要向乔其丢过去。

卫行一把将她手中的凶器抢下，乔其说得对，现在的叶秀秀太危险了，董家正甩手就走，他不得不做出一点行动。

他拉着挣扎不休的叶秀秀，询问乔其："你等我回来？"

乔其点头。

卫行仍旧不放心，事实上他心跳得厉害，总觉得有事要发生。

但最大的炸弹刚刚爆炸，还有什么比那更糟糕的呢？

他在打开的门口又问了一遍："你等我回来？"

乔其与他对视，他可以在她眼里看到自己的小小人影。

她再次点头，然后关上了门。

永 远

"那是你最后一次见到乔其？"

卫行点点头。

许飞坐在他面前，轻轻叹了口气。

卫行是他的师兄，校友会上重聚的，比他年长几岁，他离开学校的时候许飞刚入学。

当年卫行也算学校里的风云人物，具体事迹为在校时曾与当时公认的校花出双入对，毕业后又放弃保研去了新加坡，一年后再从新加坡去了美国。后来卫行拿着自己研发的生物制药项目创业成功，又在二十八岁的时候卖掉了自己公司的大半股份，现在回国成了一个职业投资人。

与那些与他同龄却还在实验室里煎熬的硕士博士生相比，三十岁的卫行就是个传奇。

　　还有他身上总有种超出年龄的沉稳与务实，无论什么人与他交谈都会觉得他是一个可以信赖的人，年前卫行回国以后，圈子里大家聚会总会提到他，并以认识他为荣。

　　当然他还是年轻的，三十岁对大部分男人来说可能是个分水岭，但在卫行所处的那个阶层里，他年轻得叫人咋舌。

　　许飞也没想到，这位传奇一样的师兄居然会因为他无意间提起的一位同事如此动容。

　　幸好卫行给他足够的时间，将故事娓娓道来。

　　许飞说："也不至于避开得那么彻底。"

　　卫行目光放远，眼里有追忆之色。

　　"她就是这样的，我应该想得到，都是我的错。"

　　许飞为他打抱不平："但你现在有足够的条件找到更好的。"

　　"总觉得有缺憾。"

　　许飞点头，是的，所以再次遇到钱多多的那一天，是他一生中最重要的日子。

　　卫行还说了一件小事，说他一直记得有一天他和乔其一起去野餐，天气很好，身边有许多小孩子跑来跑去，还有人放风筝，他躺在草地上，乔其把头靠在他身上看书。他说乔其，你很重呢。乔其就反手用书拍了一下他，他坐起来，一低头就看到她笑得特别开心的脸。

　　他看着许飞说："不管你相不相信，一个人一生中总有些时候，会让你想到永远。"

　　许飞又点头，非常认真的。

　　告辞的时候，许飞把乔其现在的联系方式和工作地址给了卫行。

　　那地方很远，在伦敦，但这难不倒卫行。

　　他现在完全是个自由人，随时都可以出行。

　　但他还是花了一点时间做准备，包括买了几套全新的衣服，研究了一下伦敦的酒店与餐厅，还从表盒里选了两款外表低调但颇有些讲究的表带在身上。

　　到达伦敦以后，他也没有直接找上门去，而是先在定好的酒店住下，倒了倒时差，第三天才给乔其打了电话。

电话是她的助理接的，卫行一方面很高兴乔其发展得那么好，另一方面也有些失望。他请助理给她留言，说他是她的老友，多年没见，这次路过伦敦，想和她吃一顿饭，餐厅已经订好了，他到时会在那里等她。

他也留了自己的电话，一个小时以后他收到一条消息，是乔其发来的，说她很高兴能与他再见面。

出发去餐厅的路上，卫行十分紧张。

许飞说乔其在伦敦总部工作，职位不低，他也只是偶尔在回总部开会时与她有联系，至于她的私人生活，他们的关系没有深到那个地步。

毕竟过去八年了，他已经三十整岁，乔其比他大了八岁，他不知道自己会看到怎样的一个她。

卫行早到了，他订的是一个很高级的餐厅，由常年居住在伦敦的朋友倾力推荐，他不断地看表，觉得自己从没有这么紧张地等待过一个人。他还觉得自己一身衣服穿得都不对，就连手表都太过正式，自己在不停地出汗，不用照镜子都感觉到一脸油光。

时针跳到他所说的整点位置，他终于看到乔其。

她从餐厅旋转门里走出来，就是他想象中最好的那个样子。

她也立刻就认出他，走过来在他面前坐下，对他微笑，说："好久不见。"

卫行点头："是，好久不见。"

他们开始看菜单，点餐，吃饭，也聊了很多，说的都是各自这几年的游历见闻。

这不是卫行想象中的重逢，他总以为他和乔其八年后的见面会有一些激动人心的场面，说不定还会有些戏剧化的情节，但没有，什么都没发生。

他们就像一对分隔多年的老朋友，微笑着见面，顺畅地交谈，但谁都不说更深层次一点的话。

一顿饭吃到差不多的时候，乔其的电话就响了。

她也没有避开卫行的意思，就在餐桌上接了电话，然后她拿着电话，将脸转向餐厅外。

卫行与她一同往那个方向看过去，餐厅外有个男人刚从车上下来，对上他们的目光之后，对他们微笑着点了点头。

乔其说："不好意思，那是我的未婚夫，他来接我了。"

卫行立刻站起来："我送你出去。"

到了餐厅门口，乔其还为两个男人做了简单的介绍。

她的未婚夫明显有些年纪了，鬓角已经可以看到柔软银丝。

卫行这些年也算是交际广泛，但那男人温和与威严并存的笑容还是令他心生感慨。

他也不想承认，但乔其站在他身边，真是说不出的悦目合适。

他终究是晚了，无论是八年前还是八年后。

他与乔其友好地告别了，最后还有了一个拥抱。

他又闻到她身上的味道，在伦敦冬天冷冽的寒风里。

回程的飞机上，卫行做了一个梦。

他和乔其躺在草地上，天气很好，身边有许多小孩子跑来跑去，还有人放风筝。

他说乔其，你很重呢。

乔其就反手用书拍了一下他，他坐起来，一低头就看到她笑得特别开心的脸。

他醒过来，机舱里苍白的灯光空空地照在他的胸口上。

他坐在那里，按了按自己的胸口。

这就是故事的结尾，至于永远，他已经得到过永远了，就在那一天。